作者夫婦與在美内外孫於洛城哈崗寓所後院合影

作者小傳

周伯達 別號濱聞，湖南人也。一九一七出生於華容彭家橋。童年就傅在先祖父督促下，熟讀四書五經。三三年入岳郡聯師，卒業後，復入省立衡山師範。抗戰軍興之翌年，棄文習武，參加抗日戰爭。四五年抗戰勝利，積功升陸軍中校，四九年晉升上校，隨軍至台灣，五六年退役，從事中國哲學暨三民主義哲學之研究。六〇年代初期，進入三民主義研究所任研究員，後編入中國國民黨中央黨部，歷任設考會組工會總幹事。八二年十二月，於生產事業黨部書記長職務內屆齡例退，旋移居美國洛杉磯（L.A.）哈仙達（Hacienda Heights）。著有：心理作戰綱要、兵學與哲學、孔孟仁學原論、周易哲學概論、心物合一論、中國哲學與中華文化、介石先生思想與宋明理學、中山先生思想與中華道統、近卅年的中國（民國卅九年至六十九年之回顧與前瞻），什麼是中國形上學（儒釋道三家形上學申論）等書，九八年將有關哲學著作七種，統一刊行，名曰濱聞哲學集刊。夫人施秀芳，二二年出生於江蘇海門中央鎮，日本靜岡藥科大學畢業，從事教育工作數十餘年，退休後，一同移居美國。

濱聞哲學集刊總目

本集刊是三代以後，對中國哲學認識最深、最廣、最正確，更具啓發性之著作，凡喜愛中國哲學，而願升堂入室，以見得此心之仁，證得人之本來面目者，允宜人手一集。

濱聞哲學集刊之一

孔孟仁學原論

本書是從仁之本身對孔孟仁學，作哲學的解讀，確能發明其原義，與注疏家釋仁，截然不同。民國五十三年初版，原名「孔孟仁學之研究」，茲重加整理，并改今名後再版刊行。

濱聞哲學集刊之二

周易哲學概論

本書從「怎樣讀周易」，說到「卜筮之學」，說到「虞翻之消息」、「焦循之旁通」，以及邵子先天易學與「來氏易」等等，是詳述周易哲學與象數之學。民國五十四年完成初稿，藏之篋中卅餘年，茲稍加整理後刊行。

濱聞哲學集刊之三

心物合一論

本書分爲導論，物之分析，心之分析，心物之合一，心物與人生及結論等六篇，是從物與心之分析，而說到心物「二者本合爲一」，以證明「精神與物質均爲本體中的一部份」。民國四十六年完成初稿，民國六十年初版發行。茲稍加整理，再版刊行。

濱聞哲學集刊之四

什麼是中國形上學——儒釋道三家形上學申論

本書對於儒釋道三家之本體哲學，宇宙哲學與認識哲學，皆有極深而研幾之描述，以期真能表達中國形上學究竟是什麼？因本書涉及中國哲學之全部，故可視爲中國哲學概論，亦可視爲中國哲學史簡編。自一九八三年開始執筆，迄九四年完成初稿，約五十萬言，茲特再加整理後刊行。

濱聞哲學集刊之五

中國哲學與中華文化

本書係收集民國五十年代至六十年代，有關中國哲學與中華文化之拙著編輯而成，多已在學術刊物發表，其中「中華民族文化與世界之未來」一篇，原編入臺北幼獅書店「青年理論叢書」，曾於民國五十八年六月初版印行。

濱聞哲學
集刊之六

介石先生思想與宋明理學

蔣介石總統，喜好哲學，嚮往道統，服膺中山主義，傳承宋明理學，皆頗有所得。本書係說明蔣總統在哲學思想、政治思想與教育思想等三方面，對宋明理學之貢獻。民國五十五年十月三民主義研究所初版，原名「總統思想與宋明理學」，茲稍加整理，并改今名後再版刊行。

濱聞哲學
集刊之七

中山先生思想與中華道統

本書是本於學術的立場，對中山思想作哲學的解讀，以明瞭其思想淵源，并及其全體大用。一九七八年五月初版，曾獲是年中山學術獎，原名「三民主義之哲學基礎」。茲特重加整理，并改今名後再版刊行。

濱聞哲學集刊之七

周伯達著

中山先生思想與中華道統

臺灣學生書局印行

再版自序

——簡述中國形上學、中華道統與中山思想之全體大用

四十年前，因緣偶合，領悟了中國哲學之真義及其真精神。經四十餘年之反覆推究與體會，所見益真切，所知益深入。這個哲學精神，是必然的在人之心靈顯現，雖不爲一般人所識，卻是志士仁人救國救民之原動力。孫中山先生是最典型的例證。他以道德、民主與科學之三重奏，復活了這個精神并使之發揚光大。本序言是說明了這一真理。本著及我之其他的哲學著作，全是對這個「先聖後聖，其揆一也」，「東西聖人，心同理同」的不易之理，作哲學的詮釋。

一、前　言

本書原名「三民主義之哲學基礎」，一九七八年五月初版，曾獲是年中山學術獎。三民主義是中山先生之主要思想，也是他努力之目標或方向；但不能說，這是其思想之本身。本書初版，原是本於純學術的立場，對中山思想，作哲學的解讀，以明瞭其思想之淵源，并及其全體大用，而真能「還原於其本來的面貌」。因此，本書原名，實不恰當，乃改今名，并略有損益，再版發行，期使中山思想，能完整的呈現在讀者的眼前，更期能發揚光大而有益

於世界人類。

二、先說明形上學存廢的問題

我們是用中國形上學來解讀中山思想，特對於形上學存廢的問題，作必要之說明。本書初版對於邏輯原子派「主張所有哲學的問題，實在就是造句法的問題」❶，雖有所評論，但對於形上學存廢的問題，未能作應有的說明，茲特作說明於下：照維特根斯坦所說：「有一些肉眼看不出，但思想卻可以洞察的事物。實際上，這樣的東西并不存在。」❷邏輯實證論者，認爲這種「肉眼看不出」的東西，是既不可證明，亦不可否認，是無意義的。他們是將這些不存在而無意義的屬於形上學的東西，排除在哲學之外。這是以取消或否定問題的方式來解答問題。維特根斯坦說：「哲學只是把一切都擺在我們面前，它既不解釋，也不推演，因爲一切都是顯而易見的，沒有什麼可解釋的，我們對那些隱蔽的東西不感興趣。」（同註二，頁九一）這所說的，最主要的意思「就是把語言的實際用法按照其本來面目描述出來。」（同上頁九二）。描述其本來面目，這應是哲學最緊要之所在。卻因所見之不同，其所描述者，必大異其趣。我們認爲，形上學之所見，是不可能被排除的。羅素曾說：

---

❶ 詳見本書第一章第二節四、「哲學與語言文字」。

❷ 趙敦華著「維特根斯坦」頁九一，臺灣遠流出版公司。

維特根斯坦先生把倫理學的題材置於神秘的，不可言說的領域，他自己卻能表達自己的倫理觀點。他可以辯解說，他稱之為神秘的東西是可顯現，但不能言說。也許這種解釋是適當的。但就我而言，他在某種意義上未能滿足理智的要求。（同註二，頁六二）

事實上，維特根斯坦在他的哲學著作中，所探索的仍是幾千年來哲學家們津津樂道的形而上學的不朽題材，如：世界、形式、結構、界限、邏輯、思維、語言、自我、意志、真理、價值、意義等等。按照他自己的標準，他表述這些題材的命題也應該是無意義的。維特根斯坦并不否認這一點，他不無自我解嘲似的說道：

任何瞭解我的人終究要認識到我的命題是無意義的。這些命題只是他用來攀登的階梯。當他超越了這些階梯之後，他必須拋棄這個梯子。他必須超越這些命題，然後才能正確地看這個世界。（同註二，六三）

到達彼岸而棄筏，這是證道之詞，這是形上學。這是見到了「無」，這是真的超越。維特根斯坦他沒有超越某些命題，他只是見不到某些問題的本來面目而不知如何描述，乃以否定或取消的方法，將某些問題排除在他的哲學之外罷了。我國有「掩耳盜鈴」之說。維特根斯坦以及「維也納學園」諸君子，或辯證唯物論者，他們取消形上學的方法，實與將耳朵掩住而聽不到鈴聲，便認定鈴聲已消失相類似。這就是說，形上學實不會因邏輯實證論者（即邏輯原子派或維也納學圈或新實證論者，為當代的顯學），或唯物論者之否定或取消，便已不再存在。

三、簡說中國形上學

形上學確實是存在的。本書第二三四各章及第六章，對中國形上學皆有說明。爲使讀者易於瞭解，特再作簡要的說明。茲先對近代哲學的趨勢，稍作介紹。羅素將近代哲學分作三派❸：第一派，他叫作歷史沿襲派，這是從康德黑格爾傳下來的，大致上也是繼承柏拉圖的。第二派，他叫作進化學說派。第三派，他叫作邏輯原子派。第三派，上文已有論述，他們是反對形上學的。我們中國形上學與第一二兩派，是有同有不同。我們認爲，這宇宙或世界之本體是「實在」（Reality）或「實體」（Subsistence）。這「實在」是什麼呢？它是「一」。這所謂「一」，不是數，是純一，是沒有差別。老子曰：「視之不見名曰夷，聽之不聞名曰希，搏之不得名曰微，此三者不可致詰，故混而爲一。」（老子第十四章）此夷希微雖「不可致詰」，它確是一，實類似黑格爾所謂之「純有」（Pure being）或有。黑格爾認爲有「是一無特性而徒爲虛空的有」，「由於有是如此虛空，所以便等同於無（Nothing）」❹；於是，有無「兩者間之差別性，已被消除而進於同一」（同註四，頁一三五），所以有與無是同一的。這有無同一之「一」，即前文所謂不是數量而沒有差別且「不可致詰」之「純一」。因爲它是「無特性而

❸ 羅素著、張俊雄譯：「哲學與科學知識」頁一，臺灣正文出版社印行。

❹ W.T. Stace 著、曹敏、易陶天譯：「黑格爾哲學」頁一三四，臺灣政工幹部學校譯印。

徒爲虛空的有」，所以它就是無。它不祇是「無差別」「無特性」，或是「無形式」（佛家稱之為「無相」）「無內容」；而且是「無思」「無爲」❺。那麼，我們如何能認識到它？在此擬長話短說。羅素（Bertand Russell），這位在本世紀極負盛名之新實在論者，他大致認爲，這終極之實在，即「世界之中只有一種太素，是所謂『事點』。」❻這所謂「事點」，即是陰陽電子之相遇，亦即陰電子繞核而行，或陰電子繞陽電子運動。這是現代知識份子所週知的科學知識。周易所謂之闔闢（易繫辭上傳第十一章），其義實與此無異。熊十力先生則以發揚的勢用與收斂的勢用（見熊著「新唯識論」）來說明此一事實。這就是說，所謂陰陽電子相遇，乃是一種向外發揚的勢用與一種向內收斂的勢用所呈現的一種可名之爲「平衡作用」的現象，也就是與周易所說的陰陽動靜或闔闢等現象沒有不同。不過，我們中國形上學與現代核子物理學或新實在論者所不同的，此即我們認爲，此陰陽電子相遇所呈現之「事點」，它祇是現象之始源，而不是終極之「實在」。這不是我們好求解釋，而是事實之本來面目確是如此。爲什麼呢?因爲這陰陽電子之相遇，其真正的意義，除顯示了一種「平衡作用」之「動力」外，也是顯示了動與靜之差別相。楞嚴經第四卷有曰：「無同異中，熾然成異。」這意義是說，這「熾然成異」者，是無同異之一。老子第四十章有曰：「天下萬物生於有，有生於無。」又第四十二章有曰：「道生一，一生二，二生三，三生萬物，萬物負陰而抱陽，……」老子

---

❺ 周易繫辭上傳第十章。

❻ Russell, outline philosophy 第廿六章。

所謂之「道」，是指「有物混成，先天地生，……字之曰道。」（第廿五章）當我們對這個「先天地」而生之「道」加以描述時，它可以說是「一」。王弼曰：「一可謂無」；當我們識得這無差別無對待之「一」時，也就是識得了「無」。若對這個「一」再作進一步之描述，它是由無對待之一成爲有對待之二。老子所謂「道生一，一生二」，應作如是講。至於所謂「二生三，三生萬物」；這是說，無待之一不是數，須待「熾然成異」而成爲一陰一陽之有對待的二，這才是數。明儒來知德先生周易注有曰：「對待者數。」數因對待而生成。所以從形而上言之，二才是數之始。有了二便有三。三則是數之成；因爲「三」是可以生出無窮之數。例如：四是三加一，五是三加二，六是五加一，……十是五加五，如此以至無窮，這當然是三生萬物了。這與周易繫辭上傳第十一章所說：「是故易有太極，是生兩儀，兩儀生四象，四象生八卦」，是沒有本質上的不同。照這樣說來，這陰陽電子之相遇所顯現之一動一靜的差別相，乃是這無差別無對待之終極之「實在」，我們名之爲一或無（周易是名之為太極）者所呈現之存在；也就是，這有待之二是無待之一所顯現的。這應是明白可曉而無可置疑的；因爲這「是顯而易見的，沒有什麼可解釋的」。

四、中國形上學是實體的哲學，卻無「實體論證的謬誤」

在此須稍作說明的，即我們名之爲一或無的這個終極之「實在」，它是「一個根本的實體」，所以我們的這個哲學，是實體的哲學（philosophy of substance），卻不致於有「實體論證的謬誤」。方東美先生在其所著「原始儒家道家哲學」一書中曾說：

人類哲學史上以往常見的幾種辦法，即是：「以定義法說明一切」，「以因果法說明一切」，「以實體說明一切」。但是，這三種方式都是建立在錯誤的語言使用上面的。

照方先生這所說的，我們的哲學是屬於第三種的。方先生以「定義法的謬誤」，「因果論證的謬誤」，「實體論證的謬誤」來批判這三種哲學，關於前二者因與我們的哲學無關，無須引述；關於「實體論證的謬誤」，方先生說：

> 如果把最後的東西當做是實體（substance），那就好像人類初期幻想的神話，思想在汪洋大海裡面，以為這個山沉下去了，山峰還在外面，底下那一部分就可以支持這海水。埃及人解釋宇宙的最初神話，就是這種辦法。或者說地球上面，大海之下，在摸到珊瑚礁之後便有海底。於是一切水都被這個海底支撐起來了。同理，個別的事物，也是拿經驗的實體（empirical substance）去支持。這個「經驗上的實體」，又需要有一種東西支持它。於是便拿所謂的「基本實體」（fundamental substance）去支撐。最後把一切物質的內容都抽出來，唯剩實體（Substratum）來支持一切。但是，假使我們把洛克的「人類知性論」（An Essay Concerning Human Understanding）仔細一看，就要問「什麼是實體？」（What is the substratum?）洛克說：從哲學與宗教上面看，假如我們打破砂鍋問到底的話"Substance（Substratum）is that which we know not"「實體就是我們所未知之物。」那麼，換句話說：「一切的未知皆可由一終極之未知而獲最後之解釋」。（All of the unknown will be explained

ultimately in terms of the final unknown）在此就可以看出來，是文字道盡，語言道斷。也就是說，我們要說明這個宇宙的真象，剛開始是訴諸於文字，等最後一切文字的技巧都窮盡了，最後便變成了「不可說，不可說」，變成了「不可思議」，亦即在文字上面不可解釋。

我們中國形上學，當然是「打破砂鍋問到底的」。它是「仰以觀於天文，俯以察於地理，是故知幽明之故；原始反終，故知死生之說。」是「知周乎萬物而道濟天下。」是「範圍天地之化而不過，曲成萬物而不遺，通乎晝夜之道而知，故神無方而易無體。」（周易繫辭上傳第四章）中國哲學是以「仰觀」、「俯察」、「知幽明之故」、「知死生之說」，并知「神無方而易無體」，以達到「打破砂鍋問到底的」目的。它不是「由一終極之未知而獲最後之解釋」。同時，禪宗所謂「文字道盡，言語道斷」，或「不可思議」，「不可說，不可說」等等，乃是「不足爲外人道」，或不可以通常所謂之概念，亦即不可以康德所謂之範疇來言說與思議。試想，當我們對「先天地生」而「字之曰道」的這個「物」或「道」加以言說時，確是不可以用肯定否定或數量等概念來言說。有人依老子所說「有物混成」及「道之爲物」等，認定老子是唯物論者，這是很不恰當的，在唯物論陣營中，不可能有老子這號人物。老子以及所有有成就的中國哲學家，他們都不是「不可知論」者。禪宗門下之達者，他們都是打破了疑團，對於究竟問題，已心知肚明，而絕無不契。他們不肯對外行人說，而曰「不可說」；因爲說即不似。他們認爲，對最後究竟的問題，惟有自證自悟，別人是無法代勞的。

所謂「譬如飲水，冷暖自知」，這究竟問題是祇能自知，而且是確可以自知的。因爲中國哲學認爲這終極之「實在」或「實體」是可知的，所以絕無方東美先生所謂之「實體論證的謬誤」。

五、無所住心與無待之一，皆可智及之

一般人以爲，將無待之一或「無」視作實體，實屬不可理解。其實，這是很容易明白的；因爲這有待之二既是「無同異中，熾然成異」的無待之一所顯現的，而這個顯現了差別相，亦即是顯現爲有待之二的「事點」既是「實體」；那麼，我們說無待之一是實體，實無理論上的困難。茲更進一步言之。據傳，唐憲宗時有南陽慧忠國師者，曾問一大耳三藏說：「聞汝有他心通，是否？」此大耳三藏說：「不敢。」忠國師說：「汝試觀吾心今在何處？」大耳三藏說：「國師何得在天津橋上看水？」國師說：「汝試再觀之？」大耳三藏說：「國師何得在某處看山！」但當忠國師入禪定後，心無所住，心與整個自然混而爲一，此大耳三藏即不知忠國師之心果何在。此一禪宗公案，詳見指月錄卷六。莊子應帝王篇，列子黃帝篇，亦都有與此類似之記載。這可以說，道佛兩家都認爲這「無所住心」是真正的存在。金剛經對「無所住心」有非常明確之說明。大體上與黑格爾所謂思想（此是主詞）思想（此是動詞）它自己之說相同。這就是說，當心或思想，它所知的或所思想的，祇是自己的心或思想，亦即祇是以心觀心而不觀物，則便會「生無所住心」。這「無所住心」可名之爲超感性的直觀，這是棄絕一切感性之知而獲得了超感性之知。例如我們所見到的這無待之一或「無」等等，

這都是超感性的。西方宗教哲學家，稱這種直觀爲「智性直觀」。他們說：「存在主義和觀念論往往將這種智性直觀歸屬於人，其實人沒有這一能力。」❼中國哲學則認定人確有這一能力。例如禪宗六祖，「一日負薪過市中，聞客讀金剛經，至應無所住而生其心，有所感悟」，後至黃梅，「五祖復徵其初悟，應無所住而生其心語，祖言下大徹。」（見指月錄卷四，六祖壇經與此略有不同。）中國哲學蓋認爲，凡大徹大悟者，必生「無所住心」而獲得超感性之直觀。禪宗諸祖師以及其門下之達者，都曾獲得此一能力而無疑。就我自己來說，由於先嚴之偶然啓示，使我對「天地何所窮際」這個問題，一直找不到適切的答案。我對於西方近代哲學家，如笛卡爾康德等，對於這方面之有關解釋，皆完全不能滿意。大約在民國四十五年，一個秋天的深夜，在靜極中我見到了這遍而無所在之「無所住心」。這是眼耳鼻舌身意等感官之知皆已喪失的非意識所行境界。在這個時候，空間已泯，時間已失，古往今來，聖賢仙佛與我同在。事實上，這就是見到了無待之一。在這個時候，也見到了孟子所說的浩然之氣，或所謂大無畏精神；因爲祇有在這個時候，是真的無有罣礙，無有恐怖。西方宗教哲學家認爲，當「認知能力與心靈力量整體相結合，才會有全副力量及生命力」（同註七）。我個人體會所得，當「生無所住心」時，人之「全副力量及生命力」是必然的現起。禪宗門下認爲，這必是認真修行，長年累月修持的結果。在修持方面，我很慚愧。我祇是抱住問題不放，經數十年之體認，省察與窮究，終因忠國師之啓示，使我悟入了這非意識所行境界，見到了這存而

❼ 布魯格編著、項退結編譯：「西洋哲學辭典」頁二二〇，臺北先知出版社。

不在，與無相同之有，并因而見到了有與無之同一。這就是說，這無待的無所住心，亦即這無待之一，確可證得；於是，對於「天地何所窮際」的問題，獲得了正解。這當然衹是「知及之」（知讀去聲，見論語衛靈第十五），也可以說，衹是一種知見。禪宗門下因六祖曾呵斥神會爲知解宗徒，所以不重視知見，甚至予以排斥。殊不知，知見不明，必不能自覺；所以「知及之」，這是必需的。此即有之不必然，無之必不然；而且，誠如百丈所說：「見與師齊，減師半德；見過於師，方堪傳授。」（指月錄卷八）缺乏真知灼見者，實不「堪傳授」，他們何能入道！這就是說，佛家長年累月的修持，其目的，仍是要達到一種「真理之見」。這與哲學工作者，祇有方法上之不同。總之，宗教信仰者與哲學研究者，若真能析疑解惑，面對問題而不逃避問題，契入真理，獲知究竟，必都能獲得超感性之善知識，而心無所住，而證悟此無待之一，而識得這終極之「實在」。

六、本體與現象，皆祇是一事，且無神秘可言

照維特根斯坦的看法，他必是認定這終極之「實在」，是「隱蔽的東西不感興趣」。照上文我們所說的「無所住心」，這是極其明白而無疑的，絕無神秘可言。我們曾指出，此陰陽電子之相遇，是現象之始源，亦即世界之所以爲世界。本書第四章第二節，我們曾以「太極演化體系圖」（以下簡稱「演化圖」），說明人之生存，是包含心靈與物體這兩種現象，從外表看來，人之精神，乃物質所表現之功能；若深知其本質，則知人或物之生存或存在，乃此一陽之動，一陰之靜所顯現而成。在本體界，此「陰陽爲不可分者」，與我們名之爲太極的

終極之「實在」，「皆祇是一事」。佛家每以水與眾漚爲例而說明此一事實。佛家此喻極好。一方面是說明了儒家「體用一原，顯微無間」之義；一方也是說明了本體與現象，不二亦不一之理。此即本體喻水，現象喻眾漚。眾嘔與水在形象上是不一，在本質上則無二。這個以水與波浪爲例，而喻本體與現象，在本質上無二之描述，是極爲明白的說明了「演化圖」所示「祇是一事」之理，也是極爲明白的說明了這顯現了差別性的有待之二，確是無差別無對待之一所顯現的。於是，我們可以宣稱：這「演化圖」實較突創進化論者摩根，以圖表說明突創進化之塔形圖，爲合乎宇宙或自然演化之事實，茲特將此二圖列之於左：

（太極演化體系圖）

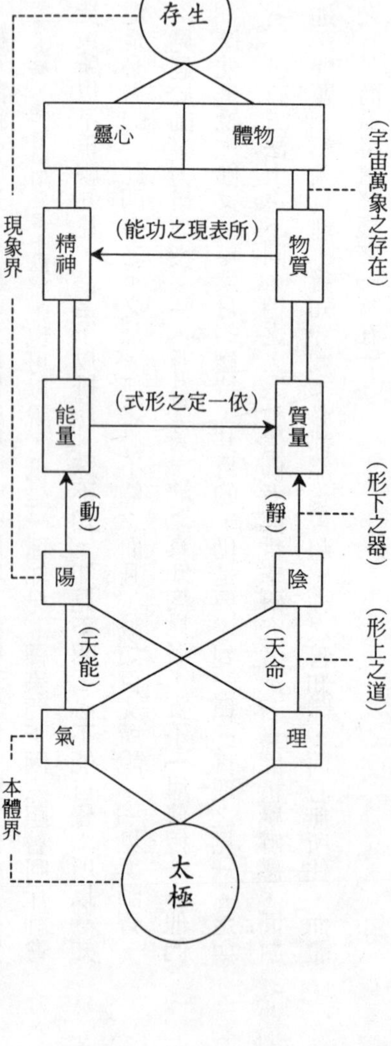

（圖例說明）

一、「—」表示「含有」之義，如太極含有理氣，理氣含有陰陽。因爲是含有，所以太極、理氣、陰陽爲不可分者，此稱之爲本體界。

二、「↓」表示「就是」之義，如陽動就是能量，陰靜就是質量，能量依一定之形式就是質量，物質所表現之功能就是精神。因此，理（天命）氣（天能）、陰（靜）陽（動）、能量、質量、物質精神等等，皆祇是一事，亦皆是太極所顯現之形式與功能。

三、「‖」表示「演進」之義，如能量演進爲精神，質量演進爲物質，精神物質演進爲物體心靈。物體心靈實祇是一事，所以是合一而不可分的。

摩根塔形圖

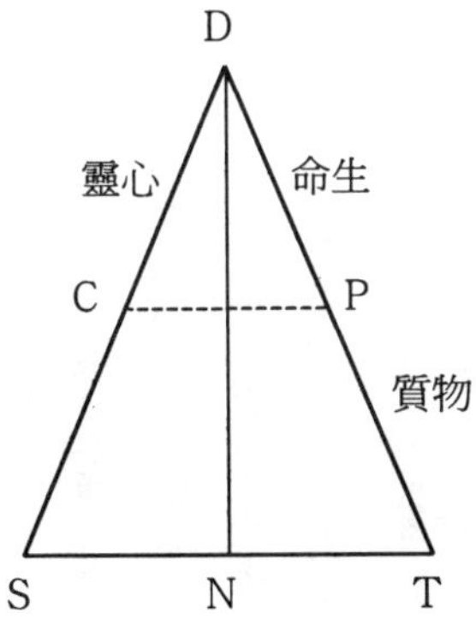

摩根對塔形圖曾作於下之說明。他說：

圖之基線為空時（ST）於現存事物無所不參。圖之上端為神性，（D）與空時同在塔形之內，係進化歷程上最後突現之最高性質，為少數人類緣進化中線而上所達到之境界。圖之上端逐漸尖小者，表示純粹物質界事情之範圍較事情之兼有有機性質者之範圍為大，但以之與空時之範圍較，則又遠不如矣。此亞力山大教授之說也。自Z直向尖端之矢線代表亞氏所謂之奮力，亞氏稱之為傾向神性之奮力。❽

摩根接著又說：「此圖（亞氏不負其責）實無數塔形圖之總圖或合圖——近基線處爲元子塔形圖，稍高爲分子，更高爲結晶體，更高爲植物（此時心靈尚未實現），而後爲有意識之生物，近尖端處爲人類。關於物體應如何分類，讀者可自決之；然而總圖之內須予全體宇宙中之任一物體以相當之地位。吾之圖表包括自元子以上之一切自然物體；若據亞氏，則包括點刻以上之一切自然物體。」（同註八，頁一二）照摩根這所說的：其一，所謂時空基線，似是秉承康德時空爲先天範疇之說。此說實不妥。因爲未有天地之先，必爲無待之一或無，此寬廣之空間，點刻之時間，實無從建立。這就是說，時空乃用以說世界者，不是在未有世界之前先有時空。其二，所謂由元子分子結晶體植物以至有意識之生物與人類，此與羅素所謂之歷史沿襲派，亦即自亞里斯多德以來，認定「有之層次肇端於完全的抽象，即無形式的質量，而層層轉進，層層決定，直達完全的具體定性」（同註四，頁一一三）之說，頗爲類似，亦與「演化圖」所欲表示之義蘊，大似相同。這是說，進化派之進化觀，并無不妥，其有不妥者，乃心

❽ 摩根著、施友忠譯：「突創進化論」頁一一—一二，臺灣商務印書館，人人文庫。

靈係由物質突創之謬說，以下將稍作說明。其三，摩根曾說：「宇宙中有『心』焉者，運『動力』以指導支配事情之進展也。」（同註八，頁三五）摩根此說甚好。羅素在「哲學大綱」中，曾對物與心作分析，認定沒有心與物這樣的東西。拙著「心物合一論」一書，認定這物之大而無外之本相，即佛家所謂之「無所住心」。因此，說「心」乃一種動力，其義不差。心既是指導支配事情進展之動力；那麼，這陰陽電子之相遇，在本質上必是此動力能指導支配事情進展之結果。爲什麼呢？此陰陽電子之相遇，事實上是有一向外發散之動力與一向內收斂之動力兩相平衡的結果。這個平衡的作用，是原創的指導支配之作用，是「層層轉進，層層決定」，而呈現爲不斷的「進展」。這就是由隱而顯，由微而著之進化；也可以說，是一辯證的過程，是自然的規律。照這樣說來，人之心靈作用，絕不是由物質所實現，而是這「事點」或元子（亦稱原子）之原創作用，通過自然辯證法的過程，而不斷演化的結果。讀者若就「演化圖」而詳參之，則知這自然辯證法過程絕不是唯物辯證法過程；而且，從現代量子物理學言之，這是明白易曉而絕無神秘可言。

七、對「無所住心」作進一步解釋

照以上所述，可見邏輯原子派，取消形上學，實是不敢面對問題而逃避問題，其結果祇是「掩耳盜鈴」罷了。突創唯物論者認定心靈是物質所突創，實是一種錯覺。歷史沿襲派，如黑格爾等，認定這終極之「實在」祇是人之感覺，這與我們視「實在」爲「實體」是大不相同的。在本書第四章中，我們曾就笛卡爾以來之理性論者，經驗論者，及德國觀念論的哲學，與我們的中國形上學，作了必要之比較研究，認定我們的哲學，如本書第三章所說的，是「純正而圓滿的形上學」，現再經以上之說明，對於我們這個真實無妄的哲學，應可灼然而無疑義了。在此仍須作進一步說明的，當陰陽電子相遇時所顯示之「動力」或平衡作用，實可名之為「指導支配事情」之心力，亦即禪宗所謂之「本來面目」，前文所謂之「無所住心」。為什麼呢？其一，這「心力」是超感性的，亦即沒有眼耳鼻舌身意等感官之知的。其二，禪宗六祖所謂之「本來面目」，是指「屏息諸緣，勿生一念」而「不思善，不思惡」(指月錄卷四)。在這個時候，「無所住心」生起，而真的一念不生。雖一念不生，此「指導支配」之作用，則永不消失；而這個作用，亦即通常所謂之意志力，與唯識宗所謂之「行」❾，頗為類似。其三，禪宗所謂之本心，是遍而非計的，亦即無所不在之遍在而沒有計度。禪宗門下常以月印萬川而描述這個遍在。事實上，此月必是「非月」，亦即這個普照萬川者，不是一光輝輝的物事。能明乎此，才不致有過。同時，這個普照，它祇是光明或明覺，而決不是計度。計度心，確是後起的。其四，以陰陽電子相遇時之平衡作用，視之為人之本心，此一體認實至為真切。此不祇是除這個作用外，別無其他作用而可名之為心，事實上，凡真能見到這個一念不起之本心者，必識得這個作用就是人之本來面目。儒家稱此(指這個平衡作用)為喜怒哀樂未發之中。左傳成公十三年劉康公曰：「吾聞之，民受天地之中以生，所謂命也。」早年，我不知：民為什麼是「受天地之中以生」？近幾年我才體會到，陰陽電子，若沒有這

❾ 唯識宗將人之精神作用，概分為「受、想、行、識」四者，想(即思辨)與行異，行似是一種意志作用。

個平衡作用，便不可能相遇，而事故不可能發生，「事點」不可能存在，這個世界也不會生成了。因此，不祇是「民受天地之中以生」，這個世界亦是因這個「中」而有。易繫辭上傳第六章有曰：「夫易廣矣大矣。以言乎遠，則不禦（朱熹註：不禦，言無盡）；以言乎邇則靜而正，以言乎天地之間則備矣。夫乾，其靜也專，其動也直，是以大生焉；夫坤，其靜也翕，其動也闢，是以廣生焉。」這是講由陰陽動靜而生廣大，而生天生地；這配合「演化圖」詳參之，則知繫傳這所說的，實極爲正確。吾人拜自然科學之賜，深知原子之結構與功能而識得這個平衡作用，實屬理所當然。至於繫辭作者，能識得這個動靜之專直翕闢，能識得「不禦」與「靜而正」，實不勝欽敬之至。就我個人體會所得，這「不禦」是「生無所住心」時之「廣大悉備」；這「靜而正」，則就是「中」。談到這個「中」，它是「未發」，是正反之合，也就是「永執厥中」之「中」，是歷聖相傳之道統，是我們的哲學之根本所在。本書第三章，對此有極詳確之說明。

八、陰陽電子相遇時之「動力」或「平衡作用」，其本身即無待之一

茲再對陰陽電子相遇這一事件或「事點」加以考察。純從自然科學的觀點來說，這是有一動力而顯現出動與靜之差異。這「動力」是什麼？是可以說不知，是祇知帶有電荷。我們中國哲學，依乾坤兩卦所示，是說這「動力」可名之爲「元」，這元可顯示出乾元與坤元。這元是一，是顯示出乾坤之差異。乾坤較陰陽之義爲完備，是顯示了如上文所謂之專直翕闢

之四象。清儒張惠言認爲，乾元與坤元是乾元所生，他認爲「坤無元」⑩。他似乎認爲，這個可名之爲元者，在本質上祇是一「動力」，這「動力」因一種靜勢作用而顯現出乾元與坤元之差別。此說亦頗言之成理。熊十力先生在「原儒」中亦持此說。茲細考元這個字，有「始」、「首」、「一」及「氣之始」諸義⑪。董仲舒「春秋繁露」曰：「是以春秋變一謂元，元猶原也，其義以隨天地終始也。」「繁露」一書，頗多穿鑿附會，如「人副天數」等說，實淺陋不足觀，惟謂「春秋變一謂元，元猶原也」，此說頗得孔子立言之旨；因此，我們說「元可顯示出乾元與坤元」。這即是說，此無待之一，是顯示出有待之乾坤，是太極生兩儀，這較之乾元與坤元是乾元所生之說，自遠爲妥切。照這樣說來，這陰陽電子相遇所顯示之「動力」的本身，實就是無待之一，是「無可知」的，故「可以說不可知」；但我們將其名之爲元，則無不可。同時，從自然科學言之，這「動力」究竟是什麼？固「可以說不可知」；但當我們對這個「動力」或元之本性，亦即這個「不禦」而又「靜而正」之「平衡作用」作深切之體會時，我們便會發現這個作用雖是無思無爲，卻是至完美的；因爲，若沒有這個作用，便沒有這個世界，沒有我們人之存在。繫辭上傳第五章曰：「一陰一陽之謂道，繼之者，善也，成之者，性也。」我們人之存在，我們人之本性，即是承繼這個一陰一陽、一動一靜之「靜而正」的至善之平衡作用而如「演化圖」所示者以成爲人之「生存」。這在今日看來，

⑩ 皇清經解卷一千一百廿七。臺灣漢京文化公司版，第一冊，頁五六八。

⑪ 惠徵君：「周易述」皇清經解卷三百四十九，漢京版、第一冊，頁四一六。

其理至明，其事至真切，而作易者，竟能如此道得，對於古人，實不能不肅然起敬。茲更進一步言之，這顯示陰陽電子相遇之動力的本身，即我們所謂之無待之一或終極的「實在」，亦即康德所謂之「物自體」，其本性，如上文所說，在孔子時代，便已講得很淸楚。但是，現代新實在論者，如羅素等哲學家，對於這個本性，卻是不肯加以聞問，亦即不願內自省而究明這個真理。早年，我受禪宗影響較深，認爲這「不思善，不思惡」之一念不起的「無所住心」，是究極的境界。這就是道家所謂之無知之知，唯識宗所謂之大圓鏡智。這是人之虛靈明覺，是「不禦」而「無所住」。是不生不死之永恒的有。它雖是無思無爲，「寂然不動」，卻是「感而遂通天下之故」，是「天下之至神」（同註五），是神感神應。這較之亞力山大教授所謂之「傾向神性之奮力」（同註八），實遠爲真切；因爲這「至神」之神性，是本體所固有，而不是後起的。這可從「靜而正」之平衡作用，亦即可以從這個「中」而識得之。這就是說，當「無所住心」生起時，確是見到了這無待之一的本性；而且，這「本性」與這無待之一，是可擬之爲水與波浪，不二亦不一。就其是不一而言，此無待之一，是自在自爲而無有對待之存在，是絕對，是「物自體」；而這「本性」，則是作用或功能是有跡可尋，所以是不一。就其是不二而言，這個「物自體」之全部就是這個「本性」，如熊十力先生在「新唯識論」所說，是稱體之所有而有，所以是不二。這「不二」之說，在上文「第五」講「祇是一事」時，曾有說明，現再經以上之描述，其義當更爲明白無誤。在此仍特須指陳者，經近幾年來之深切體會，當「無所住心」生起時，此一念不起之一點靈明，確是人之本來面目，亦即這個由無待而顯現爲有待之至完美的平衡作用。就我們在上文「第六」中所體會到的，這平衡作用，是包含「不禦」與「靜而正」這兩方面，我們是稱這「靜而正」者爲「中」。這就是說，當「生無所住心」時，若祇見到了一念不起而「靈知之性歷歷」，若祇見到了「無所住」，「無所得」⓬，這仍不是究竟，亦即見得不全不備。必須見得這「靜而正」之中，亦即莊子所謂無是非之知，唯識宗所謂之貪嗔痴三毒已去盡之平等性智，這才真是大徹大悟。近些年，我對於平等性智，有較爲真切而深入之體認，儒家聖人虞舜，他真是獲得了平等性智。這可從孟子萬章上，孟子與萬章關於舜與象之對答，看出虞舜完全沒有嗔心。孟子曰：「舜明於庶物，察於人倫，由仁義行，非行仁義也。」（離婁下）這平等性智，乃「無所住心」生起後，大圓鏡智現起，而大慈大悲之平等性智亦現起。在這個時候，愛恨冤親，一視同仁，非大慈大悲，亦即大仁之覺者，實不足以臻此。我曾深切的體會到，當「生無所住心」時，必見到了「廣大悉備」而「明於天之道」；若不「察於民之故，是興神物以前民用」⓭，則其所見實不完備。事實上，當大圓鏡智生起時，平等性智亦必生起。此即「生無所住心」時，必會見到這「靜而正」之「中」；而這個「中」，就是這個至完美的由正而反而合之平衡作用，也就是這終極之「實在」，「我們將其名之爲元」者之本性。周易乾卦文言曰：「元者善之長也。」朱晦翁註曰：「元者，生物之始，天地之德，莫先於此，……於人則爲仁，而眾善之長也。」以「仁」爲元之本性，此說極真切。這個「仁」可在「喜怒哀樂之未發」時

⓬ 黃檗說：「菩提無所得，你今但發無所得心，決定不得一法，即菩提心。」見指月錄卷十。

⓭ 周易繫辭上傳第十一章。

見之。在這個時候，一念不起，心無所住，亦無所得，虛靈明徹，靈明普照，遍而非計，遍而無在；惟此慈悲仁愛之「中」與誠，而和氣致祥，愛恨俱消，是非俱泯，真自由真平等現起，得大快樂大幸福。釋迦牟尼必說，這個人是真的大徹大悟，真的成佛了。因此，禪宗門下，凡祇知一念不起而無所住無所得是究竟者，這是所見不全不備，而永劫不得成佛。佛非菩薩不成。祇有大慈大悲之覺者才是真菩薩。佛家達者，方知吾言不謬。

九、人之本心，即無待之一的本性，乃道德之本原，是先聖之道統

照禪宗六祖的經驗，這「無所住心」是可頓悟；至於這「靜而正」之「中」，必須漸修，方可達到純熟的境界。孔子曰：「吾十有五而志於學，三十而立，四十而不惑，五十而知天命，六十而耳順，七十而從心所欲不踰矩。」（論語為政第二）孟子曰：「五穀者，種之美者，苟爲不熟，不如荑稗，夫仁亦在乎熟之而已矣。」（告子上）照孟子這所說的，仁若不達到純熟的境界，而如宋襄公之仁，那真是一大笑話；所以須賴全年累月的漸修，方可達成孔子「從心所欲不踰矩」的境界。這必是仁智兼備的。若是「知及之，仁不能守之，雖得之，必失之。」（論語衛靈第十五）；若是頓悟而識得「無所住心」，而能轉藏識爲大圓鏡智，那必須能轉染識爲平等性智，轉意識爲妙觀察智，轉前五識爲成所作智⓮，這樣，才真是大徹大悟。慧能六

⓮ 唯識宗認為：識是一至八識。眼耳鼻舌身為前五識（達按：即感性之知），第六識為意識，俗稱第六感，與

祖，在黃梅得道後，認定仍須「廣學多聞」（見六祖壇經），亦正是此意。真正的仁者，必是「明於庶物，察於人倫，由仁義行之」的；因爲當人之「全副力量及生命力」現起時，必是「不容已」的以發揮人之生命力而成人之能。孟子曰：「孔子之謂集大成。集大成也者，金聲而玉振之也。金聲也者，始條理也，玉振之也者，終條理也。始條理者，智之事也，終條理者，聖之事也。智，譬則巧也；聖，譬則力也，由射於百步之外也，其至爾力也，其中非爾力也。」（孟子萬章下）這是孟子借古代「作樂者集眾音之小成而爲一大成」之事實，以說集大成之孔子，是巧力俱全，聖智兼備。孔孟皆認爲堯舜禹湯文武周公，皆是聖智兼備而「成人之能」的聖人。這個歷聖相傳之「永執厥中」的道統，上文已出，在本書第三章已有詳確之說明。在此仍須稍作說明者，如本書第三章所已指陳：清儒反道統，實無堅實的理論依據。我更認爲，他們反道統，也就是反仁義道德。自理學興起後所形成之理教，有助於專制帝王之壓制人民，且在社會上發生諸多不良之影響，曾被人稱之爲吃人的禮教；因此，反對此種道德教條，自亦有其必要；但反對道統之「永執厥中」的心傳，在本質上，即是反對人之仁心仁性，反對「找回人之本來面目」。他們不知道，當人未失本心之正，而識得這個「中」時，那必是：「爲一團祥和之氣，爲清明在躬而志氣如神，爲至大至剛而毫無所餒；當其接應事物時，必是『不勉而中，不思而得，從容中道』而『左右逢源』的以成人之能。」⑮這

前五識同時現起。第七識為污染識，第八識為種子識，亦稱藏識。轉識成智，即是轉此八識為四智。

⑮ 詳見拙著「心物合一論」第十一章第六節。

就是說，清儒反道統，實足證明他們不明「先聖之道」，不識得人之尊嚴與人之固有本性，實爲民初以來反道統之「虛無主義」的根源所在。這個「虛無主義」一直到文化大革命才達到了極點。學術殺天下後世，此言誠然。當我們說明了清儒反道統之無知與荒謬以後，現再回到道統這個問題。禪宗門下認爲，惟有苦修苦參，方能證道。我們認爲，這是可以「知及之」。此即是本於學術之至誠，而又「廣學多聞」，對於所欲解答的問題，更能窮追不捨，終必獲知究竟，「而一旦豁然貫通焉」（大學朱熹補傳），以識得此未發之中，見得人之仁心仁性，達到禪宗所謂之「證悟」。我認爲西哲康德實已臻於此境。他在「實踐理性批判」中，曾指出自由與必然之統一。其所謂「自由」，即是一念不生而生無所住心，亦即孔子所謂之「從心所欲」；其所謂「必然」，即是見到了這「靜而正」之「中」，亦即孔子所謂之「不踰矩」。任何人，祇要能本乎一念之至誠而又能專一不變，勿論是從事宗教式的苦修苦參，或是從事學術性的精研窮究，必都能擴清認識上的迷霧（達按：追求「神通」，為佛門弟子最難化解的迷霧），而至於究極的境界，以證得佛家所謂之「本來面目」，儒家所謂之未發之中。康德即是本於學術之至誠而至此境界之達者。他在「道德形上學探本」中，曾指出「無待令式」，這必是見到了人之「全副力量及生命力」而真能「從容中道」。康德乃是從思辨理性而悟入了實踐理性，亦即從形而下之思辨的意識所行境界而達到了實踐的、非思辨的、非意識所行的境界。這個境界，是離棄了感性直觀而達到了超感性的直觀，而見到了無待之一。這就是見到了心之本體，人之本來面目，也就是見到了「物自體」或終極實在之本性。康德不知物自體與其本性是不一亦不二，而認爲物自體是不可知。實際上，這所謂「不可知」，乃是「無可知」；因為它就是如此，再沒有什麼可說，也沒有什麼可知，它確是祇是這樣罷了。我們對於這個與「無」相同之「有」或「純有」(pure being)，除了能說它是無差別，是無對待之一；除了能見到它是遍而無所在之無所住外，我們還能見到它是什麼，還能說它是什麼呢？這終極之「實在」或「物自體」自身的確就是如此。但是，當我們見到了它的本性顯露時，必是見到了「無待令式」，必是見到了不假安排佈置之至誠，見到了自由與必然之統一；也就是見到人之本來面目，人之未發之中，人之仁心仁性。這是「至誠之道」，是真的「真理之見」，是我國歷聖相傳之道統，是我們哲學的根本，也是其全部。我們稱這個哲學為中一元論，實是前聖後聖，東西哲人之共識。本書即是以這個哲學來解讀中山先生思想。

十、以講心性之學的中國形上學解讀中山思想，必可得其精髓

我們以這個哲學來解讀中山思想，理由極簡單而正確無誤：第一、中山先生曾對第三國際代表瑞典人馬林說：「中國有一個正統的道德思想，自堯舜禹湯文武周公，至孔子而絕，我的思想，就是繼承這一個正統的道德思想，來發揚光大的。」我們認為，中山先生確是承繼這個「正統的道德思想來發揚光大的」；因此，我們以這個「允執厥中」之「中」為根本的道統，亦即以「仁」為根本的「中一元論」的哲學來解讀中山思想，必是正確無誤。第二、中山先生是本於救國救民之至誠，實踐先聖之王道或仁道，以從事救國救民之革命事業，形成了他的以仁愛為中心的革命思想。民國十年，他在桂林所作之「軍人精神教育」演講，在第三課講仁時曾說，他的思想，「為軍人之精神所由表現，亦為軍人之仁所由表現」，他要

「實行三民主義，以成救國救民之仁」。第三、他的三民主義思想，確是表現了先聖的仁愛思想。茲先從民族思想言之。他的主張可歸納爲：中國民族自求解放；國內各民族一律平等；世界被壓迫民族全體解放。這是儒家「己所不欲勿施於人」之忠恕之道的最具體的表現，也是處理世界問題應該遵守的基本原則。欲維護世界和平，欲恪守聯合國憲章，必須真能表現這種仁愛精神，以王道而不是以霸道的方式，才真能行之有效。第四、再從民權思想言之。中山先生是本於內聖外王的政治哲學再結合現代西方的民主法治思想，使我國歷聖相傳之道統，獲得新的意義與新的精神，而發揚光大了這個傳統。先秦儒家，推崇君主政治，祇希望由聖君賢相來推行仁政，不知建立民主法治的政治制度，以保障仁政之施行；祇知人治而不知法制。道家者流以及山林隱逸之士，對棲棲皇皇的孔子，即甚爲輕視，此可於論語微子第十八明證之。莊子曰：「泉涸，魚相與處於陸，相呴以溼，相濡以沫，不如相忘於江湖。」（莊子大宗師）道家蓋認爲，儒家所推崇的君主政治，實是使人民如「魚相與處於陸」，其所推行的仁政，不過是溼或沫而已，此所以道家反對儒家講仁義，而希望人民能獲得「如相忘於江湖」之自由自在。中山先生本於儒家的仁政思想再結合歐美的民主法治，使人民能獲得充份之自由，是可以如魚之「相忘於江湖」而無疑。第五、子貢曰：「如有博施於民，而能濟眾，何如？可謂仁乎！子曰、何事於仁，必也聖乎？堯舜其猶病諸！」（論語雍也第六）中山先生的民生思想，是福國利民的經濟思想，是可以達成「博施」「濟眾」的理想。誠如本書第五章第四節所說的，民生主義是以平均地權，節制資本，發達國家資本爲手段：「使人人有土地，人人有工作，人人有權利，人人有自由，亦就是人人能自由的生活，人人能自由的生存，人人皆能享受其康樂的幸福。」⑯是「國家發大財」，每一個人都能發大財，是公有與私有併存；是大家都有而不是共有；是大家都能自由自在的過最好的最舒適的生活，不是要大家共過一種一律平等的牛馬式的生活；是一種世俗的合乎人情人味的生活，不是一種在禪宗叢林式的必須遵守淸規的生活。總之，中山先生的民生思想，是希望豐衣足食，安居樂業，國富民安，是希望物質生活與精神生活都能達到幸福美滿之境。照中山先生的思想，確可實現孔子大同世界的理想；而且，在物質生活方面之美好，是「堯舜其猶病諸」不是當時的孔子所能想像的。中山先生確是把儒家本於道統的政治理想推展到孔子未曾想到的新境界。第六、以上是極其簡要的說明了中山先生確是承繼中華道統而予以發揚光大。這種繼往開來的工作，秦漢以來，實無人能望其項背。北宋諸賢，雖稍有繼承，卻全無創意。朱子之學，祇是有助於專制帝王之統治罷了，祇是扭曲人性以順從專制政治而已；惟有中山先生，本於救國救民之至誠，從事順天應人的反對專制政治之革命，這不祇是唾棄了兩千多年來以暴易暴的朝代的更迭，且是爲實現儒家的理想提供了優良的政治制度，更對於當代學術思想作哲學的體會與批判而形成了適合中國國情的革命思想。這個思想，是關涉到人之生活與思想活動的全部。中山先生雖不是職業的哲學家，他的內聖外王之思想的全部，是可以從哲學的觀點，理出一完整而偉大的哲學體系。這就是說，中山先生確是承繼了至孔孟而中絕的先聖之道，亦即先聖之政治哲學，道德文化哲學，以及中國人的人文精神而予以發揚光大。本

⑯ 蔣介石總統：「土地國有要義」民國四十一年。

書即是基於這一體會，從學術上作了較爲詳實的解說。這一解說，自認真能深得中山思想之精髓，亦真能「還原於其本來的面貌」。

十一、茲作更進一步的說明

茲擬作更進一步說明的，以孔子之聖，對於我們所講的這個哲學，不會有我們如此清楚而明白之認識，這是時代不同而有此不同。但是，本諸「至誠之道」的先聖，親證人之本來面目，深明一陰一陽之道，洞澈「繼之者善也，成之者性也」，而養成「成己」「成物」（中庸第廿五章）之德，更能「尊德性而道問學，致廣大而盡精微，極高明而道中庸」（同上第廿七章），得見此「未發」之中，不執持一偏之見，而能「本諸身，徵諸庶民，考諸三王而不繆，建諸天地而不悖，質諸鬼神而無疑，百世以俟聖人而不惑」（同上第廿九章）。如此存心，如此致力，必能「知周乎萬物而道濟天下」（見前文四、）。這是聖人之所以成能者，是我們這個哲學之真精神所在。山野小民，販夫走卒，爲生活而生活，心無旁騖，生一念之至誠，欣然自得自足，這是實踐這個哲學而不自知。志士仁人，本於愛國愛民之至誠，以天下蒼生爲己任，不計生死，與惡勢力奮鬥，終必能發揮人之全幅力量與生命力，這也是實踐了這個哲學而不自知。這個哲學確是行之易而知之難。中山先生，直到晚年，才深明此事，親證知識，而自覺已達「不繆」、「不悖」、「不惑」、「而無疑」之境，且能如「溥溥淵泉，而時出之。」（中庸第卅一章）這是他親證了先聖的「至誠之道」，并貫通了歐美民主科學思想所獲得的結果。研究中山先生，真知其意而有得者，當知吾言不謬。中山先生臻此境界之後，他必是見到了道德的根源，此即康德所謂之「無待令式」，是源頭活水所滋生之動力。我們的哲學，是源源本本說明了這個動力，它是「至誠」所生。因此，中山先生主張恢復中國固有道德，絕不是繼承禮教，而是從這個本源處，以光大先聖之道統，發揚人性之光耀。他將忠列在孝之前，是認爲忠於國家與人民，乃無上之道德。他認爲應仁民而愛物。孟子曰：「大人者，言不必信，行不必果，惟義所在。」（孟子離婁下）信確是應該「近於義」（論語學而）。一般人以爲「和平」祇是一事。殊不知「平章百姓」與「協和萬邦」（尚書堯典）是大不相同的；而且，和是「發而皆中節」，是如一篇樂章，因協調和諧而顯其美妙，所以由和而平之和平，是盡善盡美之偉大事業。中山先生最重視和平。他逝世前，仍不忘以「和平奮鬥救中國」而期勉國人。他以「忠孝仁愛信義和平」之新八德代替古人所講「孝弟忠信禮義廉恥」之舊八德，乃是，他發現了中華民族，確是具有忠孝、仁愛、信義、和平這四類八德之精神的民族。管子曰：「禮義廉恥，國之四維；四維不張，國乃滅亡。」四維確是立國之根本。先秦儒家亦以孝弟忠信爲道德之根本。至於將孝弟忠信禮義廉恥這八者統括之而名之爲八德，始於何時，我不知道；但是，社會上特別重視孝親、忠君，與守節義，在民國以前，這是視之爲天經地義之事，而稱之爲「名教」或「禮教」。這確是在專制時代做順民之最好的準則。曾國藩常以不作「名教」之罪人勸勉朋友，也因此而減少朝廷之疑慮。中山先生以忠孝仁愛信義和平之新八德代替舊八德，在他自己，祇是發現了在中華民族精神未喪失以前，中國人確具有如是之八德。當我們對他的這一認識作哲學的解讀時，發現他的這個認識，確是直接二帝三王與孔孟之心傳，也真能發揚先聖之道統，所以認定中山先生確能明得先聖的

「至誠之道」。用我們的哲學來解讀，便知這個道，是契合最後實在之本性，是發自人之仁心仁性，是本乎仁愛而形成爲不離人之本心的道德哲學，并表現爲一種救世濟民的政治哲學，形成爲一種本乎忠孝，實踐仁愛，重視信義，愛好和平的政治精神，而終於成爲一種國家民族精神。二帝三王之成就在此，孔孟之理想，實不外此。這在古代，是聖君賢相之偉大事業；這在今日，仍是政治領導人物應追求之理想。政治家若不是玩弄政治而是要完成一種類似「神愛世人」的偉大心願，那必是本於一種道德的理想。遵守道德而實行仁義，這是偉大政治家之所以成功。孟子曰：「古之賢王，好善而忘勢。」（盡心上）又曰：「夫國君好仁，天下無敵。」（離婁上）二帝三王，確因「好善」「好仁」而成就了他們的王業。這確是在位者成敗之所繫。遠的不講。近代如希特拉與日本軍閥，皆不旋踵而亡；蘇聯政權，終告解體。歐美民主國家，多能秉持「以民爲主」之善政，雖歷經國際風險，而仍能長治久安。好勢而忘善者必敗，好善而忘勢者能安，這是鐵的事實。中山先生本於儒家講仁義道德的傳統，再結合民主政治與科學精神，將道德、民主與科學三者治於一爐而形成一種可名之爲「中山思想」之新的思想體系，這是一辯證的實踐的過程⑰，是使講仁義道德的儒家思想，在民主法治之政治制度下，可以暢行而無礙；又因科學方法之盛行與福利經濟思想之興起，使「堯舜其猶

⑰ 蔣介石總統，將中山先生所講「道德」界定為「倫理」，實與忠孝仁愛信義和平之八德相去甚遠，所以不講「倫理、民主、科學」而曰「道德、民主與科學」。這道德是一（一於仁），民主是多（多元化），科學是合（是整合、和合，或合適、合理等等），是辯證的實踐。

病諸」（論語雍也第六）之博施濟眾的理想確可以實現。這確是體現了「先聖之道」，使孔子大同之治可以實現的最有效方法，這是前無古人的。這個方法，也是貧窮與落後國家自求多福之良方。就是已開發國家，若講求仁義道德，以發揚人之仁心仁性，必能使政治更為修明，社會更為美好而無疑。對於世界和平與聯合國憲章之實行，亦必大有裨益。本書初版時，雖已有見及此，實不若現在認識之如此深切。吾人研究中山思想，欲真能將其精髓表彰出來，必須認識到：這個思想是將本於仁愛之道德的理想，在民主法治之多元化的政治制度下，以科學的合理合宜的方法，使之能切實施行，而真能「開萬世之太平」，真能「使人類生命意志，發出最純之光輝」。這是近年來我繼續研究中山思想所獲之重要心得。

十二、以台灣為例，說明中山思想之功用

再者，本黨自四九年播遷來台後，全黨上下，頗能知恥知病，亦頗改革舊日之惡習，而知有所再造。這就是說，本黨至台後之改造工作，頗能差強人意。目前台灣人民，對老蔣總統處理「二二八事變」雖仍存有怨恨；然而兩位蔣總統，尙無太大之失德，尤以經國先生，頗能「好善而忘勢」，則為不爭之事實。自民國卅九年七月開始，本黨謹遵先總理孫中山先生遺教，實行民主政治，舉辦各種選舉，黨外人士，以攻訐政府，或甚至以辱罵政府為能事，期譁眾取寵而獲得選票，因此而勝選者，常大有人在。至於經濟建設方面，先從耕者有其田開始，以發展農業為重點，以逐漸建立代替進口，發展生產民生必需品之勞力密集的輕工業為主。在輕工業逐漸有了經驗和基礎時，隨即以推行工業化為重點，同時引進新的農產品，

力求農業生產多元化。由於農、工產品之品質改良，成本降低；於是得以大力拓展農、工產品的外銷，使經濟建設，日益蓬勃發展，而形成了台灣經濟建設的奇蹟。民國六十七年，當時的經濟部長張光世先生說：「印度和我們同時發展工業，它採取重工業優先政策，印度在一九五二年開始推動第一期五年經建計畫時，即傾全力於重工業的發展。當時印度每人的平均所得，約為六〇美元左右，在同一時期，我國每人平均所得亦不超過八〇美元，而在民國六十六年時我已達一〇八八美元，印度還未突破二〇〇美元的大關。所以我們循自然順序先發展輕工業的政策是成功的。我們有了輕工業基礎，現在已有力量進入發展重化工業及技術密集工業的階段。」⑱這個循自然順序的經建政策，是以「提高國民所得，改善人民生活」為主要目標。雖然在不同年代將重點放在不同部門；但任何年代，亦沒有忽視其他部門而力求農工商之整體發展及均衡配合，以免影響人民生活。同時，在維持物價穩定之前提下，是力求經濟加速成長。當加速成長與穩定物價兼籌并顧之時，若發生了不得已的情況，則寧肯先求穩定，再求成長。這個政策是始終嚴格遵守不變。在此同時，并盡力縮小所得差距，而且具有成效。民國四十二年時，最富有的百分之十與貧窮的百分之十，其所得差距，是百分之二十七點四四，到民國六十八年時，降為四、四。由於國民所得差距，日益減小；於是，中產階級日益增多，將已往窮人多，富人少的金字塔式的社會，改變為窮人與富人都少而絕大多數人都過得不錯的鑽石型的社會。這是政府政策之正確與人民努力奮鬥所獲得的成果。

---

⑱ 張光世：「工業發展情勢及今後發展策略」民國六十七年「生產事業通訊」九、十月號。

在此仍須稍作說明者，此即在工業政策方面，除了注意輕重工業以及勞力密集、資本密集、技術密集之最適應的循序發展外，更特別注重公民營企業之相互配合。台灣產品能在國際市場佔一席之地，乃是政府能鼓勵與幫助民營企業發展的成效。這是由政府投資基本工業，造成有利投資環境，使民營企業順利發展。在國際市場上，由民營企業打先鋒，公營事業做後盾。當「先鋒」事業發生困難，「支援」事業寧可犧牲盈餘以支援作戰。這一密切配合，頗能發揮預期的效用。此外，在工業政策方面，特別獎勵企業資本大衆化。這是縮短貧富差距之最重要的措施。政府實施耕者有其田，建立證券市場，即是朝此目標邁進。許多人將企業規模與私人資本混爲一談，事實上這是兩回事。一般說來，爲了使企業在國際市場有競爭力量，企業規模愈大，便愈有強大的競爭力；然而企業資本之集中，若能做到大衆化，這便是資本社會化，而不是私人資本的集中；因此，企業資本所有權的大衆化與企業經營權的專業化，這是改變了早年的剝削勞工的私人企業資本，形成了縮小貧富差距的大衆化的企業資本。這是在馬克斯時代所無法想見的。這是說，改良的資本主義，便是社會化的資本主義。這個變私人的企業資本爲社會化的（即大衆化的）企業資本的政策，就是變資本主義爲社會主義。在中國大陸，曾發生姓資姓社及姓私姓公的辨論，直至目前，似乎仍有此種聲音。在我們看來，政府若能堅決的實施累進課稅而又能獎勵資本大衆化，則姓資姓社之爭論，便是多餘。再談姓公與姓私這個問題，在四十年前，也曾對這個問題有過研究。本書第五章第四節，對此有明確之說明。在此仍擬一提的，照禮運大同篇所說：「貨惡其棄於地也，不必藏於己」，由此，我們當可理解到：大同社會，是不必有私有財產，不是不准有私有財產。孟子曾說：

「民非水火不生活，昏暮叩人之門戶，求水火，無弗與者，至足矣。」（孟子盡心上）當所有經濟財都變成了自由財，而達到了如此「至足」之境時，這個公有與私有的問題便不存在，也便是自然而然的實現了共產。孫中山先生的民生主義，是主張大家都發財的主義，是主張共將來，主張緩進，主張用和平的手段，反對急進，反對鬥爭。他反對「馬克思認定要有階級戰爭，社會才有進化」的主張。他說：「階級戰爭，不是社會進化的原因；階級戰爭，是社會進化的時候，所發生的一種病症。」（民生主義第一講）他認爲，用他的大家都發財的辦法，是可以醫治這種病症的。他主張「耕者有其田」，「農民應該是爲自己耕田，耕出來的田，要歸自己所有。」（民生主義第三講）他主張共將來，他說：「這種將來的共產，是很公道的辦法，以前有了產業的人，決不至吃虧，和歐美所謂收歸國有，把人民已經有了的產業都搶去政府裡頭，是大不相同。」（民生主義第二講）由此可見，孫中山先生主張共將來，卻不反對私有。他的民生主義，是主張大家都發了財，至於「至足」之境，而自自然然的共產。本黨播遷來台後，兩位蔣總統，如上文所說的，頗能「好善而忘勢」的向著中山先生所理想的民主與科學的道路前進，雖未盡於理想，確是在前進之途中，已產生了經濟起飛的奇蹟。這是證明了：本於「先聖之道」而又能結合現代民主與科學的孫中山思想，確是未開發國家自求多福之良方，對於已開發國家，亦必能使政治更爲修明，社會更爲美好而無疑。

十三、再以中國大陸爲例而說明之

茲再就中國大陸爲例而說明之。我對於毛主席之歷史是非功過，不擬作任何評論。我們祇是作思想的探討與哲學的評估。一般說來，毛主席對敵人的鬥爭，可以說都是成功的；對於社會的鬥爭，確是失敗了。孫中山先生有兩項非常重要的認識：一是在民權主義中對於平等所作之詮釋；一是在民生主義中反對馬克思以階級鬥爭消滅階級的思想。毛主席是費盡一切力量以實踐馬克思的階級鬥爭而未能成功的典型例證，應該是前無古人，後無來者。我們認爲，階級問題與平等觀念頗有關聯。中山先生在民權主義第三講中，將平等分爲不平等、真平等、假平等三類。過去所講帝王公侯伯子男與庶民等階級，這是不平等；有些人主張，不管人的天賦能力怎樣，也好像不管人的高矮，一律用刀予以削平。中山先生稱這種「平頭的平等」爲假平等。真平等，則是「各人在政治上的立足點都是平等」，亦即，「是始初起點的地位平等」，好像賽跑，大家都從起跑線同時開始跑一樣。中山先生認爲，人之聰明才能有天賦的不同，也就是人之天賦確有極大的差異，若能給予公平發展的機會，能自由的發展其天賦，這才是真正的平等。台灣有一件事給我印象最深，那就是子女教育津貼的發放最爲公平。在行政單位，不論你是特任官的部長或是聘雇的工友；在軍中，不論你是上將或士官，子女的教育補助費都是一樣。許多士官子女，都能受高等教育，或出國留學，獲得博士學位，固然是由於他們的父母，望子成龍，節衣縮食，培植子女向學；若沒有教育補助這項收入，這是不可能的。這是政府幫助人民能公平發展的最好的例證，這實是體現了平等的真義。毛主席實行人民公社，這是使全國人有平等的飯吃。這一作法的氣魄之大，秦皇漢武、唐宗宋祖，何能與之倫比。其結果，卻是凍結了全中國人的生產力；因爲做也卅六，不做也是卅六，反正有大鍋飯吃；於是，大家都不做了。中山先生說：「如果不管各人天賦的聰明才力，就是以後有造就高的地位，也要把他們壓下去，一律要平等，世界便沒有進步，人類便要退化。」（民權主義第三講）毛主席盡一切力量，以期能達到一律平等，結果是失敗了。這是證明了中山思想之完全正確。這就是說，要達成一律平等，實是抹煞人之天賦而違反人性，也是違反了自然規律；因爲世界之成，是由於有差異。差異不必是階級。爲了消滅階級，對於社會上因工作性質之不同的分工所形成之差異，如社會分化或階層化也一律不准其存在，這在人類社會是不可能的，本書第五章第三節講「平等之真義」時，對此有詳確之說明。在此仍須作進一步說明的，鄧小平先生將毛主席以階級鬥爭爲綱的政策改變爲建設有中國特色的社會主義之改革開放的政策，此一由鬥爭改變爲建設之政策大轉彎，是一件很了不起的事。爲什麼會有如此之大的轉變呢？這就是他們兩位，雖都是共產主義唯物論者，但在思想認識上，必有本質上的不同。對於他們兩位，我沒有深入的研究；不過，從眾所週知的事實，作學術性的診斷，仍可看出一些端倪。我個人認爲，毛主席之所以發動共產主義的革命鬥爭，他必是認爲，唯有共產黨革命成功，才可以外抗強權，內滅壓迫人民的剝削階級。尚書大禹謨說：「不虐無告，不廢困窮。」這是舜命禹者。足證欺凌無反抗能力之窮苦百姓，是古已有之。王船山不准他的後人當鄉約，可見鄉約與豪劣之爲害地方，實爲有識之士所深惡。我們當可想見，毛主席對於帝國主義之侵略與貪污腐化之官吏勾結地方豪劣，壓迫、欺凌、剝削人民，必是痛恨之至。同時，毛主席生長的時代，正是滿清帝國衰敗已極，出現了思想的真空，形成了歷史空檔時期。在這個時期，凡具有強烈仇恨感的正義之士，常因無力感而產生虛無感，此所以虛無主義頗爲盛行。毛主席實是反傳統的最標準的虛無主義者。文化大革命確是虛無主義達到了極點。再談鄧小平先生，他說：「我是中國人民的兒子，我深情的愛著我的祖國和人民。」他是一個中學生，因緣時會，去法國勤工儉學，少年時在法國與蘇聯有年。異鄉游子，對自己的祖國和人民有份深情，這是很自然的事。毛鄧兩位，他們都反帝反階級敵人，都爲共產主義的革命而奮戰不懈；但是，鄧小平先生對自己的同胞，有一種深情的愛，這是他與毛主席最鮮明的不同。他認爲，一九五八年的「大躍進」，是毛主席「一次個人意志的集中表現……不顧中國的實際情形，摸不清客觀經濟發展規律，……毛澤東同志非但不面對現實，也從未做過一次誠懇的自我批評，反而對此事耿耿於懷，在往後的歲月裡，做出了更多不可理喻的錯誤。」⑲他說：「晚年的毛澤東同志變得更專制了，文化大革命把專制主義表現得淋漓透澈。」(同上)他確實改正了毛主席不少錯誤。他認爲「實踐是檢驗真理的唯一標準」，「不論白貓黑貓，能捉老鼠的就是好貓」。他主張「摸著石頭過河」，主張事實求是。他所謂「是」，可用他一九九二年南巡講話作爲解讀。他所講的是非，是要看：「是否有利於發展社會主義社會的生產力，是否有利於增強社會主義國家的綜合國力，是否有利於提高人民的生活水平」。這「三個有利於」的第一個有利於，比較是一個囉嗦的問題，可以存而不論；至於第二與第三這兩個有利於，意義比較明白；尤其是「提高人民的生活水平」，這在毛主席時代，似乎是不大受重視。鄧小平先生特別重視這一點，實與台灣國民政府「提高國民所得，改善人民生活」的經建政策相同；也多少有點與中山先生的「將

⑲ 一九七九年十二月廿六日鄧小平在中共政治局會議中，就對待毛澤東思想及評定毛澤東功過問題發表談話。

道德的理想，在民主政治之制度下，以科學的方法，使之能切實施行」的思想相接近。我的意思是說，他的「事實求是」是比較合乎科學，也比較合乎人道；而且，他似乎也不太熱衷於共產主義的「爲達目的，不擇手段」的革命道德。他當然比毛主席民主。不過，六四天安門事件，一方面是他太害怕群眾運動，太害怕「急風暴雨式的所謂『革命』席捲全國」（同註十九）；另一方面也是他與他的同志們太習慣於毛主席的專制，太習慣於講打。鄧小平先生是很會打仗的人。他指揮陳毅劉伯承打敗了我們的徐蚌會戰。他處理國際問題，尚能避免講打。北京政府近年來所執行的不對抗，不結盟，與各國發展合作關係；而且，與任何國家合作，絕不針對第三國的外交政策，頗能符合中華民族愛好和平的精神。尚書大禹謨有載：「舞干羽於兩階，七旬有苗格。」論語憲問篇，孔子曰：「桓公九合諸侯，不以兵車，管仲之力也。」中山先生在「民族主義」第六講中說：「中國古時常講『濟弱扶傾』，因爲中國有了這個好政策，所以強了幾千年，安南、緬甸、高麗、暹羅那些小國，還能夠保持獨立。」自漢以來，中國從未滅亡別人的國家。北京政府若真能堅持現在的與各國「發展合作」的政策，以體現中華民族固有的和平精神，則廿一世紀的中國，必將成爲世界安定的力量，而與世界各國合作無間了。再談到台海兩岸的問題，祇要台灣不搞獨立，北京政府，已宣佈不會動武，若更能發揮中國人固有的道德，秉持信義與和平的精神，多所包容，保持耐性，終必獲得圓滿的解決。歐洲各獨立國，竟希望結成共同體。時勢所趨，成爲大家極其自然的共同願望，這確是化解兩岸問題之最好借鏡。又談到大陸人權問題，若真能改變「政策高於法律，領導高於政策」的人治而厲行法治，絕對不容許冤假錯三類案件之發生，對執法人員之違法，絕不護短而能公正的嚴加懲處，使人人都能受到法律的保障；那麼，人權問題，必不存在。總之，中共領導人，若能認同中山先生本於「至誠之道」的道德仁愛，結合民主法治與現代科學的思想，則一個富強、民主、與文明的新中國，必是很快的呈現在世人的眼前了。

十四、中山思想與人類前途

羅素在「科學與社會」一書中曾說：

人類所處的地位猶如一個人正在爬上困難而危險的懸崖，在懸崖頂上有一片美麗的草地。他每往上爬一步，他的跌落（如果他的確跌下的話）就變得愈可怕些；每爬一步，他的疲倦就多增一分，而攀登也變得愈困難。最後，只有一步即達崖頂，但那攀登的並不知道，因為他看不見突懸頭上的石頭上邊的情形。他疲倦得要死，他甚麼都不想，只是想休息。如果一鬆手，他就會永遠長眠了。希望鼓勵他說，再努力爬一步，也許只需要再努力爬一步就成功了。諷刺卻反駁說，愚蠢的人哪！你不是一直在聽從希望的鼓勵嗎？看看它把你帶來甚麼境地罷。樂觀主義說，有生命存在，就有希望。悲觀主義咆哮著說，只要有生命，就有痛苦。這位疲倦的爬山者是再做努力呢，還是讓自己跌落深淵？再過些年，我們之中還能生存在世的就會知道那答案了。[20]

---

[20] 見臺灣正中書局譯印羅素著：「世界之新希望」一書。

羅素此一描述很好。我們與他有所不同的，乃是我們認爲，人之希望，實源自人之本性。拙著「心物合一論」第十七章第二節有曰：「當人類在苦難與恐懼之生活中，而發覺其所生活的世界是普遍的日益不安，而且是普遍的日益趨向黑暗與普遍的日益不可忍受時，人類是會本於其自己的本性，亦即人類的良知，而修正其希望的錯誤方向。此種由於人類良知所產生的信念與力量，是可以突破一切的障礙而引導人類渡過今日所處的危險關頭。」「心物合一論」出版時，是在廿五年以前。其在當時，共產主義之擴張勢力，對全世界仍是一很大的壓力。拙著這所說的，是說明人類本性所產生之力量，必無懼於此種壓力而會「聽從希望的鼓勵」。至於蘇聯竟會如此迅速的解體，則是始料所未及。又拙著「孔孟仁學原論」有云：「當我明得天地之心（即人之本來面目）而識得生民之命（即未發之中）時，不祇是人之仁心現起，人之全副力量及生命力亦必現起。在這個時候，必是不容已的實踐這個仁而發揚光大之。孔子認爲，堯舜禹湯文武周公，即是能實踐這個仁而發揚光大之先聖。」㉑這就是說，當我們見得自己的本來面目時，即有一種「不容已」的，亦即「無待令式」的不容自己停止的力量，像二帝三王那樣的實踐這個仁道而予以發揚光大。中山先生即是獲得了這個力量并結合現代民主與科學的知識而形成了他的完整的思想體系。這個思想，確是「爲天地立心，爲生民立命，爲往聖繼絕學」而可以「爲萬世開太平」。這個思想，確能引導人，爬上懸崖頂上，享受那「一片美麗的草地」，實現人類之終極的理想。

㉑ 拙著「孔孟仁學原論」丁、申論，五、為萬世開太平。

十五、結論

總結以上所述：第一，我們對於用以解讀中山思想的哲學，是作了雖極簡要卻是頗有系統的說明，對於本書初版所主張的中一元論哲學，當可獲得更爲明確而深入之理解；也可以說，這是對於本書，在理論上有所補足與增強。

第二，我們這個哲學，是從這終極實在（即世界本身或本體）之本性以體悟這終極之實在，并認定，是「體用一原，顯微無間」的而呈現爲人之生存或存在。

第三，人之存在，由於有知，此即「我思故我在」；而這個「知」之本來面目（人之本心），實即遍而非計，遍而無所在之「無所住心」。它是無思無慮而靈知之性歷歷，它與陰陽電子相遇時之平衡作用，無有差異；而這個「作用」或「動力」，實乃「相遇」之本性；而「相遇」之本身，即是這終極之實在；所以人之本心，即終極實在之本性。

第四，英哲羅素（Bertrand Russell）他祇肯定這個「相遇」，認爲「相遇」是真實的；至於「相遇」之本性及其本身，則不作進一步的探究或追問。因爲科學祇講這個「相遇」，所以科學的哲學家們，對於這個「相遇」，便不肯超越科學而作哲學性的思考了。事實上，祇要稍作反省，則知哲學工作者，對於「相遇」之本性，確應作哲學性之探討。同時，我們也不難發現，人之本心本性，實不外於「相遇」時之「動力」或平衡作用；因爲，當我們對人之心靈，窮究至極時，除見得這個「動力」外，別無其他；但是，我們亦不能說，這個「動力」，祇是物質。

第五，這個「動力」之本性，是化生萬物，也是人之道德之原。禪宗門下，苦修苦參，窮畢生之力，不得其門而入者，比比皆是。志士仁人，本其愛國愛民之至誠，嘗能當下即是。中山先生，乃「當下即是」之達者。

第六，中山先生固未必知其所以然。他確已體悟到先聖之道統，見到道德之本原，革命之原動力。他經多年之實踐與體會，廣學與多聞，形成了本於道德的理想、民主的信念，科學的方法這三者融貫爲一體的偉大的思想體系。

第七，我嘗思之：宋明理學家所講「孝弟忠信禮義廉恥」這八德，是爲專制君主服務之道德；中山先生所講「忠孝仁愛信義和平」這八德，是爲國家爲人民服務之道德。二帝三王之偉大，就是這個「行一不義，殺一不辜而得得天下皆不爲」與「匹夫匹婦，有不被堯舜之澤者，若己推而內之溝中」的「永執其中」的仁道，這也是中華民族之真精神。中山先生確能繼承這個精神而予以發揚光大，這是孔孟以後所未曾有的。

第八，我們的這個哲學，乃是結合超感性的直觀與現代學術的觀點，對中華道統，作深入而系統化的詮釋，形成了我自己的體系，這是前所未有的。至於中山思想，乃是結合道德、民主、科學三者所形成之思想三重奏，在哲學基礎方面，與我們的哲學，實無本質上的不同；因此，用我們的哲學解讀中山思想，自能得其精髓。

第九，中山思想，經我們用哲學加以解讀并對其全體大用作必要之詮釋以後，已突顯了它的學術價值，發明了它的救世之功用。勿論何人，期能在政治上，對人類有所貢獻，以道德、民主、科學三重奏爲基調，亦即以道德之一（正），民主之多（反），科學之和（合）的三拍子，演出自由、民主、均富、而道德水準極高之文明社會。這應是別無選擇之選擇，未識讀者以爲然否？一九九七年感恩節，恰逢我的八十一歲生辰，也恰好完成我的哲學集刊全部。滿懷感恩之心，謹以此集刊全部，獻給在天的雙親暨祖父母之靈，并對於在四十八年前救助我暨曾經一再幫助我支持我鼓勵我之親友師長，敬致最誠摯之感恩；因爲沒有他們，本哲學集刊，是不可能問世的。

華容 周伯達 於洛杉磯哈崗住所

初版自序

自戴季陶先生「孫文主義之哲學的基礎」問世後，半個世紀以來，關於三民主義之哲學專著頗多；惟純從哲學基礎，作有系統之研究者，仍不多見。爲使三民主義之哲學基礎明白化，且藉以闡明三民主義之真義，而真能認識中山先生之思想，此本書之所以作也。

哲學似可分爲言說的哲學與實踐的哲學這兩部份。學院中哲學教授的工作，在於講解哲學，他們的哲學，多屬於前者；志士仁人，本其救國救民之赤忱，從實踐中以體認哲學，他們的哲學，則屬於後者。前者常能建構其偉大的哲學體系；但記問之學與拾人牙慧者，難能臻於此境。後者常能契合哲學的本原，發皇哲學的智慧；體系雖不精密，思想則至爲偉大，以哲學爲職業者，難能窺其堂奧。吾人研究三民主義的哲學基礎，應擺脫學院中哲學教授斤斤計較於名言之解說，而體認哲學的智慧，直探哲學的本原，心領神會，真知其意。必如此，才能超脫世俗之見，亦才能正確的把握到三民主義的哲學基礎，而真能認識中山思想。

什麼是三民主義的哲學基礎呢？它就是我國歷聖相傳之道統。這原是一個引起了爭論的問題；因此，本書第二章，特就中山先生他自己有關道統的言論，如在桂林答馬林的問話，及我國「一貫的道理」之闡釋等等，以及其傳承者有關之宏揚，如　蔣總統所主張者，作了較爲簡明而必要的討論，俾讀者在理論與證據兩方面都覺得確是「原來如此」。

那麼，這歷聖相傳的道統又是什麼呢？它就是大禹謨所載，爲宋明理學家所宏揚的：「人心惟危，道心惟微，惟精惟一，允執厥中」這所謂十六字心傳。因此，在第三章中，我們乃考察道統的歷史，探討大禹謨的真僞，分析大禹謨的主要內容。我們認爲，大禹謨是儒家的烏托邦，是以性命之學做基礎的經世之學。「性命之學與經世之學的和諧與統一」，是儒家實現政治理想，達成內聖外王之道的最緊要的工夫，亦是「大禹謨」的主要涵義。這是中華文化的真精神。宋明理學家雖偏重於性命之學的宏揚與實踐；然其畢生之努力，則以實現此內聖外王之理想爲其最高之目的。王陽明算是最有成就之一人。曾左諸賢，以理學家而出將入相，實亦爲繼承此一志業者。

那麼，道統是不是哲學呢？在本書第一章中，我們曾指出，在古代希臘，哲學是一種安身立命的學問，是一種熱情的生命方式。現代哲學家，仍認爲「哲學是指人的理性直搗實在界整體之最後原因的知識」。哲學與科學是不同的。雅士培（Karl Jaspers 1883-1968）說：「哲學一開始就有些不可更易的東西」。哲學本身「必須拒絕進步這個觀念」。從哲學的這些特性或含義來說，道統與哲學是很相符合的；因此，我們在第三章中，除了就道統之歷史與道統之內容，作必要之討論外；對於道統是不是哲學這個問題，也作了較爲詳盡的討論。我們認爲，道統所謂之「允執厥中」這個「中」字，就其是「喜怒哀樂之未發」而言，它就是心之本體；但它亦是物之所以爲物的本來如是。它是第一義諦，它是形上學所謂之最後原因。因此，我們乃提出「中」一元論的哲學。羅素（Bertrand Russell）在其所著「哲學大綱」（An Outline Philosophy）第二十六章中曾說：

> 我們可以看出，我們觀點既不是唯物主義的，也不是唯心主義的，而是施福爾博士所提出的（Following a suggestion of Dr H.M. Sheffer），我們名之為『中一元論』（neutral monism）。這個一元論，即因為世界之中只有一種太素，是所謂事點；但也可以說是多元論，因為我承認有無數的事點，每個最小的事點都是一個邏輯的自存實體（Logically self-subsistent entity）。

我們的「中」一元論哲學，與羅素所贊同之施福爾博士的哲學，可能是名同而實異。因此，在這裡須略加說明的；第一、Neutral 這個字，有無色、無性、中性諸義，與中庸所謂喜怒哀樂之未發，其義似爲相近，故 neutral 一詞，不宜譯作「中立」，而應譯爲「中」。我們所謂之「中」，固不必與 neutral 完全相同；但「中」一元論，卻可很明白的顯示出一種哲學的本體論。第二、本體是一元的，現象確是多元的；不過，這多元之現象，是可約化（亦應該約化）爲二元。這就是說：從本體界言，它是「中」一元論；從現象界言，它似可叫作「併存狀態」（Coexistent states）二元論。現代量子力學是從互補說而導出併存說；所以併存二元論實亦可叫作互補二元論。

這個「中」一元論，它究竟是一種什麼哲學呢？它是一種形上學。這個形上學，不同於純思辨之西方的形上學；因此，在第三章中，曾就西方形上學以及形上學有關的範疇，作了簡略的比較研究。我們知道，從原始的「人類學」或人性論的哲學來說，這個「中」一元論的哲學，在表達一種純乎天理而免除了先入之見的思想，這是需要「另具隻眼」的；但從自然哲學，或原始的「宇宙論」來說，這在表達一種物之所以爲物者的理論；因此，在第四章中，我們討論了心物合一論的哲學。我們認爲，這心物合一之「一」它就是「中」；所以這個「中」既是心之本體，亦是物之所以爲物者。我們以「體用一原，顯微無間」的觀念而說明「其實一也」與「只是一事」之理。我們曾就笛卡爾以來之理性論者、經驗論者、及德國觀念論者的哲學，與我們的心物合一論的哲學，作了必要之比較的研究。他們談心與物的問題都談得很精緻，但與我們村野鄙夫談身體與靈魂的想像，並無本質上的不同。其在我國，自先秦以來即超越了常識的「東西」觀念，而體認了心物一元的真理。我們並依據現代生物學的觀點，而破斥了突創唯物論。我們不是物活論者。對於生機論(即生命哲學)，前成論、後成論、機械論、目的論、以及偶然論、必然論之主張，亦都不完全同意。

我們認爲，「人」這個現象的本質就是民生。民生哲學是立足於心物合一之「中」一元本體論上的。這個本體乃以未發之「中」，作爲「純亦不已」之已發的阿基米德(Archimedes)支點❶。這就是人之生存意志或需求動機是顯現爲內在的不斷的驅動；此等驅動，乃此未發之「中」爲顯現它自己而所表現的一種生命現象；這個生命現象，是需求飲食，需求配偶，需求安全，而且是需求知識的；這四種需求，是表現爲維持生存、延續生存、保障生存、改

❶ 笛卡爾沉思第二曾說：「阿基米德說，只要有一個確定不變的點子，使他有所依據，則他就可以把整個的地球由一個位置移到另一個位置。同樣的，我如果幸運的發現了一種確定不易的事物，我亦正可以有很大的希望。」我們所謂之「中」，即是笛卡爾所謂之「一種確定不易的事物」。

進生存這四種生活功能。吾人祇須稍作進一步的分析，則知維持生存的問題，就是民生問題；延續生存的問題，就是民族問題；保障生存的問題，就是民權問題；而改進生存的問題，那當然會形成人之思想活動了。很顯然的，人類所存在的民族、民權、民生、與思想活動等四大社會問題或四大社會範疇，即人之求生存的需求所表現的生活功能，經演進而成的社會現象。這就是說，中山先生的三民主義，是深入社會現象之本質而正確的認識了社會問題。這與共產主義的唯物史觀是完全不同的。馬克思的唯物史觀，是說明了新的生產力改變了生產方式；新的生產方式改變了生活樣式；新的生活樣式改變了全部的社會關係❷；但是，這「新的生產力」究竟從何而來呢?馬克思並沒有說明白，而人類求生存之內在的不斷的需求動機學說，是可以解答這個問題。在第四章，我們對此作了較爲詳盡的說明。

在第四章中，我們更討論了知難行易的知行哲學，最後並談到革命哲學。中山先生之所以致力於革命，開始時完全是由於他的救國救民之赤忱與一種打抱不平之真心，亦即完全憑著儒生式的理想，藉豪情壯志爲革命而奮鬥，到了中年以後，經過仔細的反省檢討，發覺他自己所作的，竟全是孔孟所說過的；於是，乃融貫中西學說，創立三民主義，而形成其哲學的體系。三民主義哲學，是實踐篤行所完成的系統。這個系統是表現了熱情的且是信守不渝的生命方式。循著這個生命方式，是可以使人性在生活中獲得滿足。這是深入於人之內在世界，揭露了人性的本質，並順應人性而使之發揚光大的一種哲學，這是知難而行易的。它可

---

❷ 馬克思著：「哲學之貧困」。

以用心物合一之「中」一元論作基礎而加以說明；但是，它必須與革命思想相結合。三民主義的革命哲學，它是從自己的方寸之地做起的，此所以是「行易」的；因此，這個系統，它即是「性命之學與經世之學的和諧與統一」，亦即是科學的與人文的這「兩種文化」（the two culture）相互貫通而造成的一個完整的共同之體。

在第五章中，我們討論了中山思想之主要目的，是以滿足人之生存的需求爲問題的核心，并主張：以自然的王道的力量，而絕對不是霸道的力量，形成一種本乎人性人情，合於倫常物理的優良的文化精神，以處理民族問題或世界問題；並建立以這種優良文化精神爲基礎的民主制度。這個制度，是全民政治與萬能政府併存；是政治平等與個人之自由發展併存；有社會分化之階層性，絕對沒有專政的統治階級之存在；並以平均地權，節制資本，發達國家資本爲手段：「使人人有土地，人人有工作，人人有權利，人人有自由，亦就是人人能自由的生活，人人能自由的生存，人人皆能享受其康樂幸福。」❸是「國家發大財」，每一個人都能發大財；是公有與私有併存；是同有而不是共有；是大家都能自由自在的過最好的同樣的生活，不是要大家共過一種牛馬式的生活；是一種世俗的生活，不是一種在禪宗叢林式的必須遵守清規的生活。這些主張：是表現了人之人格平等的一元性及生活之多樣性，這正是發揚了道統的精神，亦即是我們所謂之「中」一元論哲學，而流行在人常日用間所必然發生的現象。

❸ 蔣總統著：「土地國有的要義」民國四十一年。本書所稱蔣總統，皆是指蔣介石先生。

在結論中，我們討論了中國往何處去與推展中山思想革命這兩個問題。中山思想是以大同社會爲其終極之理想。大同之世，與現代社會福利國家有不同者，乃大同社會之人民，在「均富」之社會基礎上，不僅社會生活極爲舒適，社會事業辦得最好；而且社會秩序至爲良好，社會道德水準很高。整個社會，充滿祥和之氣，而免除了煩擾與紛爭。這是一個我爲人人，人人爲我的社會；這是一個沒有陰謀詭詐，沒有巧取豪奪的社會；這是一個人之慾望獲得正當滿足，而不是一個禁慾的社會。大同與小康不同者，乃大同社會的人民，從物質生活之不虞匱乏而進到精神生活之健康。一個精神上的壓抑作用不存在的社會，一個沒有神經病患者的社會，如果不是一個貧窮的社會，而是一個富足的社會，這個社會必是由小康而進入大同了。大同社會的真正成就，不祇是物質方面的，必也是精神方面的。大同社會，可以說是眾生皆得成佛的社會。這是共產主義者所未曾夢見的。我們認爲，假如有這樣的一個社會，生活不虞匱乏，父子、夫婦、兄弟、朋友、及一切人際係皆極正常，每一個人的心地皆光明中正。這樣的社會當然是眾生皆得成佛了，也就是每一個人皆「得救」了。我們的心物合一之「中」一元論的哲學，即在於表明這個真理。我們認爲，這個真理終會爲大多數人所接受；而中山思想之終極理想，亦終必在人類社會中實現；因爲人之內在的生存意志或仁心仁性，終必在人之生活中獲得完滿的成就。

本書共分六章，以上就各章之主旨，作了簡要之陳述。從中山思想本身來說，它既是由實踐篤行所完成的系統，亦是治國平天下的指導方針，祇要肯去實行，在實行方面是少有困難的。它的實行方法是明白易曉的。中山先生思想，在表面看來確是很容易的，亦即是「行易」的；若從認知的觀點而明其究竟，如前文所論述之許多主旨，則是「知難」的。世人多不明中山先生著「孫文學說」之苦心，亦未能體認他講三民主義之奧義，對他的思想，多有誤解。本書之作，旨在澄清誤解；於是，乃窮其本源，發其底蘊，辨明其主旨，彰顯其學說，亦即是願意做一個導遊者，引導讀者深入中山先生思想之堂奧，以認識其宗廟之美與百官之富者，使讀者理解到：這個思想，從「行」的觀點來說，確是至簡易的，它可以用兩句話而加以描述：「一念之誠，當下即是。」若從知識的觀點而加以認識，卻是至艱深的，亦即是「知難」的。許多豪傑之士，窮畢生之力而不得其門徑者，比比皆是。因爲深入學術之迷宮，而能「解脫知見」，深明此事，且不作「學語之流」，確是很困難的。至於本書所論述者，雖亟願將這個至艱深者使之明白化，俾能爲大多數人所理解，總覺得這是談何容易的事，而深感力有不逮，差幸尚能把握其基礎，雖說理或有不融洽圓通之處；若讀者本於學術之至誠而不厭其詳的有以教我，則幸甚矣。

本書於六十五年十月先總統　蔣公誕辰之日開始執筆，至翌年舊歷正月初四日，約四閱月而完成初稿，得蒙崔垂言崔載陽兩先生賜教，多所指正，並蒙垂言先生賜序，謹向兩位崔先生致誠摯之謝意。年來復就原稿詳加損益，結果增加篇幅頗多。作者現服務本黨中央組織會，工作較爲忙碌，因此對書中涉及之許多問題，未能仔細斟酌與琢磨，實不免倉促成書之感。本書之作，雖以利用公餘及星期假日爲主，然能專心從事此一工作，除我自己有一股極大的衝力在推動著，而家務也從不煩心外；最應感謝者爲同辦公室的每一位同仁，他們都能竭盡智慮，辦好自己的事；尤以劉依庸先生，常代我解決一些需要運用思考的較爲麻煩的問題，使這一年多來，在繁忙之日常工作中，毫未影響對本書之研究整理；否則，本書是無法完成的。本書承胡小池上校、徐新生同志校正，併此致謝。

民國六十七年二月於臺北寓所

崔垂言先生序

國父嘗謂今之大科學家研究事物之理，其法有二：一爲觀察，即科學；一爲判斷，即哲學。蓋依科學程序所創建之學說，亦無不有其哲學基礎存於其間。民生主義之成爲一種科學，　國父早有明言。細繹民族主義及民權主義之內容，其性質實與民生主義同，槪由科學之分析綜合而來。惟三民主義之哲學基礎若何？則於遺教中語焉不詳。

考三民主義特徵之最著者，乃在民族主義中以道義矯正利害，在民權主義中以服務取代攘奪，在民生主義中以厚生調節慾望，是即所謂「仁」之表現也。凡此皆爲哲學問題，若不闡發其奧義，必難闚見三民主義之崇高價値。

輓進探索三民主義哲學者多矣，各就其才識學驗有所發明。原哲學本與科學異趣，難循共同之程序獲致相同之結果。是以說雖不一，如覈諸邏輯而無疵，施於遺教能貫通，即可並存。殊塗同歸，百慮一致，當均有裨於三民主義之宏揚。

今者華容周伯達先生，繼所著「心物合一論」之後，又撰「三民主義之哲學基礎」一書。揆是書之主旨，在以我國道統「性命之學」，闡釋三民主義「經世之學」。貫串全書之根本義，即「允執厥中」之「中」字。作者認爲喜怒哀樂未發之中，以及發而皆中節之和，自性具足，無待他求。若能勿忘勿助，從容中道，仁性動於內，義行現諸外，則「人心」之危塞，「道心」之微彰，而止於至善之境地矣。此義是以說明三民主義特徵之繇來。

余與作者共事有年，譾知其博覽典籍，用力甚精，而於陽明心學，涵濡尤深。所言多從體認中得來，夐乎與出自思辨或實證者異。此作亦重心領神會，其窾要不可徒就文字知解之也。

書既成，索序於余。喜其為當前三民主義哲學研究，另闢徯徑，爰贅數語，聊抒所見。

濱聞哲學集刊之七

中山先生思想與中華道統

目錄

第一章 緒 論

我們是從哲學的觀點來解讀中山思想，并說明這個思想之淵源及其全體大用，在提出問題後，特從哲學是什麼談起。

第一節 問題的提出

一、我們應討論那些問題

本書之作，是要對中山先生思想與中華道統，作哲學的詮釋與評估；那麼，我們應討論那些問題呢？

很顯然的，我們應討論中山思想之哲學基礎是什麼？假如我們說：中山思想之哲學基礎是A；那麼，為什麼是A呢？A究竟是什麼呢？A是不是哲學呢？A是一種什麼哲學呢？以這個哲學作基礎所建立起來的思想體系是什麼呢？由這個思想體系所形成之思想目的又是什麼呢？這些問題，必須得到堅實而不可動搖的，清楚而不含糊的，一致而又一貫的答案，才算是達成了我們所欲詮釋與評估的目的。這是要回答一連串的問題；這是要尋找一些堅實的和無可辯駁的東西；這是要探求最終的理解與最後的答案。必如此，我們才算是對中山先生思想作了研究上應盡的努力。因此，本書之作，必須從是什麼，爲什麼，是如何，及其有關之各個問題，或其有關之思想的各個層面，作深入的討論，必要的說明，以解析疑惑，袪除迷霧，使讀者充份瞭解：中山思想確是以這個哲學爲基礎而建立其哲學體系，形成其思想之主要目的。

二、從哲學是什麼這個問題談起

因爲本書之作，是欲作哲學的詮釋與評估，所以應從哲學是什麼這個問題談起。叔本華（Arthur Schopenhaur）在「意志與表象的世界」第二卷中曾說：「哲學好像一種多頭怪物，每個頭都說出一種不同的語言。」由此可見，這是一個很不好談論；很容易使人發生錯覺，引起誤解；或使人摸不著頭腦，越弄越糊塗的一個問題。有些人自以爲認識與瞭解了這個問題，實際上很可能不是那麼一回事。他很可能由毫釐之差而越走越遠哩！例如十九世紀下半個世紀在歐美所興起的哲學毀滅之風，原是一種哲學的改造運動，好像將舊房子拆掉，再改建一棟更新更好的房子一樣。可是，我國有些著名的學者，卻不明瞭個中原委，認爲這種哲學毀滅之風是真的要毀滅哲學，並將其當作最時髦的東西，而大膽的主張「哲學的根本取消」。他們竟認爲：「過去的哲學只是幼稚的，錯誤的，或失敗了的科學。」❶五四時代，高喊德先生與賽先生的口號，在表面上似是力求思想之改革與進步，在實質上則是由哲學毀滅論而

❶ 詳見民國十八年六月胡適在大同大學的講演手稿，南港中央研究院胡適紀念館曾陳列此稿。

走向虛無主義❷了。直到如今，仍有人本於哲學毀滅論的觀點而大談哲學。這種人亦有是學問淵博，著作等身者。可是，他並不真懂得什麼是哲學，因爲他從未夢想到這是一個多頭的怪物。像這種人，要他們作哲學的詮釋與評估，當然會弄得南轅而北轍。

這種哲學毀滅之風，當然是由西方吹來的。本來在十九世紀初期，哲學仍高踞學術的王座，但至其下半個世紀，哲學便已遜位於科學❸，而且有每下愈況之勢。時至今日，在本世紀雖然產生了不少的傑出的哲學家，對於哲學的地位，卻沒有多大的改變。威廉、白瑞德（William Barrett）曾說：「在齊克果（Kierkegaard）講的一個故事裡，有個心神不寧的人；他與自己的生命如此脫節，竟至根本不知道他自己的存在，直到一個晴朗的早晨，他醒來時，竟發現自己死了。」❹這個人爲什麼會與自己的生命如此脫節呢？威廉、白瑞德認爲，「乃由於現代社會已經把哲學放逐到極其偏遠的地方，而哲學家自己竟也安之若素。」（同註四）

三、哲學在目前是如何存在的

哲學是被放逐了。但是，我們仍然不妨這樣的發問：哲學本身在目前是如何存在的？或者，更確定的說，哲學家在現代社會中是如何存在的？這問題的初步答案是這樣的。即：哲

❷ 凡對於傳統思想一律加以反對，如所謂「將線裝書丟到毛廁坑裡」者，即為虛無主義。

❸ 詳見J. T. Merz著「十九世紀歐洲思想史」，伍光建譯，臺灣商務版。

❹ Irrational man-A Study in Existential Philosophy by William Barrett.

學家存在於「學院」裡，其身份爲大學哲學系的成員，是多少屬於理論性質的所謂哲學這門學問的專業教員。這個幾乎完全根據事實，依照統計得來的簡單觀察，是無可置疑的。我們仍須作進一步說明的，即：根據英文字典，「以……爲業」（to profess）一辭，是包括坦白而公開的宣稱或承認；所以也就是向世人表白他的一項職業。這個辭語原有宗教性的含義，例如我們說到對某種信仰的表白（profession of faith）。但在現代的社會裡，尤以歐美各先進的開發國家裡，由於它對人類功能精密的劃分，一項職業乃成了一個人收取報酬而做的專門性社會工作。這種專業，需要專門的知識和技術，它是一個人的謀生之道，且已成爲一種生活方式。以某某爲業的人士，有律師、醫師、牙醫師、工程師、以及哲學家等等。哲學家在現代世界的職業是做一個哲學教授，他的生存範圍不過是大學裡面的一個角落，他並不真正的生活在哲學的氣氛中，他祇是販賣哲學的知識而已。至於因對物理學、醫學、或其他各種專門學科有專門研究者而獲得了哲學博士，他們很可能從未接觸過真正的哲學。當然，傑出的物理學家或其他各類的科學家，只要肯作哲學的努力，他們是可能成爲真正的哲學家。

我們認爲，一個人爲一項職業所付出的代價必成爲法國人所謂之「專業缺憾」（deformation professionelle）。例如醫師和工程師容易從他們自己專擅的觀點來觀察事物，但對這個特定範圍以外的所有現象，都表現出顯著的昏聵無知。愈是特定的視界，其焦點也愈精確；然而對焦點以外的四週也更會全然不知。做爲在學院裡從事專業工作的一員，我們很難要求哲學家避免他自己的專業缺憾，尤以人之愈來愈爲其社會功能所吸收，已經成爲現代社會的法則。對今日的哲學家來說，麻煩而嚴重的曖昧所在就出在這裡，這就是哲學家遠離哲學之平實而無奇的事實。

今天的許多哲學家是如何的遠離哲學呢？威廉·白瑞德曾有如下之非常深刻的陳述。他說：

> 哲學家曉得，我們近代的知識之所以在在遠比過去所謂知識來得精確有力，都是分工的結果。現代科學是由知識的社會組織一手造成。所以現代的哲學家，正因為他自己在團體中的客觀社會角色，而被壓迫成為科學家的膺品；他也要靠分工專業來改善自己的知識利器。於是現代的哲學家格外注重技巧，分析邏輯和語言、文法以及語意學，而且一般說來，為求形式上的工巧，常把所有的內容琢磨殆盡。所謂邏輯實證主義（Logical positivism）運動，在我國來說（人文主義的氣氛，在歐洲的大學或者比在美國的大學濃厚），簡直暴露了哲學家自認為不是科學家的犯罪感；也就是說，不是用科學模式來製造足以信賴的知識的研究人員。哲學家畢生精力投入的工作，原來就很不穩定，在這裡更因為他們堅持把自己變形為科學而惡化到不可收拾的地步。（同註四）

當然，現象學，存在哲學，以及許多其他的現代哲學家，他們並不自毀到這種田地。哲學家而自毀如此，這確是可悲的。

四、哲學思想的一般演進

再就哲學思想的一般演進而言，人類最初朝向知識生活與文化生活的行爲，就是心意對於直接環境的適應。此即其所對付的完全是外界的問題。當人類文化逐步進展後，便發現一種相反的人類生活的傾向，即一種內向的或反省的看法。這種內向的生活觀是隨伴並補助外向的看法；而且，人類文化的愈益發展，這種內向的看法也愈見領先。因此，在最早的哲學思想裡，一種原始的「人類學」與一種原始的「宇宙論」是相並而行的，亦即世界起源的問題與人類起源的問題是交織而不可分。即以希臘哲學而論，其最初的各個階段，似乎專心於物質的宇宙，直到赫拉克利圖斯（Heraclitus）才居中於宇宙論與人類學的思想之間。雖然他的口吻還有點像一位自然哲學家（a natural philosopher），雖然他屬於「古代生理學家」的範圍，他卻認爲：若不確切的窮究人的秘密，即不可能透入自然的秘密。我們可以「我爲自己而求」來概括他的整個哲學❺。不過這個新的思想趨向（約 535-465BC）卻要到蘇格拉底的時代（469-399BC）才晉於大成。古代希臘的哲學家，僅管有些人專心於物質的宇宙；但他們的哲學不是一門專門理論的學科，而是一種具體的生活方式。這種哲學，對於人類以及個人生活，賴以遵循之宇宙秩序有整體的見解。至於蘇格拉底，他是爲哲學而生，爲哲學而死的不朽榜樣。在彼時，哲學是一種安身立命的學問，是一種熱情的生命方式。柏拉圖在乃師逝世以後五十個年頭裡是以此種哲學作爲事業的指標。在柏拉圖來講，哲學是靈魂的追求解脫，是從自然世界的痛苦與罪惡中解放出來。在那個時代的哲學思想裡，我們看不到一種孤立的自然學說

❺ 轉引自：Ernst Cassirer, aand essay on man.

或孤立的邏輯學說，也甚至看不到有一貫系統的倫理學說。有系統的倫理學說，是後來各種倫理體系發展出來的。哲學的這種古老的權利，使現代哲學家多少有點尷尬；而且，他們為了使自己能存在於專門學者與科學家嚴肅而冷靜的門牆內所作之必須努力與辯護，不僅是可悲嘆的，也是一種徹底的失敗。

五、哲學之最普通的解釋

我們將現代哲學與古代哲學思想演進作比較說明，並非崇古而抑今，乃在於說明，哲學應該是什麼？很顯然的，我們不能以哲學為職業。從職業的「專業缺憾」所造成的對哲學之迷失，是應該引以為戒的。那麼，哲學究竟應該是什麼呢？柏拉圖對話錄斐德羅（Phaedrus）篇，描寫蘇格拉底與斐德羅之談論，蘇氏曰：「余實一愛智者，為吾師者，乃城中之人，而非城外之樹木也。」❻考 Philosophy 一辭，希臘文的字面意義是對智慧之愛好，其意是謂：「吾人無法對智慧一詞所表示的一切，有最後而圓滿的理解，而只能以熱烈期望的心情去爭取。實際上哲學是指人的理性，直搗實在界整體之最後原因的知識，尤其是關於人的存有及其應然的問題。❼這個抄錄自「西洋哲學辭典」的解釋，應該是一種最普通的解釋。這個解釋，與哲學的古老的權利，並不衝突；但是，今日的哲學家為什麼會落得如前文所謂之尷尬

---

❻ 郭斌和景昌極合譯：「柏拉圖五大對話集」，臺灣商務版。

❼ 布魯格（Brugger）編著，項退結編譯：「西洋哲學辭典」，先知版。

的場面呢？這當然是由於精密分工的結果。爲使對「專業缺憾」有更加深入的認識，茲特將「西洋哲學辭典」緊接下去的一段話抄錄於下：

任何已成熟的人，其行為均為某種對自己及宇宙整體的看法所引導。這種不期然而然對人生在宇宙之間方位的勘定，即為先學術性的哲學。這樣的哲學雖帶著本能及感覺色彩，卻仍係思想的一項成果；當然，這樣的思想與人生整體緊接連在一起，尚未經過抽離和表達的功夫。然而同一思想卻在每一世紀都催迫人對實在界去尋求一種方法上確切無疑，敘述有系統而思想透徹的知識，也就是尋求學術性的哲學。(同註七)

我們認爲，「專業缺憾」即過份的「尋求學術性」的結果。因爲過份的「尋求學術性」，即變成鑽牛角尖，此不僅會成爲專業缺憾，亦且遠離學術。此言雖簡，其義甚真。因此，我們將某種引導對自己及宇宙整體的看法，在方法上作確切無疑，有系統而思想透徹的敘述，這是很正當的。但是，爲了求形式上的工巧，而將哲學本身所有的內容琢磨殆盡，則是一項錯誤，也是在學院裡較爲容易犯的錯誤。這也是進一步的說明了哲學心靈之所以萎縮的原因。我們認爲，與其因「經過抽離和表達的功夫」以致傷害了哲學所有的內容，到不如真有一種勘定人生在宇宙之間方位的思想，而「與人生整體緊接連在一起」；因此，我們應如何確立「對自己及宇宙整體的看法」呢？或者，我們的理性應如何「直搗實在界整體之最後原因」，而「對智慧一詞所表示的一切有最後而圓滿的理解」呢？或許這是不可能的。不過，我們確應該「以熱烈期望的心情去爭取」，而且，這也是每一個愛好智慧的人所應有的一種態度。

第二節　進一步的說明

照以上所述，哲學是什麼？讀者應該有一個概略的認識了，爲期對「哲學是什麼」有更進一步之認識，以下各點說明仍是必要的。

一、哲學與其他各種學術

哲學活動與其他各種學術活動是不相同的。作爲一個詩人，或作爲一個音樂家，他們對其所從事之學問所作的許多活動與他們對這些活動的談論是必須分開而不能混爲一談的。例如詩人寫一首詩與寫一篇關於詩的文章，是完全不同的兩回事。至於哲學家談論哲學，卻應該就是一種哲學活動。

再者，哲學活動之所以與其他各種學術活動不同，乃因爲其他的學術活動，對其所從事的學問可以不必闡明這門學問的本質——即其基本的與普遍的特性，甚至於無需以通論方式說明他們究竟在研究那些問題。例如，物理學的本質，根本就不是一個物理學上的問題（物理學上的問題，是指力、聲、熱、電、光等問題），物理學本質是物理學以外的問題，也許連優秀的或偉大的物理學家都回答不好，或者竟回答不來；然而，對於本門學問的外來問題，亦即對本門學問的本質無法作答，卻無礙於對本門學問的成就。現今凡學有成就者，或甚至獲得諾貝爾獎者，他們是只要能夠回答本門學問的內容問題，或就本門學問的內容提出了新的見解。他們對其本門學問的本質是什麼，是不必作答的。至於哲學的本質，它卻是哲學的內容問題。如前所述，學問的本質問題，既是外來問題而不是內容問題；那麼，哲學本質為什麼卻是內容問題呢？理由很簡單：假如哲學而不討論哲學的本質，那就是哲學而不討論哲學，這算是一門什麼學問？由此可見，從事哲學活動與從事其他學術活動，確是不完全相同的。

哲學雖與其他學術不同；但可以藉其他學術而表現一種哲學。例如文學與藝術，這是可以表現一種哲學思想，而為大家所共享的。其他各種學術，亦常以一種哲學做基礎而建立其學說的體系。這就是說，哲學與其他各種學術，確是互有關聯的。不過，一種哲學著作，卻應就哲學本身而作有系統之陳述。例如一張畫、一首詩、或一部小說，它們雖可能表現一種哲學；而且，這亦可能引起許多人的共鳴，而形成一種哲學的信仰；但是，這畢竟不是我們所謂之哲學。

二、哲學與歷史文化

哲學固為歷史文化之產物；但歷史或文化，亦無疑的深受哲學思想之影響。任何一個國家的哲學與歷史文化，必都是相互影響而不能說是一種任何單向的影響。

此姑不論，以下特說明哲學與歷史、與文化之同異。

史賓格勒（Oswald Spengler）說：

所有真實的歷史工作，都是哲學。

又說：

世上沒有永恆的真理，如果哲學是指有用的哲學，而不是那些學院中的把戲，如「判斷形式」、「感覺範疇」之類，那麼，每一哲學，表現了其本身的時代，也僅僅表現其本身的時代，此外無他。從沒有兩個時代，具有同一的哲學傾向。哲學原則間的差異，並不是有些原則會隨時代而消滅，有些則能經久不滅；而只是有些原則在它的時代中，是成立的，有些則根本從未成立過而已。思想的不朽，只是一個幻象，——事實只是，由那一種人來表達這一思想而已。人越偉大，哲學越真實，最終是哲學可能吸收了整個時代的內容，本身認識了這些內容後，將之展現為某一偉大的形式或人格，並將之向前推進，無遠弗居。❽

史氏認爲歷史學即是哲學。他認爲歷史與哲學，都是有機的世界感，而不是無機的世界感。他重新檢討了世界的形式與運動，而把它們當作正在進行的事物，而非已經完成的事物。我個人很贊成史氏的此種觀點，此種觀點頗能詮釋周易哲學。周易哲學亦是對正在進行之事

❽ Oswald Spengler: The Decline of the West 第一章。

物的曠觀或洞察，而不是認識那已經完成的事物。但是，哲學與歷史，畢竟是不同的。我們認爲，哲學是對於生命歷程之全部，亦即生存變化之全體，有一非常熟悉而明白無誤的體會；這種體會是一清澈的理解。至於歷史，乃是強有力的生命歷程的總和；因此，歷史是要在生命本身之中，尋找一系列而有次序的且是強制性的一種必然性之經歷到的過程；所以歷史學必是以過程的敘述爲主，而哲學則是描述對當下的體悟。哲學與歷史，確不宜混爲一談。

再就哲學與文化之同異而言，黃文山在其所著「文化學體系」中曾說：「文化學必須成立的理由有二：第一、文化學爲研究人類生命的、具體的、系統的學問；第二、文化學是了解歷史的道路。從前者言，……近代哲學的重要特徵，是生命的解釋；蓋我們在探知自然以前，不可不先認識人類自身。換言之，蘇格拉底所謂『知道你自己』這句話又在現代復活了。狄爾泰（Dilthey 1830-1910）也曾說：『哲學的中心概念是生命，哲學是自己考察。』狄氏的話，並不是他一人一派之言，實在是近代哲學的共同意見。但生命不過是一個抽象概念，要瞭解生命，把生命的表現——文化——忽略，是不可能的。所以以文化作對象的文化學，是理解生命不可或缺的學問。從後者言，我們都知道，歷史決不是事實的羅列，是以文化作它的窮極概念的。輕視文化發展的歷史是沒有生命的死歷史。」❾黃氏蓋謂哲學、歷史、文化是有其不可分的關係。但是，吾人亦不難認識到，文化是以生命的表現爲學問之主腦，而哲學則必須體認生命之本身。哲學與文化，確不是完全相同的學問。

---

❾ 黃文山著：「文化學體系」上冊第五章，頁二〇一，臺灣中華書局版。

三、哲學與科學

哲學不僅與歷史文化相互影響，它亦與道德宗教等等有關聯，在此處不擬多加論列，惟必須說明的，即哲學與科學之同異。

亞瑟・丹圖（Arthur C. Danto）在「哲學是什麼」（What Philosophy Is）一書中曾說：「把哲學當做一種異於科學的活動，也不過是最近的事。」❿哲學自從古代萌芽以來，一直與專門科學混為一談。早期哲學家當中，有的是天文學家，有的是醫生，有的是數學家；他們也許從來不曾想過，這些本行的活動與那些替他們在哲學史上爭來一席之地的活動，其間到底有什麼差異？若依據我們在討論哲學與其他各種學術之同異時所找到的一項標準；於是，當可以說，他們必是接觸了天文學、醫學、或數學的本質問題。亞瑟・丹圖曾說：「關於所有其他學問的外來問題原本都是哲學的內容問題——也就是說，科學本質或藝術本質的定義並不是科學上的問題，也不是藝術上的問題，而是哲學上的問題。」（同註十）這說得很清楚。照這個說法，不僅哲學的本質是哲學的內容問題，所有其他各種學問之本質問題，亦都是哲學的內容問題。這個說法很好。馮友蘭曾說：「一種科學所講，只關於宇宙一部份之事物；哲學所講，則係關於宇宙全體者。」⓫三十年前，即民國卅年代，我很喜歡馮氏此說；於今這兩

---

❿ 丹圖生於一九二四年，現為哥倫比亞大學教授，也是「哲學雜誌」（Journal of Philosophy）的編輯，此文有施智璋譯本，作為其所譯「維根斯坦傳」之附錄，國家書店版。

⓫ 見馮著「新理學」一書。關於哲學與科學之同異，拙著「心物合一論」第二章曾有較詳細之說明。

說相比較，則知馮氏之說是不大確切的。因爲以「關於宇宙全體者」與「關於宇宙間一部份之事物」，這兩個概念相比較來區別哲學與科學，實不如直接的，「是不是以學問之本質爲內容？」來區別哲學與科學。後者是使人容易瞭解哲學何以不是科學。亞瑟·丹圖說：「哲學的本質是哲學的內容問題之一，這並不能圓滿解答哲學究竟是什麼？然而卻是任何一個圓滿解答所不可或缺的東西。」（同註十）他此說是很對的；但是他說：「每一個哲學問題當中，都含有哲學的定義，哲學在定義任何事情時，也就是在定義自己。」此說是值得注意的。我們的意思是說，某門學問的本質，固可以說是某門學問之哲學的內容；但是，若說爲某門學問下定義，也就是爲哲學下定義，這是頗爲值得推敲的。當然，我們亦不能說，各門學問之本質的定義不是哲學的內容。以後當我們討論「中山先生思想與中華道統」這個主題時，對於這個「值得推敲的」問題，我們仍將作必要的澄清。

四、哲學與語言文字

哲學的本質是哲學的內容，亦就是哲學，這是很明白的，問題在於什麼是哲學的本質呢？前面所討論的，當然都是些關於哲學本質的問題。這個問題，是很難用一句話回答，茲爲簡明起見，我們姑且說，事實的本質就是哲學的本質。關於事實的本質，亞瑟·丹圖認爲，我們所知道的是：科學語句是由事實來決定其真假的；那麼，此所謂事實，究竟是一種什麼事實呢？此所謂「科學語句是由事實來決定其真假的」這個語句本身，是不是一個科學學語句呢？很顯然的，這不是一個科學語句，科學語句應是些關於科學內容的陳述，這個語句並沒有陳述科學的內容問題，它不過是陳述科學語句的某種外加的東西罷了。亞瑟·丹圖對此有精闢的分析，他說：

> 「科學語句是由事實來決定其真假的」這個語句我們簡稱為A，另外我們把「水在華氏三十二度結冰」這個語句簡稱為t。t這個語句的意思是：水一達到這個溫度就會結冰，若實際上水在這個溫度結冰，t就是真的。t這個語句含有水、溫度、與結冰狀態。它含有事實，含有這個世界之整體的一部份。至於語句A，其中卻包括t；但是，並不含有世界，…它是介於一種由非真即假的語句所構成的科學語言，與決定語句或真或假的世界之間的空間。職是之故，如果有一件使A為真的事實，則此件事實與那件決定t為真的事實便有不同，因為此件事實不是世界的一部份；不但不是，還以世界做它的一部份，以語言做為它的另一部份。A這個語句既不是這個世界，亦不是關於這個世界的語句。就此意義而言，它是不存在的，它是世界的外來描述，世界上的東西無法決定其真假。（同註十）

丹圖這一討論很有意義。我對於今天的學院情形，知道的不大清楚；不過，他應該可以作爲一個今天學院中的典型哲學教師。他有非常精緻的見解；但是，總好像有那些地方不對勁。我們認爲，哲學不是立於語言與世界之間的；因爲世界與語言之間並沒有空間。當然，這是會引起爭論的。我們從廣義的哲學來說，丹圖的A語句可以是哲學的內容；若哲學家所從事的是如此的哲學活動，那是生命的浪費；而且，A語句是否存在於另一種空間，亦是大有問題的。羅素（Bertrand Russell）曾說：

> 哲學是介於神學與科學二者之間的。……我以為，所有確定的智識，是屬於科學；所有超過確定智識的教條，則屬於神學；但在神學與科學之間，有「無人之境」暴露出來，受兩方之攻擊，這無人之境，就是哲學。⑫

羅素此說，很顯然的只是一種比喻，若以為在神學與科學之間真有空隙地帶，那真是聰明人的愚蠢。哲學是涵蓋神學與科學的領域而使此二者皆得發揮其應有之功能的。科學家若沒有哲學，他始終只是一個技術匠。我國各種手藝上的絕活之所以未能發展而成為近代科學，即因為這些手藝與哲學脫了節。這就是說，他們未能把握某種手藝的本質，而只是在技巧上代代相傳或精益求精而已。此說我相信亞瑟·丹圖也不會反對的。再就神學來說，教徒們為維護教會的宗旨，常常犧牲哲學，其結果也失去神學的光輝。我們若對宗教史作平心靜氣的檢討，當知此說不誣。我們認為，哲學既不是立於神學與科學之間，也不是立於語言與世界之間。它本身不是語言或世界；但離去語言與世界則沒有哲學。再就它對於世界與語言這二

---

⑫ 羅素（Bertrand Russell）著：「西方哲學史」（History of western philosophy and its Connection With Political and Social Circumstances from the earliest times to the present day）導論。

者之關係來說，它是以語言說世界整體之本質者。對存在或世界之本質缺少理解，而徒然學得一些說哲學的語言文字，則祇是學語之流而已。羅素在其所著「西方哲學史」第三卷第三十一章中，討論邏輯分析的哲學時曾說：

一大部分的哲學，可以縮成為語法或造句法（Syntax）的東西，雖然這詞用起來比以前的意味為廣。有些人，特別是開納普（Carnap），他主張所有哲學的問題，實在就是造句法的問題。如將造句法上之錯誤避免，即可以明示，一個哲學的問題，不是就此解決，就是不能解決。我想，這是過度的說法。（這句話，現在開納普也同意了。）但，關於傳統的問題，哲學上的造句法之用處是很大的，這到確無可疑了。

這已說得很明白了，無須多加解釋。我國學術界，在民國五十年代，此種過度誇大之風頗盛。當時講符號邏輯的先生們，認爲祇有符號邏輯才是哲學。

五、哲學之其他的特質

就以上所討論的加以綜合，當知哲學應該是什麼？這個綜合工作，請讀者自己來作。爾後的討論，自然以上面所討論的爲基礎。這就是說，上面所提出之哲學的基本特質，將爲爾後討論時判別是非之主要依據；至於哲學之其他的特質，以下將再作必要而簡略之說明：

1. 雅士培（Karl Jaspers 1883-1968）說：「只要人類生存下去，哲學即不會消滅。」⑬此言誠然。十九世紀是毀滅哲學的時代，只要哲學是可以被毀滅的，它今天早已不存在了。而且，今天所存在的哲學，就我個人所接觸到的，如現象學，存在哲學、懷黑德（A. N. Whitehead 1861-1947）哲學、奧德嘉・賈塞特（Ortegay Gasset, 1883-1995）哲學⑭、愛因斯坦（Albert Einstein, 1879-1955）哲學、海森堡（Werner Heisenberg）哲學⑮、愛利其・佛洛姆（Erich Fromm 1900-）哲學⑯等等，都沒有否定傳統哲學，只是使自希臘以來的西方哲學，經琢磨而更顯得光彩奪目。這就是說，哲學不僅不會消滅，且更將發揚與光大。

2. 我們認爲，古代文明與現代文明之間的文化差距並不如某些人所想像的是那麼遠；而

---

⑬ 轉引自徐高阮等譯：「危機時代的哲學」第十五章，幼獅版。

⑭ 賈塞特為西班牙哲學家，其所著"What is philosophy"一書，劉大悲譯為：「哲學與生活」。新潮文庫，志文版。

⑮ 海森堡所著"Physics & Philosophy"有周東川譯本，協志版。這書對牛頓以來的古典物理學可以說是一種革命，它與亞里斯多德的觀念頗為相似；但是，這並不是說，我們又要回到了亞里斯多德物理學和本體學。諾斯落（F. S. C. Northrop）在此書簡介中說：「我們似乎又要回到中古世紀的科學和哲學的信仰中。因為這個因素，那些對於人類精神在早期對宇宙朦朧的印象有興趣者，必須一讀此書。我們要讚揚能夠勇於脫出古典物理的宿命論的勇氣。因為連可愛的有創造力的愛因斯坦都要加以阻止。（他不能允許上帝玩弄骰子；在科學知識的真象中沒有可能性的存在。）」

⑯ 佛洛姆是新佛洛伊德派，他與日人鈴木大拙都對禪宗有深入之研究，他的著作甚多，幾乎全都有譯本，新潮文庫有他的好幾種譯本。

野人的頭腦與哲學家的相差是十分微小的。雅士培曾說：「哲學一開始就有一些不可更易的東西。」「哲學本身，在必須作的種種事當中，必須拒絕進步這個觀念。進步對科學來說，對哲學的工具來說，是正當的。」他又說：

> 假如我們與所有哲學思想建立了一種愛的接觸，我們就明白我們哲學的目前形式也是來自這原始源泉，就明白我們是如何不可缺少這一般的傳統，也就是一種記憶，沒有它，我們就會沈入既無過去也無未來的僅僅是一瞬的虛無。在我們暫時的瞬間，我們就了解這個根本真理，這個永遠抹掉時間的永久哲學（Philosophia Perennis）的現實性和同時性。（同註十三）

雅士培說這些話的目的，是要「我們經過虛無主義而走向吸收我們的傳統」。虛無主義是反對或甚至否定傳統的。雅士培說：「從一個極早的時代起，虛無主義就不僅是到達原始源泉之路——虛無主義和哲學一樣古老——並且是證明真理之金的酸素。」（同註十三）這就是說，從哲學的真理而言，不宜使自己脫離歷史的根基而贊成新的東西，將「新」被誤解爲「真」，只是引入了虛無主義之深淵的絕路而已。

3. 哲學有沒有用處呢？或者，它有什麼用處呢？雅士培說：「哲學沒有用處。柏拉圖對希臘人沒有用處，他不能挽救他們的墮落，事實上他正是間接促成了他們的衰微。」（同註十三）同樣的，我國的宋明理學，對宋明這兩個朝代也沒有什麼用處。「平時袖手談心性，臨危一死報君王。」反理學的先生們且常以此兩語譏評講理學的人。可是，笛卡爾卻說：「我們應當相信，我們所以有別於野人同番人，只是因爲有哲學，而且應當相信，一國文化和文明的發展與繁榮，全視其國家的哲學繁榮與否而定。因此一個國家如果生下了真正的哲學家，那是它的最大特權。」⑰笛卡爾此說，意義極爲明顯，無須多加解釋；而且，就我親自所體驗者，二次世界大戰以後，中國悲劇之所以形成，中國人之所以造成如此之錯誤的嘗試⑱，唯物史觀及其有關之一切理論，實發揮了極大的影響作用。雅士培說：「哲學是絕對的，而沒有目的。哲學不由其他事物找存在的理由，也不以對任何目的之用處爲存在之理由。哲學不是支持我們的支架，也不是我們溺水時要抓的一株草。沒有人能讓哲學聽他指揮，沒有人能把哲學作爲手段。」⑲可是，當哲學作爲一個人的安身立命之所時；或者，當哲學發揮它本身的影響時，它卻是偉大的，也確是絕對的。從世俗的觀點來說，哲學是無用的；但是，它卻有一種無用之用，既是絕對的，也是偉大的。哲學之其他的特性是很多的，不能一一加以列舉。一般言之，哲學特性之陳述，即「哲學是什麼」這一問題之回答。對於這個問題，

---

⑰ 笛卡爾著：「哲學原理」。關琪桐譯，先知版。

⑱ 湯因比（Arnold J. Toynbee）在「歷史會重演嗎?」一文中說：「創造不是那麼容易的一回事，是要經歷一個『嘗試錯誤法』（trial and error）之過程，才可獲致最後的成功。」該文收集在「文明在試驗中」（Civilization on Trial）一書內。中國大陸，安由於民國三十年代的許多人走向「嘗試錯誤」之路付出了極大的代價，希望能從痛苦的經驗中，獲得成功的智慧。

⑲ 雅士培著：「哲學之永久範圍」（The Permanent scope of philosophy, 1949）。

以上所作之回答，雖不十分完備，卻亦大致不差。祇要我們能細心的體會而真知其意，這個多頭的怪物是無所遁形的。爾後且將依此而觸類旁通的加以發揮與引伸。對這一問題的回答，暫且到此爲止。

第二章　中山三民主義與中華道統

茲以中山三民主義思想爲例，說明中山思想，是淵源於中華道統。

第一節　一個引起了爭論的問題

一、研究的兩個主要方向

當我們談到中山三民主義與中華道統這個問題時，我們便會發現，這是一個引起了爭論的問題。現在我們更說：「道統是中山三民主義之哲學基礎」，或說，中山思想是淵源於中華道統。毫無疑義，這是會引起辯論的。

友人張益弘先生在其所著「孫學體系新論」一書中曾說：「自從孫先生逝世以後，近四十年來，研究其思想者甚多，著作亦復不少，由於觀點不同，大體言之，可分爲兩個主要的方向。」他所說的兩個主要方向：其一、是古代化；其二、是馬恩化。他認爲古代化，即是把三民主義的思想拉往古代，與孔子、孟子結合。這一個研究方向，由戴季陶先生開其端，繼起者甚多，一時蔚爲風氣。益弘兄對古代化曾有如下之批評，他說：

在孫先生的學術思想中，固然有儒家的道德仁義存在，例如他說實行大亞洲主義與世界大同，都要以中國固有的文化做基礎，講道德、說仁義、才能達到。然而，他並未說過孔子以後道德仁義「中絕」的話。我們如果將他的思想全部置於儒家之上，甚至認為儒家哲學就是他的哲學，像有些人所講的那樣，把易經和孔、孟中的文義都牽扯到他身上去，用以證明二者完全是一樣的，使孫先生變成孔子、孟子的復活，只知其『有因襲吾國固有之思想』，而忽略其他，則不僅偏於一面，也近乎曲解了。❶

他認爲馬恩化，即是用馬克斯、恩格斯主義的觀點來解釋三民主義，使三民主義的學說與馬、恩的意見相符。益弘兄對馬恩化曾有如下之評論，他說：

代表這一研究方向的人，以葉青（任卓宣）先生和他一部份朋友為主。他們說：「世界底歷史法則只有一個，不論何種國家、何種民族，在生產關係方面，都是由原始共產制度而私有財產制度而新共產制度的。這一點，孫先生和馬克思完全相同。……因此。現代的世界歷史要走到社會主義，亦為他們所共同承認的法則」（詳見葉青著「毛澤東批判」頁一一八）。「三民主義是馬克思社會主義的一個補足」（見張絢中著「馬克思主義到歐洲去」一文）。「民生主義是馬克思社會主義的中國化」（見葉青著「三民主義與社會主義」

❶ 張益弘著：「孫學體系新編」上冊，頁七。

頁三二）。「民生哲學或民生史觀的民生，不能外於經濟；老實說：民生史觀就是民生主義的歷史觀」（見葉青著「國父言論輯解」頁四五），也就是經濟史觀——唯物史觀……像他這種見解的人，從前並不是沒有。記得民國二十年前，高承元先生在其所著「孫文主義之唯物的哲學基礎」一書中，即曾說過：「以社會生活全部解釋民生既不可通，以社會生活中一部份非經濟生活解釋民生也不可通；然則，剩下來的只有一條路：就是以經濟生活解釋民生。如果民生只能作經濟生活解釋，那，便可斷定民生史觀就是唯物史觀了」。胡漢民先生在他的思想言論中，也很贊同唯物史觀的意見。因為孫先生民生史觀的理論內容不易為人所了解，故不免走向唯物史觀之一途。（同註一）

所謂「民生不能外於經濟」，「就是以經濟生活解釋民生」，這全是曲解。中山先生所講之民生，其義不是如此。他對「民生」所作之解釋，是「覺得意義無窮」的。

二、還原於其本來的面貌

益弘兄認爲這兩種研究方向：一個向「右」走，一個向「左」走，都非中道而行，不免有失偏頗。他的此種批評是否完全正確，我們不必加以考究；不過、中山三民主義之思想研究，曾經引起爭論則是事實。同時，益弘兄認爲研究之正確途徑，是「還原於其本來的面貌」，這確是一個很好的主張。所謂「本來的面貌」，其義與「原來如此」相同，亦即我們所謂之「是什麼」。

「原來如此」或「是什麼」之陳述，如屬於常識層次的，通常不易引起爭論；若屬於思辨層次的，則少有不引起爭論的。因此，我們爲了止息紛爭，爲了把中山先生的思想，確能「還原於其本來的面貌」，我們是不是可以設立一些基準，爲大家所公認呢？假如能做到這一點，未嘗不是一個止息紛爭的好辦法。那麼，我們可以設立那些基準呢？

這似乎可從肯定與否定兩方面而加以考究。

首先從肯定方面說：第一、中山先生思想或三民主義思想當然是一種哲學；第二、它必是因襲吾國固有之思想與規撫歐洲之學說事蹟，而獨見創獲的一種哲學。因此，就因襲者言，它必是一種具體的生活方式與一種熱情的生命方式，也必是一種安身立命的學問；就規撫者言，它必是一種引導對自己及宇宙整體的看法，在方法上確切無疑，敘述有系統而思想透徹的知識。這知識亦必是融會貫通歐洲的與吾國固有的思想而獨見創獲者。

這肯定方面的兩點，我相信是大家可以接受的。因此，中山先生雖然祇是一偉大的哲人，而不是職業的哲學家；他確能契合哲學的本原，發皇哲學的智慧，形成偉大的哲學思想，則是毫無可疑的。現在進而談否定方面的設準：

第一、它不是唯物論的。第二、它不會是將哲學的問題縮成爲造句法的東西。第三、它不會堅持把自己變形爲科學而成爲科學的贗品，並形成一種「專業缺憾」。

這否定方面的三點，亦應是大家可以接受的。我們在這樣的基準之下，應該是比較易於「還原於其本來的面貌」，亦應該不易引起紛爭。

第二節　中山三民主義之定義與本質

一、三民主義的定義

為便於說明起見，我們試擬從三民主義之定義與本質是什麼，而理解中山三民主義之哲學基礎與中山思想之本質是什麼？因為照亞瑟・丹圖之說而加以推廣（請覆按上章第二節），當可以說：三民主義之本質，即三民主義的哲學；為三民主義下定義，亦即為三民主義哲學下定義。對於丹圖之說，茲不擬再作推敲，特先說明三民主義之定義是什麼？這乃說明三民主義之哲學基礎與中山思想本質是什麼的一個很重要的起點。中山先生在其所著「三民主義文言本」中曾說：

> 革命之目的，即欲實行三民主義也。何謂三民主義？曰民族主義、曰民權主義、曰民生主義是也。中國革命何以必須行此三民主義？……然我民族、民權之革命時機，適逢此世界民生革命之潮流，此民生革命又我所不能避也。以其既不能免，而又不能避之三大革命已乘世界之進化潮流催迫而至，我不革命而甘於淪亡，為天然之淘汰則已；如其不然，則曷不為一勞永逸之舉，以一度之革命，而達此三進化之階段也。此予之所以主張三民主義之革命也。夫世界古今何為而有革命？乃所以破除人類之不平等也。

又曰：

林肯氏曰：「為民而有，為民而治，為民而享者，斯乃人民之政府也。」有如此之政府，而民者始真為一國之主也。國家之元首百官，始變而為人民之公僕，服役於民者矣，此為政治之革命也。美國獨立之後，旋而有法國之大革命，旋而有歐洲之大革命，此皆人類之智識日開，覺悟漸發，而乃知、人者皆同類也；既為同類，則人人皆當得平等自由也。其特出之聰明才智者，不得以詐以力，以奪他人應有之自由權利而獨享之也。其佔據人類之優等地位而號為君主王侯與及一切貴族、奪民以自享，皆為不平等者也；故當推覆之，而平人類之不平。

這就是說，三民主義是以革命為目的。三民主義之所以主張革命，乃因人皆同類，人人皆當得平等自由；但少數聰明才智之士，以詐以力，奪民自享，形成人類之不平等；所以三民主義，是欲以革命手段而破除人類之不平等。照這樣說來，三民主義實可以說就是為人類爭自由平等的革命主義。關於三民主義之意義或定義，除以上所述者外，中山先生在各次演講中，曾多次有所說明，茲再引述其最緊要者。他說：

兄弟所主張的三民主義，實在是集合古今中外的學說，順應世界的潮流，在政治上所得的一個結晶品。這個結晶的意思，即美國大總統林肯所說的：of the people, by the people, and for the people 的話是相通的。這句話的中文意思，沒有適當的譯文，兄弟就把他譯作：民有、民治、民享。of the people 就是民有，by the people 就是民治，for the people 就是民享。林肯所主張的這民有、民治和民享主義，就是兄弟所主張的民族、民權和民生主義。❷

又說：

甚麼是三民主義呢？用最簡單的定義說，三民主義就是救國主義。甚麼是主義呢？主義就是一種思想、一種信仰和一種力量。大凡人類對於一件事，研究當中的道理，最先發生思想；思想貫通以後，便起了信仰；有了信仰，就生出力量。所以主義是先由思想再到信仰，次由信仰生出力量，然後完全成立。何以說三民主義就是救國主義呢？因為三民主義係促進中國之國際地位平等，政治地位平等，經濟地位平等，使中國永久適存於世界，所以說三民主義就是救國主義。❸

很顯然的，三民主義就是救國主義。這自然可以說，三民主義就是救國哲學。又因爲三

---

❷「三民主義之具體辦法」民國十年三月六日在廣州中國國民黨特設辦事處演講。

❸「三民主義」民族主義第一講，民國十三年一月廿七日講。

民主義所謂之民，實與「人」同義，所以救國救民之三民主義的哲學，即是救全世界人類之一種哲學，亦即「平人類之不平」的一種哲學。這個哲學，毫無疑義的，即中山思想之本質。

二、三民主義的本質

以上是從三民主義的定義而講三民主義的哲學，并因而說明了中山思想之本質。其意義至明顯，其道理至平凡，其欲解決的問題至爲迫切，亦至爲根本。我們試想，人類問題，有那一個問題比「不平」這個問題還要根本。一般說來，吃飯是人之生存最基本的需要。依理說，吃飯問題應是最根本的問題；實際上，許多志士仁人寧可餓死，即寧願犧牲生命，以爭取平等與自由，可見「平人類之不平」實亦是人類最急需而最基本的問題。但是，這也是一個最淺顯的問題；因爲是一個最淺顯的問題，所以有少數人便以爲中山先生之言論思想及其所講的三民主義只是半個世紀以前的一種統戰工具，並無學術價値。殊不知，「平人類之不平」的這個最淺顯的問題，實含有至高深的道理。這就是說，中山先生所講的三民主義，亦即這個救國救民並爲全人類爭自由平等的革命哲學，是含有至高深的道理。我們謹就蔣總統有關三民主義本質之演講，再作進一步的說明。蔣總統曾說：

> 所謂三民主義的本質，究竟是什麼?簡單的說，就是倫理、民主與科學。❹

---

❹ 蔣總統：「三民主義的本質」。

又說：

> 同時倫理、民主和科學，與三民主義究竟有著那樣關聯，是不是倫理就等於民族，民主就等於民權，科學就等於民生呢？講到這一點，我得首先說明的，就是這裡所指的倫理、民主和科學，並不是替代三民主義各個的名詞，而是說倫理、民主和科學，是三民主義的精神所在，也是達到三民主義必經的途徑。換言之，這就是三民主義的本質，而且是實行三民主義時，決不能脫離的三個範疇，否則三民主義就會變質，甚至會失之毫釐謬以千里了。（同註四）

又說：

> 三民主義是以倫理、民主、科學為內涵的。❺

我們從三民主義之定義來說，三民主義就是救國救民的哲學，也就是爭自由平等的哲學，也就是革命哲學。若從三民主義之本質來說，則不能說三民主義就是倫理、民主、科學的哲學；而只能說三民主義的哲學是以倫理、民主與科學爲內涵。我們說，有救國救民的哲學，

---

❺ 蔣總統：「三民主義的中心思想」。

有爭自由平等的哲學，有革命哲學，這不會爲人所反對；也就是說，爲某門學說下定義，是等於爲哲學下定義，這雖是值得推敲的，卻證明是對的。但是，我們若說有倫理、民主與科學的哲學，則容易發生誤解。我相信不會有人作如此之陳述。我的意思是說，以學問之本質的定義爲哲學的內容，雖是很正確的；然而依據其本質的定義而定義哲學時，卻不宜作機械式的處理。再者，基於「某門學問之本質爲某門學問之哲學的內容」這一概念，我們固可以說三民主義之本質即三民主義的哲學內容；同樣的，民族主義之本質，民權主義之本質，民生主義之本質；甚至平均地權之本質，節制資本之本質等等，亦無一不可作爲哲學的內容。這就是說，從三民主義之本質而加以細分，三民主義的哲學確是非常眾多的。這一方面是說，哲學是以學問之本質爲內容的這一概念，雖是區別哲學與科學的很好標準；一方面也是說，這是容易使人眼花潦亂而摸不清哲學本質究竟是什麼？爲期對我們欲解答的題有真正而深刻之認識，仍應進一步的從中山三民主義之哲學基礎是什麼加以研究。

第三節　中山三民主義與中華道統

一、我們的基本答案

如上所述，從三民主義的定義與本質，我們雖可以說出三民主義是一種什麼哲學，也可以說出三民主義哲學的內涵什麼？并因而認識了中山思想之本質，但是，這既不能明白的看出中山三民主義的哲學基礎，也不易說明「在方法上確切無疑，敘述有系統而思想透徹的知識。」因此，我們便祇有先提出我們的基本答案。

我們的基本答案是什麼呢？它就是：「道統是中山三民主義之哲學基礎。」我們不否認這是繼承戴季陶先生的研究工作，但是請勿以爲我們是向「右」走。我們當然不是把中山三民主義的思想拉入古代與孔子、孟子相結合，也不是「使孫先生變成孔子、孟子復活」。我們祇是先提出我們的基本答案，然後一一的說明，看看是不是把孫中山先生思想「還原於其本來的面貌」。

二、三民主義的思想淵源

中山先生曾說：

> 余之謀中國革命，其所持主義，有因襲吾國固有之思想者，有規撫歐洲之學說事蹟者，有吾所獨見而創獲者。❻

照這所說，則知中山三民主義，必是「因襲吾國固有思想」與規撫歐洲學說事蹟而創新的主義。在此仍須指明者，所謂「規撫歐洲之學說事蹟」，必是民主與科學；所謂因襲吾國

---

❻「中國革命史」，民國十二年著。

固有者，必是我國的道統。茲更以戴季陶先生所說的以爲證明。戴先生說：

中山先生的思想，完全是中國的正統思想，就是接近堯舜至孔孟而中絕的仁義道德的思想。在這一點，我們可以承認中山先生是二千年以來，中絕的中國道德文化的復活。去年有一個俄國的革命家去廣東問孫先生：「你的革命思想，基礎是什麼？」先生答覆他說：「中國有一個正統的道德思想，自堯、舜、禹、湯、文、武、周公、至孔子而絕，我的思想，就是繼承這一個正統的道德思想，來發揚光大的」，那人不明白，再又問先生，先生仍舊把這一段話來答覆。我們就這一段話，就看得出先生的抱負，同時也就可以認得清先生的國民革命是立腳在中國國民文化的復興上面，是中國國民創製力的復活，是要把中國文化之世界的價值，高調起來，為世界大同的基礎。❼

此所謂「至孔孟而中絕」，這就是通常所謂的「孔子歿而微言大義絕」，以及韓愈在「原道」中所說「軻之死不得其傳焉」。中山先生在別處沒有如此說過，這只能說他不願超越前賢以道統繼承者自居。此點亦無須多作辯說，問題是：中山先生是反道統的，抑是承認道統的？我們的答覆當然是肯定的。爲了答覆這個問題，理應先說明道統是什麼？惟因茲事體大，

❼ 戴著：「孫文主義之哲學的基礎」，帕米爾書店版，頁二一。

道統之義，非三數語所能完全說清楚，所以我們目前只能概略的說，中國有一個正統的講仁義道德的思想，可簡稱爲道統。它代表中國的政治思想與歷史精神，它是中國人講政治哲學與歷史哲學的主要概念，它的內容，以儒家的仁義道德爲主。是「放之則彌六合，卷之則退藏於密」。我們此答，可能有人不一定完全贊成，但這不要緊。要緊的是中山先生有否講儒家的仁義道德？中山先生在他的演講及專著中，曾著重於講儒家的仁義道德，這是任何人都不能否認的。誠如益弘兄所說的：「他（指孫先生）說實行大亞洲主義與世界大同，都要以中國固有的文化做基礎，講道德、說仁義、才能達到。」（請覆按本章第一節）民國十年，中山先生在桂林對滇贛粵軍所作之「軍人精神教育」演講，一共分爲五課。第一課講精神教育，包括精神教育之要旨及精神之定義等等。第二課講智，第三課講仁，第四課講勇。這智仁勇三者，即中庸所謂之三達德。中山先生在第三課中曾說：

> 我南方軍人，不思救國救民而已，不負此救國救民之責任則已；負此責任，則非徒託空言，須有一定之主義，始可以成仁，始可以成功。觀前此革命先烈，前仆後起，視死如歸，則為主義而犧牲也。主義維何？三民主義是也。

又說：

> 以上三種主義，為軍人之精神所由表現，亦為軍人之仁所由表現。軍人者，以救國救

民爲目的，有救國救民之責任。國與民弱且貧矣，不思有以救之，不可也；救之而不得其道，仍不可也。道何在？即實行三民主義，以成救國救民之仁而已。

三、中山三民主義是「仁所由表現」

中山先生認爲三民主義是「仁所由表現」。他認爲救國救民之責任，非徒託空言，須有一定之主義，始可以成仁。因此，「軍人精神教育」第五章講決心時，將決心分爲成功之決心與成仁之決心。其意蓋謂，若果能決心力行三民主義，則就是真正的表現了仁愛精神，也就是真正的成功。

關於三民主義何以是「仁所由表現」的，以後將進一步的作較爲深入的討論外，現在特說明中山先生何以會有此見解？這當然是他的較爲晚年的見解。他之所以致力於革命，開始時完全是由於他的救國救民之赤忱與一種打抱不平之真心。大凡一個讀中國書的儒生，只要他是一個堂堂正正的人，無不有一種以天下爲己任及行王道，行仁政的理想。現在還活著的八十歲以上的當年小儒生，毫無疑問的可以印證我所說的這話確是一項真理。

我亦不妨提醒各位讀者，蔣經國先生自組閣以後，其所作所爲，亦全是在實現儒生的理想。讀者祇要能平心靜氣就事實加以檢討，便知我所說的全爲事實。現在再回到中山先生何以會認爲三民主義是「仁所由表現」的這個問題上。因爲他全憑著一種救國救民打不平的精神，及一種負責的行王道仁政的理想，歷經十次失敗，終於成功的推翻了滿清。在革命的初期，完全是憑著儒生式的理想藉豪情壯志爲革命而奮鬥，到了中年以後，他仔細的反省檢討，發覺自己所作的，竟全是孔子、孟子所說過的，即：竟全是少年時代所讀的四書五經中的某些真理。三民主義在中山先生他自己來說，完全是一種實踐。三民主義由「由仁義行」之而所發展出來的一種思想體系。孟子曾說：「舜明於庶物，察於人倫，由仁義行，非行仁義也。」（孟子離婁）中山先生當年的革命奮鬥，皆是由仁義行之的。現今蔣主席經國先生，他之所作所為，亦全是「由仁義行」之的。就我個人體驗所得，凡「由仁義行」的，他如果不那樣作，便不愉快；他那樣作，心裡才快活。「由仁義行」，完全是「不容已」的。

中山先生在民族主義第六講中曾說：「不知道中國從前講修身，推到正心、誠意、格物、致知，這是很精密的智識，是一貫的道理。……我們現在要能夠齊家治國，不受外國壓迫，根本上便要從修身起，把中國固有的智識、一貫的道理先恢復起來，然後我們民族的精神和民族的地位才都可以恢復。」由此可見，中山先生確認為修身的道德與固有智識是一貫的道理。這就是說，他對於由修身至於治國之仁義道德的一貫道理，亦即內聖外王之道，確是有深刻之體認的。

中山先生不僅講仁義道德，而且講內聖外王的一貫之理，而且認為三民主義是「仁所由表現」，這是非常明確而無可置疑的說明了「道統是中山三民主義之哲學基礎」。

四、蔣總統的傳承與闡揚

中山先生的繼承者蔣總統對於我國正統的道德思想之身體力行與闡明宏揚，則是終身以之的。中國國民黨十一全大會所通過之「全黨奉行　總裁遺囑決議文」中曾說：「　總裁的革命哲學，實即為中華五千年文化的精義與道統的薪傳，總裁的革命行誼，更體現中華民族偉大的人格。」❽蔣總統他自己對於三民主義之哲學基礎，曾有非常明確的說明。他說：

無論什麼主義，都有一種哲學思想做基礎。三民主義的哲學基礎為「民生哲學」。戴季陶同志有一本專著，闡明得很詳細，凡是親承總理教訓的人，都承認他這本著作能真實表達總理思想學說的全部精義。❾

又說：

我記得民國十年總理在桂林，共產黨第三國際有個代表馬林(瑞典人)曾經問過他：「先生的革命思想基礎是什麼？」總理答覆他說：「中國有一個道統，堯舜禹湯文武周公孔子，相繼不絕，我的思想基礎，就是這個道統，我的革命就是繼承這個正統思想，來發揚光大。」那位馬林先生不明白中國政治思想的歷史，自然不明白總理答語的意思，他再問總理，總理仍然是這樣答覆他，實則總理當時的意思就是說：三民主義是以我國固有的「天下為公」的倫理思想與政治思想做基礎的。(同註九)

❽ 見本黨十一全大會重要文獻。

❾ 蔣總統：「三民主義之體系及其實施程序」。

中山先生答馬林問話的這一段故事，本黨年歲較長的老同志，大概有許多人聽革命老前輩講過。我的一位至親長輩吳琪珊先生，他與本黨革命元老田桐先生相處而共患難甚久，對本黨革命的許多史實，他常當作掌故來講。中山先生答馬林問話這一故事，我最先是聽他講的。這就是說，中山先生答馬林問話，在革命老前輩中是耳熟能詳的；戴季陶先生的著作，本黨絕大多數的同志確都承認「能真實表達總理思想學說的全部精義」。中山先生遺教與戴先生的著作俱在，這是讀者可以互相考證的。

第四節　中山三民主義之思想體系

一、三民主義之思想體系

有人一定會問：「蔣總統，他的確認爲三民主義的哲學基礎即中華道統。蔣公曾說：『三民主義所以闡堯舜禹湯文武周公孔子之正傳，而又爲我中華民族不偏不易、中和位育、繼繼繩繩之道統。』❿又說：『三民主義即堯舜禹湯文武周公孔子所留傳的大道，亦就是中國政治倫理哲學的基礎，』⓫這是非常明確而毫無疑義的。中山先生答馬林問話，對蔣公的影響確是很大的。但是，蔣總統爲什麼又說『三民主義的哲學基礎爲民生哲學』呢？」

---

❿ 蔣總統：「國父百年誕辰紀念文」。

⓫ 蔣總統：「進德修業與革命之途徑」。

對於此問，是很容易作答的。蔣總統曾說：「民生爲宇宙大德的表現，仁愛爲民生哲學的基礎。」⓬又說「 總理全部遺教係以『民生』爲中心，以『仁愛』爲基點。」⓭這就是說，三民主義以「民生」爲中心的哲學，是以仁愛爲基礎。仁愛可以說是中國正統道德之另一名稱，所以我們說道統即三民主義的哲學基礎，這確是無可置辯的。蔣總統曾「擬定一個『三民主之體系及其實行程序表』。……這一張表，可以把三民主義的原理和內容，以及實現主義所必需的革命方略，乃至達成最終目的所必經的國民革命程序，包括無遺，」(同註九)這張表大體上分爲以下六大部份：

1. 三民主義的原理，即總理思想的出發點，亦即三民主義的哲學基礎；
2. 主義的本身；
3. 革命的原動力；
4. 革命的方略；
5. 革命實行的程序；
6. 最後目的，即三民主義的實現與國民革命的完成。

爲便於說明起見，特將這張「三民主義之體系及其實行程序表」抄錄於左：

⓬ 蔣總統：「國父遺教概要」。

⓭ 蔣總統：「總理遺教六講」第六講研究總理遺教之結論，民國廿四年九月十九日在峨嵋軍訓團講。

三民主義之體系及其實行程序表

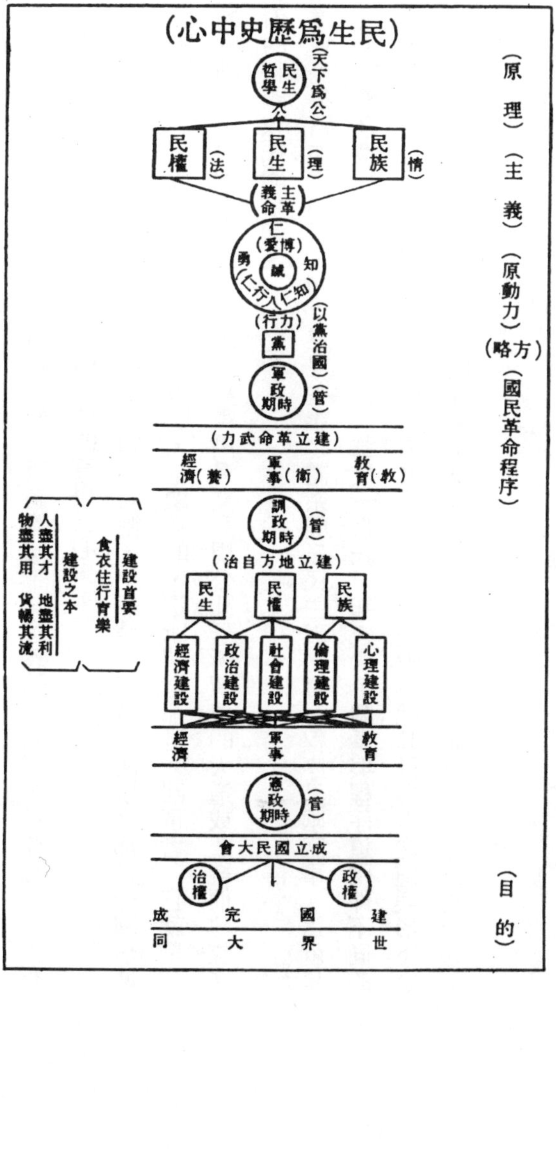

依據這張表所顯示的，則知三民主義的原動力就是一個「誠」字，其出發點就是一個「公」字。這張表可以說完全是遵照中山先生在「軍人精神教育」中所講的而加以系統化，這也是將中庸的思想而使之現代化。中庸曰：「知仁勇三者，天下之達德也，所以行之者一也。」⓮此所謂「一」是什麼呢？朱子曰：「知所以知此也，仁所以體此也，謂之達德者，天下古今所同德之理也，一則誠而已矣。」（同註十四）朱晦庵先生並引用程子的話而加以補充：「所謂誠者，止是誠實此三者，三者之外，更別無誠。」（同註十四）這意思就是說，有如此的一個物事，分開來說，是知仁勇三者，合起來說就是一個誠字。誠與知仁勇三者，止是一個物事而已（切勿將此物事當作唯物論者所謂之物）。這個物事叫作「達德」，意謂天下古今之人，祇要真能誠心、誠意，對於這個道理（這個物事也可以叫作這個道理）都會有得於心，所以叫作「達德」。我們口頭上常常講同心同德，所謂達德，其意義即為同德，祇要每一個人有此誠意行此三達德，自然是心心相印而同樣的有得於心。

照這樣說來，知、仁、勇、誠、達德、同心同德，全都是一回事。何以全都是一回事？除以上之說明外，爾後仍將有更詳盡之說明。很顯然的，這所謂全都是一回事者，它就是三民主義的原動力，也就是中山先生本於堯舜禹湯文武周公孔子所留傳的大道或道統而建立了極為完備的救國救民的哲學。

在這裡仍須略加說明者，即：三民主義之體系與三民主義之實行程序是兩回事。這就是說，「三民主義之體系及其實行程序表」，雖是一張表，卻包含了體系與程序這兩件不同的事。這誠然是不同的；但，卻是以「力行」來貫通的。這就是說，就其是形上之道與形下之「方略」或「革命程序」而言，這是兩件事；就其是以「力行」來貫通而言，實祇是一事。

⓮ 朱熹四書集註，中庸第廿章。

這是講中國哲學特應注意的地方。我們中國哲學是肯定「本體界與現象界的矛盾」⓯，亦即肯定道與器、形上與形下的矛盾。因爲是矛盾的，這當然是不相同的兩回事；但是，「這矛盾不是不可以化除的」（同註十五），所以，又是「其實一也」。粗看起來，這好像是一種頭腦不清楚的不通之論；若詳加考究，則知這是沒有邏輯上之困難的。在下一章中，我們將有較爲詳盡之說明。

二、本章結論

第一、在本章中，我們提出了本書的基本答案：此即以中山三民主義思想爲例，說明中山思想，確是淵源於中華道統，此一答案，難免不引起爭辯；所以擬從各方面再詳加說明。

第二、我們贊成對中山先生之思想研究，應「還原於其本來的面貌」這一主張；不過，如何才算是「還原於其本來的面貌」呢？這仍然是一個見仁見智的問題；因此，我們乃考慮到是不是可以設立些爲大家所公認的討論基準。在本章中，我們曾「從肯定與否定兩方面而加以考究」。我們固不能說，這些「考究」是無可爭辯的；所以，在第一章中，我們一開始就說：「我們應討論那些問題？」我們希望從一連串的回答問題當中，「尋找一些堅實的和無可辯駁的東西」，這可以說是本書之所以作。

第三、在本章中，我們從三民主義的定義與本質，從三民主義的思想淵源，從蔣總統的

⓯ 請參閱拙著「心物合一論」第三章第六節。

闡揚與實踐，顯示了在上文所提出的「基本答案」是堅實而無可辯駁的。我們之所以如此說，並不完全是從證據方面說的，更是要從析疑解惑的觀點，以說明確是「原來如此」；因此在下一章中，我們將對於道統之內容加以解析並作哲學的評估。

第三章　道統內容之解析與哲學評估

特對於中華道統，作深入之解析，并作哲學之評估，以說明中山思想，確淵源於中華道統。

第一節　道統之歷史演變

一、韓愈的道統相傳之說

中山先生思想既淵源於道統；那麼，道統是什麼？它是不是哲學？它與西方形上學之同異何在？必須圓滿的回答了這些問題，我們才真是認識了道統，也才是從「爲什麼」而闡明了中山思想確是淵源於道統。爲回答這些問題，我們特從道統之歷史演變開始研究，俾我們能深切而正確的認識道統的來龍去脈及其內容，以有助於我們對問題的回答。韓愈在「原道」中曾說：

> 夫所謂先王之教者，何也。博愛之謂仁，行而宜之之謂義，由是而之焉之謂道，足乎己無待於外之謂德。其文詩書易春秋，其法禮樂刑政，其民士農工賈，其位君臣父子，

師友賓主，昆弟夫婦，其服麻絲，其居宮室，其食粟米果蔬魚肉，其為道易明，而其為教易行也。是故以之為己，則順而祥；以之為人，則愛而公；以之為心，則和而平；以之為天下國家，無所處而不當。是故生則得其情，死則盡其常，郊焉而天神假，廟焉而人鬼饗。曰、斯道也，何道也？曰、斯吾所謂道也，非向所謂老與佛之道也。堯以是傳之舜，舜以是傳之禹，禹以是傳之湯，湯以是傳之文武周公，文武周公傳之孔子，孔子傳之孟軻，軻之死不得其傳焉。

韓愈這個道統相傳之說，是大家都知道的。他雖然「只是文人之雄耳」，在學術上並無高深之造詣與成就，他卻是開風氣之先的人物，他不僅「文起八代之衰」，宋明理學的興起，實多少受了他的影響。他的這個道統相傳之說，在哲學上，雖沒有多大的價值；在歷史上，確發生了相當的影響，所以頗爲重要而值得重視。

二、疑古者對道統之攻擊

吾人須作進一步說明者，即：疑古者認爲，道統之說，不足採信。因爲宋儒所謂之道統，即眾所週知的：「人心惟危；道心惟微，惟精惟一，允執厥中」這十六字是載於僞古文尙書大禹謨中。大禹謨既爲僞文，則「心傳」或道統之說實無根據。淸儒閻百詩、惠定宇、姚姬傳等，搜考實證，對僞古文尙書大肆攻擊，頗爲學者所採信，其影響至於淸末民初，更與疑古者合流，而蔚爲風尙，終至流入虛無主義。甘鵬雲在其所著「經學源流考」中曾說：

古文尚書，學子誦習數千年矣。忽著書顯攻其偽，請問士子究應讀何書？其意若何，專讀今文尚書可耳。豈知以古文尚書為偽，此風一倡，安知不有以今文尚書為偽者乎？方今士人本不悅學，六經束閣，聖道有墜地之懼，惜乎閻惠未目睹今日之景象耳。設使閻惠生於今日，亦當深悔攻擊古文尚書之作偽也。❶

甘氏此書大致成於甲午中日戰爭之前一年，此可見清末民初，疑古之風特甚。今日在自由世界，疑古之風已較為緩和。此姑不論，惟須特加說明者，即令大禹謨為偽古文，十六字心傳乃後人偽造，亦不能因此否定道統。道統之說，在論孟二書中，有非常具體的說明。

三、論孟二書所講的道統

疑古者從來沒有疑及論孟二書。此二書即可證明堯舜禹湯文武確有其歷聖相傳之道統。論語堯曰第廿有曰：

> 堯曰、咨、爾舜，天之曆數在爾躬，允執其中，四海困窮，天祿永終。舜亦以命禹，曰、予小子履，敢用玄牡，敢昭告于皇皇后帝，有罪不敢赦。帝臣不蔽，簡在帝心。朕躬有罪，無以萬方；萬方有罪，罪在朕躬。周有大賚，善人是富，雖有周親，不如

❶ 國立臺灣大學藏本，鐘鼎文化公司借印，卷二。

仁人。百姓有過，在予一人。謹權量，審法度，修廢官，四方之政行焉。興滅國、繼絕世、舉逸民，天下之民歸心焉。所重民食喪祭，寬則得眾，信則民任焉，敏則有公，公則說。

這一段話，茲略作分析於左：

1. 堯命舜者——天之曆數在爾躬，允執其中，四海困窮，天祿永終。
2. 舜命禹者——舜亦以堯所命者轉命於禹。
3. 湯自誓者——有罪不敢赦。帝臣不蔽，簡在帝心。朕躬有罪，無以萬方；萬方有罪，罪在朕躬。
4. 周實踐者——周有大賚，善人是富，雖有周親，不如仁人。百姓有過，在予一人。謹權量，審法度，修廢官，四方之政行焉。興滅國，繼絕世，舉逸民，天下之民歸心焉。所重民食喪祭，寬則得眾，信則民任焉，敏則有功，公則說。

這是很明白的說明了：第一、堯舜禹湯文武他自己所遵守的基本憲章是什麼？第二、凡遵守此憲章者必興必存；凡違此憲章者必廢必亡。第三、這個憲章就是道統，其基本精神則是「允執厥中」的這個「中」字，亦就是「天下爲公」這個「公」字。

這也是很明白的說明了：從政治哲學來說，講道統則是講廢興存亡之道，也就是講歷史哲學。從純哲學來說，講道統則是講體認與實踐工夫所表現的一種生命方式。這種生命方式，以「允執厥中」爲起點，而本乎至公至誠之心，依據實際情形，加以因革損益，期能成就其偉大的一方面。孔子畢生栖栖皇皇，全在於完成此一志業。孔子曰：「殷因於夏禮，所損益可知也；周因於殷禮，所損益可知也；其或繼周者，雖百世可知也。」孔子是「祖述堯舜，憲章文武」的。很顯然的，他是以「允執厥中」而因革損益為其祖述與憲章之最高理想。堯曰第廿乃這最高理想的具體化。這便是孔子的真哲學。我們所謂之道統，其全部意義亦在於此。

孟子對於道統，亦曾系統的說出他的觀感。孟子曰：

> 予未得為孔子徒也，予私淑諸人也。❷
>
> 由堯舜至於湯，五百有餘歲，若禹臯陶則見而知之，若湯則聞而知之。由湯至於文王，五百有餘歲，若伊尹萊朱則見而知之，若文王則聞而知之。由文王至於孔子，五百有餘歲，若太公望散宜生則見而知之，若孔子則聞而知之。由孔子而來，至於今百有餘歲，去聖人之世，若此其未遠也，近聖人之居，若此其甚也，然而無有乎爾，則亦無有乎爾。❸

孟子雖未明白的說出道統是什麼，其含義卻是可以想見的。朱晦翁在「四書集註」中對

❷ 孟子離婁下。

❸ 孟子盡心下。

孟子此所說的曾註釋曰：「愚按此言，雖若不敢自謂已得其傳，而憂後世遂失其傳，然乃所以自見其有不得辭者，而又以見夫天理民彝不可泯滅，百世之下，必將有神會而心得之者耳。故於篇終歷序群聖之統而終之以此，所以明其傳之有在，而又以俟後聖於無窮也，其旨深哉。」（同註三）而且，孟子之好辯，亦全是為道統辯護，在孟子七篇中，尚可找出若干例證。吾人由論孟二書這所講的道統，當可體會到，不僅虞夏商周之書，其所講的都是道統，即詩、禮、易、春秋所講者，亦都是道統。所謂「道在六經」，這就是說，群經皆是傳道者，道即中國哲學與文化之總稱。不過，所謂十六字心傳，較能得其綱領而已。反對道統者，並不真有意義。

四、道統之不振與復明

降至漢代，如揚雄者，雖然知道：「孔子習周公者也，顏淵習孔子者也。」❹也雖然曾說：「仰聖人而知眾說之小也，學之為王者事，其已久矣，堯舜禹湯文武汲汲，仲尼皇皇，其已久矣。」（同註四）但是，誠如韓愈在「原道」中所說的，「荀與揚也，擇焉而不精，語焉而不詳」。揚雄是從未夢見周公孔子，而相去不可以道里計的。漢末徐幹著「中論」，曾說：「聖人亦相因而學也。孔子因於文武，文武因於成湯，成湯因於夏后，夏后因於堯舜，

❹揚雄著：「法言」治學第一、四部集要，叢書部，「漢魏叢書」明・程榮輯，新興書局版。

故六籍者，群聖相因之書也，其人雖亡，其道猶存。」❺宋代曾鞏曾贊之曰：「幹字偉長，北海人，生於漢魏之間，魏文帝稱幹懷文抱質，恬澹寡慾，有箕山之志，而先賢行狀，亦稱幹篤行體道，不耽世榮。」（同註五）徐幹似頗有氣象，終於無成，且「中論」一書，似爲他人僞託之作。自此以後，歷魏晉南北朝及隋唐五代而至於宋，待理學興起，道統始由晦暗而趨於明顯。自孔孟而後，道統確是衰頹而終至一蹶不振。

宋明理學興起，宏揚道統，頗有成就；但是，誠能「合內外之道」者，僅王陽明一人。陽明先生，立身行事，大有聖人之風。清初諸儒，如王船山、黃宗羲、顧亭林、朱舜水諸先生，遭時不遇，終其身「與木石居，與鹿豕遊」；而舜水更乘桴浮海，遠適異國；然清初諸先生之流風餘韻，終能喚醒國魂，待中山先生興起，此衰頹之道統，始又漸明於世。

五、道統與中山「革命學」

在上一章中，我們已指出，講仁義道德，這是中山先生較爲晚年的見解。他在革命之初，全憑「平人類之不平」的赤忱，與大智大仁大勇之至誠，不計得失，不論成敗，一往直前，愈挫愈奮，終於推翻滿清，建立民國。「到了中年以後，他仔細的反省檢討，發覺自己所作的，竟全是孔子、孟子所說過的。」（請覆按第二章第三節）於是，他深切的體認了「知難行易」的真理，而特別重視思想之宣傳。他說：

---

❺ 徐幹著：「中論」，明・程榮輯「漢魏叢書」新興書局版。

我們用已往的歷史證明起來，世界上文明的進步，多半是由於宣傳。譬如中國的文化，自何而來呢？完全是由於宣傳。大家都知道中國最有名的人是孔子，他週遊列國，是做甚麼事呢？是注重當時宣傳堯舜禹湯文武周公之道。他刪詩書作春秋，是為甚麼呢？是注重後世宣傳堯舜禹湯文武周公之道。所以傳播到全國，以至於現在，便有文化。今日中國的舊文化，能夠和歐美的新文化，並駕齊驅的原因，都是由於孔子在二千多年以前，所做的宣傳工夫。❻

中山先生所講的宣傳，主要目的在於使人「知」，例如：

必要把我們的主義，潛移默化，深入人心。（同註六）

望將學說廣為宣布，以變易國人之思想。（見「批曾傑來函」）

人心陷溺，正義義消沉，不有黃鐘，群陰莫破。（見「復旭報以言論護法函」）

他說：「我們宣傳主義，不特是要人知，並且要感化民眾，要他們心悅誠服。」「本總理希望於諸君的，就是要以『至誠』爲重。能有誠心，便容易感人。能感化人，才可以把我

❻「國民黨奮鬥之法，宜兼注重宣傳不宜專注重軍事」，民國十二年十二月三〇日在廣州對黨員演講。

們的主義宣傳到民眾，令民眾心悅誠服。」❼這就是說，他所講的宣傳，是在於廣為宣布革命學說；期潛移默化，深入人心；並以「至誠」為重，使人心悅誠服。這與時下的宣傳或謊言欺騙，實大異其趣。

中山先生為什麼特別重視宣傳呢？因為他深深覺得一般人不知道他的主義；同時他也覺到，「從前受良心上的命令去革命」❽。從前的革命，是不知而行的革命，「此後革命應該先求知，然後才去行。」（同註八）他的「知難行易」學說，是從他的革命經驗中體認出來的。他體會到「知」與宣傳的重要，也發現了孔子宣揚道統的重要。因此，在那反傳統的虛無主義極為流行的當時；在那高唱「把線裝書丟到毛廁坑裡」大家都認為是進步與時髦的當時，他卻融貫中西的學術而創立他的革命學❾。他認為舊文化與新文化是可以並駕齊驅，他主張恢復固有道德與固有智識。他所著之書與他的著書計劃，全都是為了組成他的革命學，而他的革命學則完全是本於一顆救國救民之赤忱的心，發而為經世濟民之道。而且，他著書演講，是像伊尹一樣的欲以先知覺後知。伊尹曰：

> 天之生此民也，使先知覺後知，使先覺覺後覺也。予天民之先覺者也，予將以斯道覺

---

❼「言語文字的奮鬥」民國十三年七月在廣州國民黨宣傳講習所開學演講。

❽「主義勝過武力」民國十三年一月廿日晚在廣州歡宴中國國民黨第一次全國代表大會代表演講。

❾「國父全集」第三冊一一一—四一「治學雜談」中央文物供應社發行。

斯民也，非予覺之而誰也。⑩

總之，中山先生是本於「思天下之民，匹夫匹婦，有不被堯舜之澤者，若已推而內之溝中」的怛惻之至誠，且如此「自任以天下之重」（同註九）的而希望達到「道德上的最高目的」（「民權主義」第三講）。他畢生爲此而革命奮鬥。在思想學術上，他融合貫通了中西學說而有所創獲的組成了他的革命學。若從中國文化本身來說，這是道統之發揚光大。由此可見，我們決不是把中山先生背負到孔子廟裡去，乃是說明中山先生把中國道統發揚光大而使之現代化。

六、道統與蔣總統的哲學

前文我們祇是簡略的指陳中山先生的革命學與道統沒有本質上的不同，這在以後兩章當有更詳盡的討論。但是，前文雖語焉不詳，卻亦顯示了一件很重要的事實，此即：使吾人明白的認識了，中山先生是在革命實踐過程中體認了道統的意義與價值，因而宣揚恢復固有道德與固有智識。在中山先生自己，他是要達到「道德上的最高目的」。我們都知道，他之革命實踐，完全一本至誠。凡本乎至誠之心以立身行事者，他必然的會達到中國哲學上的一種境界；這個境界的內容可以說就是道統。作者在電視新聞上，曾看到蔣主席經國先生列席立

⑩ 孟子萬章上。

法院第六十會期作施政報告時說：「仁如果不是發自內心，不過是『口號』而已，偏有人把它當作了口號。」這是一種經驗之談。他還列舉了蔣總統生前的小故事，以說明他所體會到的「仁」這個觀念的意義。這是一種「譬如飲水，冷暖自知」的體會，也是一種非常深刻的體會。這就是一種中國哲學上的境界。這是我們研究中山先生思想的非常重要的一件事。我們不能純從西方哲學的本體論，認識論或方法論，來體會中山先生的革命學。

蔣總統曾說：「哲學是『窮理、修身、正德』之學。」我們若真是體會了上文所述的從實踐過程中而得到哲學的道理，則知蔣總統對哲學所下的這個定義是絕對正確的。嘗讀所謂非洲聖人史懷哲(A. Schweitzer)的著作，我覺得他所體會到的就是蔣總統這個哲學定義的真理，一個人只要能本此誠心而身體力行，當然會體認出蔣總統的此種哲學境界。

蔣主席經國先生，他對於蔣總統的哲學是體會得非常真切的。他在「領袖、慈父、嚴師——父親九十誕辰紀念文」中曾說：

> 父親說過「我們中國學者，把道德範圍的內治工夫，叫做性命之學，把智識範圍的外修工夫，叫做經世之學，而以兩者的均衡和統一，即合內外之道，為學問的最高標準，也就是人類理性發展的最高境界。」　父親的思想和勳業，正表現了這性命之學和經世之學的均衡和統一。比方說，父親注重哲學的研究，常說「我們的哲學，一面是精神、智慧、活力之所由；一面則是倫理、品格、道德之所在」，所以對於哲學不止是著重本體論、宇宙論，同時著重知識論、方法論和道德論人生哲學的實踐。另一方面　父

親在政治上、軍事上的一切作為，又都講求思想——哲學的乃至科學的理論與方法的基礎，因之而有一貫的政治哲學、軍事哲學、社會哲學和經濟哲學的思想體系。德國金德曼教授有一段話說：「蔣總統是中國一位偉人，也是一位繼承儒家傳統的重要政治家，……蔣公和　孫中山先生同為中國自由解放的創始者，對於這一點，縱然他的死敵也不得不承認。」從這一理路來析論，父親確實是一位實踐儒家思想和行為的哲人。

這說得非常明白，也是有學術良心的中國知識份子所應有的一種認識。凡不是一個如齊克果（Kierkegaard）所說心神不寧而與自己的生命完全脫節的人，他能說性命之學與經世之學的均衡和統一是不正確的嗎？他能說孫中山蔣中正兩位先生不是「實踐儒家思想和行爲的哲人」嗎？祇要他自己沒有迷失而沒有與自己的生命脫節，他絕對不會說的。

我認爲蔣主席經國先生也是「實踐儒家思想和行爲的哲人」。他不大喜歡講大道理；但他的所作所爲，無不切合這個道理。記得他擔任本黨主席後，曾召集我們這個單位的全體同志舉行座談。每一位業務主管同志，都向他報告自己所掌理的工作，他聽完我們的報告後曾有所指示。我覺得他的指示，就像一個最優良的裁縫師，每一下剪，尺寸全合。他有一種「光風霽月」的氣象。他確是一個深受中國傳統文化的陶冶而卓然有成的人。

第二節 道統之內容解析

一、大禹謨及其內容分析

就我們對於道統之歷史演變所作的研究，以及我們對於中山先生與蔣總統之學說思想所作的體認，道統之內容應該是什麼，這已經是非常明白的了。不過，爲求能較爲具體的說明道統的意義與內容，對於已經引起了爭論的「大禹謨」，實有加以分析研究之必要。爲便於說明起見，特將「大禹謨」全文錄之於左：

曰，若，稽古大禹，曰，文命敷于四海，祇承于帝。曰，后克艱厥后，臣克艱厥臣，政乃父，黎民敏德。帝曰，俞、允若茲，嘉言罔攸伏，野無遺賢，萬邦咸寧，稽于眾，舍己從人，不虐無告，不廢困窮，惟帝時克。益曰，都、帝德廣運，乃聖乃神，乃武乃文，皇天眷命，奄有四海，為天下君。禹曰，惠迪吉，從逆凶，惟影響。益曰，吁、戒哉，儆戒無虞，罔失法度，罔遊于逸，罔淫于樂，任賢勿貳，去邪勿疑，疑謀勿成，百志惟熙。罔違道以干百姓之譽，罔咈百姓以從己之欲，無怠無荒，四夷來王。禹曰，於、帝念哉。德惟善政，政在養民，水火金木土穀惟修，正德利用厚生惟和，九功惟敘，九敘惟歌，戒之用休，董之用威，勸之以九歌，俾勿壞。帝曰，俞、地平天成，六府三事允治，萬世永賴，時乃功。帝曰，格汝禹，朕宅帝位，三十有三載，耄期倦于勤，汝惟不怠，摠朕師。禹曰，朕德罔克，民不依，皋陶邁種德，德乃降，黎民懷之，帝念哉。念茲在茲，釋茲在茲，名言茲在茲，允出茲在茲，惟帝念功。帝曰，皋陶，惟茲臣庶，罔或干予正，汝作士，明于五刑以弼五教，期于予治，刑期無刑。民協于中，時乃功，懋哉。皋陶曰，帝德罔愆，臨下以簡，御眾以寬，罰弗及嗣，賞延于世，宥過無大，刑故無小，罪疑惟輕，功疑惟重，與其殺不辜，寧失不經，好生之德，治于民心，茲用不犯于有司。帝曰，俾予從欲以治，四方風動，惟乃之休。帝曰，來禹。洚水儆予，成允成功，惟汝賢，克勤于邦，克儉于家，不自滿假，惟汝賢，汝惟不矜，天下莫與汝爭能；汝惟不伐，天下莫與汝爭功。予懋乃德，嘉乃丕績，天之歷數在汝躬，汝終陟元后。人心惟危，道心惟微，惟精惟一，允執厥中。無稽之言勿聽，弗詢之謀勿庸。可愛非君，可畏非民，眾非元后何戴，后非眾罔與守邦，欽哉。慎乃有位，敬修其可願，四海困窮，天祿永終，惟口出好興戎，朕言不再。禹曰，枚卜功臣，惟吉之從。帝曰，禹、官占、惟先蔽志，昆命于元龜，朕志先定，詢謀僉同，鬼神其依，龜筮協從，卜不習吉。禹拜稽首固辭，帝曰，毋，惟汝諧。正月朔旦，受命于神宗，率百官若帝之初。帝曰，咨禹，惟時有苗弗率，汝徂征，禹乃會群后，誓于師曰，濟濟有眾，咸聽朕命，蠢茲有苗，昏迷不恭，侮慢自賢，反道敗德，君子在野，小人在位，民棄不保，天降之咎，肆予以爾眾士，奉辭伐罪，爾尚一乃心力，其克有勳。三旬、苗民逆命。益贊于禹曰，惟德動天，無遠弗屆。滿招損，謙受益，時乃天道。帝初于歷山，往于田，日號泣于旻天，于父母，負罪引慝，祗載見瞽瞍，夔夔齊慄，瞽亦允若，至誠感神，矧茲有苗。禹拜昌言曰，俞、班師振旅，帝乃誕敷文德，舞干羽於兩階，七旬有苗來格。

這「大禹謨」的整個內容究竟說了些什麼呢？茲就其內容試作解析於左：

1. 理論基礎：人心惟危，道心惟微，惟精惟一，允執厥中。

2. 作人方面

(1)基本信條：克勤於邦，克儉於家，不自滿假。(2)謹守法度：儆戒無虞，罔失法度，罔遊于逸，罔淫于樂。(3)不矜不伐：汝惟不矜，天下莫與汝爭能；汝惟不伐，天下莫與爾爭功。(4)守正不阿：罔違道以干百姓之譽，罔咈百生以從己之欲。

3. 用人方面

(1)最高理想：野無遺賢，萬邦咸寧。(2)成功之道：a、任賢勿貳，去邪勿疑，疑謀勿成，百志惟熙；b、臨下以簡，御眾以寬。(3)失敗之道：昏迷不恭，侮慢自賢，反道敗德，君子在野，小人在位。

4. 處事方面

(1)博採眾議：無稽之言勿聽，弗詢之謀勿庸。(2)尊重民意：敬修其可願，四海困窮，天祿永終，惟口出好興戎。(3)勇往力行：a、邁種德，德乃降，黎民懷之；b、念茲在茲，釋茲在茲，名言茲在茲，允出茲在茲。

（註）「邁種德」，即勇往力行，以布其德。

(4)注重績效：地平天成，六府三事允治，萬世永賴。

5.爲政方面

(1)基本認識：a、后克艱厥后，臣克艱厥臣，政乃乂，黎民敏德；b、可愛非君，可畏非民；衆非元后何戴，后非衆罔與守邦。

(2)王道政治：a、舍己從人，不虐無告，不廢困窮；b、刑期無刑，民協于中；c、罰弗及嗣，賞延于世，宥過無大，刑故無小，罪疑惟輕，功疑惟重，與其殺不辜，寧失不經，好生之德，洽于民心。

（註）蔡西山曰：「過者、不識而誤犯也；故者、知之而故犯也。過誤所犯，雖大必宥；不忌故犯，雖小必刑。」

(3)政在養民：德惟善政，政在養民，水火金土木穀惟修，正德利用厚生惟和，九功惟敘，九敘惟歌，戒之用休，董之用威，歡之以九歌，俾勿壞。

6.對外用兵方面：原欲「奉辭伐罪」，兵戒相見，後決定「班師振旅」，「誕敷文德，舞于羽於兩階」（類似現代之外交折衝與軍事演習）。結果是：「七旬有苗來格」。

照以上所作解析，我們當知「大禹謨」的主要內容，即是說明了儒家的政治理想是什麼？儒家的政治理想，可以「野無遺賢，野老嘔歌」八字概括之，而這個政治理想的哲學基礎，則就是「人心惟危，道心惟危，惟精惟一，允執厥中」這十六個字。爲什麼？因爲一個政治家欲實現這種政治理想，沒有一種精一而「允執厥中」之至誠，是很難如願以償的。一部廿五史，就是一面很好的鏡子，讀者不妨好好的仔細印證一下。

似乎是幾句題外的話，卻有一說的必要。此即：中國共產主義者，他們既不贊成這種政治思想，亦反對這種哲學。他們似乎認爲：欲平天下之不平，惟有打倒一切惡勢力。他們似乎在想，把所有的壞人殺光了，天下便太平了。殊不知在「殺壞人」的過程中，必然的要累及無辜，或甚至被殺害的，幾全爲無辜者；而且好與壞的標準又是什麼呢？「黑五類」是壞人嗎？照「大禹謨」的理想，難免寬容壞人。但是，一個社會的好壞，是風氣的好壞。一種善良風俗養成了，這個社會的壞人也會變成好人了。「刑期無刑」這種「忠厚之至」的理想，必須有一種甚深的哲學上的體會，才真能明白箇中的道理。以階級鬥爭爲綱者，他們必然的會反對這種哲學，而且也永遠不會懂得這種哲學。

二、孔孟學說與中國文化

我們認爲「大禹謨」所代表的是真正的中國文化精神，也是孔孟學說之精義所在。我們試就「大禹謨」與論語堯曰篇作一比較，則知這二者在精神上是一致的。韓愈在「原道」中所講的順祥、愛公、和平、正當，在理路上與「大禹謨」亦完全一致。至於孟子的政治理想，更與「大禹謨」完全相同。孟子曰：

> 堯以不得舜為己憂，舜以不得禹皐陶為己憂。夫以百畝之不易為己憂者農夫也。分人以財謂之惠，教人以善謂之忠，為天下得人者謂之仁。是故以天下與人易，為天下得人難。（孟子滕文公上）

這是說，做到「野無遺賢」的政治最高理想，確是很難的。因爲要真能做到如此，必須「爲天下得人」。孟子說「爲天下得人難」，「爲天下得人者謂之仁」。孟子又曰：

> 禹惡旨酒，而好善言。湯執中，立賢無方。文王視民如傷，望道而未之見。武王不泄邇，不忘遠。周公思兼三王，以施四事。其有不合者，仰而思之，夜以繼日，幸而得之，坐以待旦。（孟子離婁下）

所謂四事是什麼呢?第一、惡旨酒，好善言;第二、執中而立賢無方;第三、視民於傷，望道而未之見;第四、不泄邇，不忘遠。這四者與「大禹謨」所包含的主要內容在精神上當然是一致的。若真能照這四點去做，必然會達到「野無遺賢」、「洽於民心」、而「成允成功」、「萬邦咸寧」的實現政治理想。政治理想的實現，從哲學的觀點來說，即「一理」「散爲萬事」的成就，亦即此惟微之道心，稱其所有的而表現爲「聖人成能」⓫，而宏揚了道統。我們認爲，人之能力的真正成就，應即是「爲天地立心」的「裁成天地之道」，並「輔相天地之宜」的「爲生民立命」，而期「爲萬世開太平」。這就是說，成能者，當然是「自成也」，但「非自成己而已也，所以成物也。成己仁也，成物知也，性之德也，合外內之道也，故時

⓫ 周易繫辭傳下第十二章。

措之宜也。」⑫很顯然的，「成能」就是中庸所謂「至誠之道」（同註十二）。政治理想的實現，即「至誠之道」的實踐，亦即是將智仁勇三者發揮到極點。此所謂極點，實就是恰到好處，亦即「大禹謨」之全部理想的實現。因此，所謂道統，即是將這可以名之爲「至誠之道」的智仁勇三者，發揮到恰到好處，而成人之能，以實現「天下爲公」、「明明德於天下」的政治理想。這必須是「性命之學與經世之學的和諧與統一」，這就是我們所謂之道統的全部內容。孔孟學說與中國文化之精義，亦全在於此。

我很奇怪有些人竟然反對道統？難道克儉於家，克勤於邦不對；而奢侈逸樂，荒淫無道是對的嗎？難道儆戒無虞、不自滿假，舍己從人不對；而不顧法度，專橫驕傲，昏迷不恭是對的嗎？難道親君子，遠小人不對，而任用親近之小人是對的嗎？難道與其殺不辜，寧失不經不對，而殺戮無辜，以致「千家霹靂人遺失，萬戶蕭條鬼唱歌」是對的嗎？難道善政養民不對，暴政殃民是對的嗎？只要是神經正常的人，我相信他一定會有正確的答案。而這些卻正是專制暴政與三民主義政治之最明顯的對照；也確是在文革時代的中國大陸與三民主義模範省的臺灣之鮮明的對照。於是，我們也應該進一步的明白了：中山先生思想確是以道統爲其哲學的基礎與政治理想的根本。

三、先秦中國文化的特色

---

⑫ 中庸第二十五章。

將先秦時代的中國文化特質，作必要的說明，這是有助於對道統之進一步的理解與認識。

吾人讀太史公史記及有關之古代典籍，當可發現唐虞夏商周時代之中國人的心靈，表現爲意識形態者，就是「仁」這個觀念。「仁」是人本主義的；但，不祇是人本主義的。湯之欲左左，欲右右的網開三面，這是充分發揮人之仁心仁性的最好例證。

另一方面，先秦時代的中國人，他們的宗教意味是很淡薄的。曾和鄔昆如教授談到這個問題，他很贊成我的意見，他認爲，宗教的興起，是東漢以後的事。至於當時中國人之宗教意味淡薄，我們可以尙書中周公所講的話爲證。尙書召誥篇曰：

王先服殷御事，比介于我有周御事，節性，惟日其邁。王敬所作，不可不敬德。我不可不監于有夏，亦不可不監于有殷。我不敢知曰、有夏服天命，惟有歷年，我不敢知曰，不其延。惟不敬厥德，乃早墜厥命。我不敢知曰、有殷受天命，惟有歷年，我不敢知曰，不其延，惟不敬厥德，乃早墜厥命。今嗣王受厥命，我亦惟茲二國命。嗣若功，王乃初服。嗚呼！若生子，罔不在厥初生，自貽哲命。今天其命哲，命吉凶，命歷年，知今我初服。宅新邑，肆惟王其疾敬德，其德之用，祈天永命。

君奭篇也說：

天降喪于殷，殷既墜厥命。我有周既受，我不敢知曰，厥基永孚于休，若天棐忱。我

> 亦不敢知曰，其終出于不祥。
>
> 天命不易，天難諶（謹案：諶、信也。「命不易保，天難諶信。」），乃其墜命，弗克經歷，嗣前人恭明德。
>
> 天不可信，我道惟寧王德延。天不庸釋于文王受命。

在我國古籍內，這類例證甚多。就召誥與君奭這所說的看來，周公是極明白而又鄭重的提出了天命不可知的意見。天命既不可知，惟有「敬德」、「疾敬德」、「恭明德」，以「祈天永命」。周公的這個思想，一方面是說明了歷史的本身是變遷不居的；一方面也肯定了「天道遠，人道邇」的觀念，而著重於作人處世辦事方面，應「疾敬德」與「恭明德」。

不過，若說先秦時代絕對沒有宗教，也並不完全恰當。吾人讀禮記之祭法、祭義、祭統諸篇，觀其所陳述者，乃教人以「內盡於己，而外順於道」之心情來對待天、上帝、鬼神。祭統曰：「賢者之祭也，必受其福，非世所謂福也。福者、備也；備者、百順之名也。無所不順者之謂備，言內盡於己，而外順於道也。」又經解篇曰：「喪祭之禮，所以明臣子之恩也。」我們可以這樣的說，在當時的儒者看來，上帝或鬼神存不存在，這是一個不必問的問題，而問題是：我們應該以何種心情來對待鬼神與上帝。這祇是一種盡其在我的宗教情緒，並不是一種宗教上的信仰。這種宗教情緒，既與「疾敬德」、「恭明德」之精神相通相順，亦與「大禹謨」之基本精神完全相通相順。

這種視事物是變遷不居，而「疾敬德」、「恭明德」的「修身以俟之」（孟子盡心上）的思想，是爲孔孟所承襲的。這種思想形成了先秦時代的文化精神的特色。這個特色，形成了儒家的盡人事以聽天命的精神，也就是一種「祇問耕耘，不問收穫」的精神。這種精神是不會精打細算的；這種精神並無一定之目的，而祇問當下的該不該，但決不是一種一時的衝動。較爲概括而具體的說來：第一、這個精神之所以形成，乃從歷史的事實，看清了天道無親，唯德是親的真理，而體會到天道不可信賴，所有成敗禍福，皆是自己行爲的結果。「種瓜得瓜，種豆得豆」，「善有善報，惡有惡報」的心理，數千年來，在我們中國，不只是家喻戶曉，且爲大多數人相信。第二、因此，一個正常的中國人，無不以「疾敬德」，「恭明德」之至公至誠的心情來作人處世與做事。論語堯曰篇曰：「四海困窮，天祿永終」。大禹謨之所以教人兢兢業業的以「允執厥中」，其故皆在於此。

這個特色，與阿波羅（Apollo）式的希臘文化精神，浮士德（Faust）式的西方近代文化精神⓭，都不相同。在我們中國人看來，浮士德既將自己的靈魂賣給魔鬼，後來又回到上帝的懷裡，這是不可思議的。太陽神有時變成凡人，追求美麗的少女，在我們中國人看來，這是道道地地的妖怪。我並不是說，在中國人的觀念中沒有妖怪或浮士德式的邪門思想，而只是說，在中國的思想之中，正邪之分，義利之辨，是分得很清楚的。西遊記這部神話小說，對於妖怪，曾有非常清楚的描寫。妖怪的能耐的確很大；但對於仁心仁術而毫無能耐之唐僧，則總是無法傷害他。

⓭ 參見 O.Spengler：the decline of the west。

就我個人的親身體驗來說，我是一個農家子弟，小時讀私塾。在民國初年時的農村，與先秦時代的生活方式，其變化是不太大的。小時候讀三代兩漢之書，覺得自己在心靈上成了三代兩漢之人。當時社會雖頗迷信，卻沒有信仰與理性之間的大爭論。孔孟之徒，正其誼而不謀其利，並以迷信爲恥，養成一種不信邪的心靈。現代都市生活的人，他讀國風，讀禮記、尙書等等，他不會有一種親切之感。這親切之感，就是三代兩漢之中國人的心靈重現。不管大禹謨眞僞如何，它卻是代表了那個時代的中國人的偉大靈魂與仁厚純正之思想。這個思想，是形成了中國哲學的傳統或正統。孫中山先生確是繼承了這個傳統，宏揚光大了這個思想。

四、疑古者並非已成定論

有些學者認爲，大禹謨爲僞古文，已成定論。其實並非於此。大家都知道，崔述崔邁兄弟攻擊僞古文最激烈。崔述名東壁，爲乾嘉時代有名之學者。崔邁著有「訥庵筆談」及「古文尙書考」，以評論古文尙書之僞，就渠等所謂之「僞尙書」各篇中，簽出字句所本，及剿襲而失其原意，與措詞用語之不當者，詳加評述。崔述曾錄於其所著「古文尙書辯僞」卷二中，茲特將其與「大禹謨」有關者，錄之於左：

「舍己從人」語，自孟子來。

「帝德廣運」，本呂覽。

左傳文公七年，郤缺引夏書曰：「戒之用休，董之用威，勸之以九歌，勿使壞。」

僖公二十四年傳文，引夏書曰：「地平天成。」
莊公八年引夏書曰：「皐陶邁種德，德乃降。」
襄公二十一年，藏武仲引夏書曰：「念茲在茲，釋茲在茲，名言茲在茲，允出茲在茲。」
又哀公六年，孔子引夏書曰：「允出茲在茲。」又襄公二十三年，孔子引夏書曰：「念茲在茲。」
襄公二十六年，聲子引夏書曰：「與其殺不辜，寧失不經。」
「帝曰來禹」章，論語載堯命舜之語，而此乃抄襲之，卻又分作三處，用他語增飾之，謂人盡可欺也。論語此數句，本係韻語，今離而為三，使有韻者無韻。
「降水警予」語，本孟子。
左傳襄公五年，引夏書曰：「成允成功。」
周語、內史過引夏書曰：「眾非元后何戴，后非眾，無與守邦。」左傳哀公十八年，夏書曰：「官占惟能蔽志，昆命於元龜。」
「正月朔旦」一節。接舜典云：「受終於文祖。」又云「格於文祖。」未有言受命者。命者、生人之事也。神宗既為堯，則禹是時安得受命於堯乎」？
「帝初於歷山」以下語，本孟子，而故改易之。⑭

⑭ 轉錄自張心徵編著：「偽書通考」上冊臺灣商務版，頁一八一。

崔東壁兄弟是謂「大禹謨」乃從論語、孟子、左傳、呂覽、周語等書中抄襲而編成的，並且還認爲抄襲作僞之人，勦襲而失其原意，且措詞用字亦有不當。我很奇怪，他們兄弟倆爲什麼不認定上述各書是引自「大禹謨」，而硬要說「大禹謨」是抄襲上述各書呢？他們並無充份的理由，在此自不宜有所爭辯。我之所以不惜篇幅將「大禹謨」及東壁兄弟之說引錄：第一、希望讀者能體會到，夏書在周代是影響很大的，因爲論語孟子及左傳等書皆引用夏書；而且都是非常恰切之引用。第二、即令「大禹謨」是僞古文而不是原來的夏書，我們亦宜就「大禹謨」的內容而評定其學說價值；其內容實即具體的內聖外王之道。第三、也希望讀者知道，乾嘉時代，許多學者之疑古，亦並不真有意義，讀者當可就以上所引錄的資料而自作論斷。

總之，「大禹謨」是代表了我國先秦時代儒家思想的傳統，也可以說是儒家的烏托邦。我們自不必將它當作歷史讀，而應將它當作歷史哲學或政治哲學讀。攻擊僞古文尚書者，其淺陋不足以語此。作者曾將此意就正於崔垂言先生，崔先生亦認爲東壁先生兄弟之說，並非已成定論。

第三節　道統與「中」一元論

一、道統與宋明理學

有宋一代，理學興起，道統始由晦暗而趨於明顯，這已成爲定論；但亦有人認爲，宋明理學，援佛入儒，已與先秦儒學全不相類。持不相類之說者，約有兩種人：其一爲佛氏之徒，藉此以抬高佛學身價；其一爲漢學家，藉此以攻擊理學。我們知道，蔣總統的哲學是經世之學與性命之學的和諧統一。宋明理學的基本內容，亦是包括了性命之學與經世之學這兩部份。就我們對「大禹謨」內容所作之解析，若不能往深一層體會，「大禹謨」似全爲經世之學；殊不知此種經世之學，很顯然的是以性命之學做基礎。先秦儒家，其爲學重在致用，所以孔孟之說，詩書之言，無不以致用爲主；然其致用的外王之學，並非無源之水，其作爲源頭活水的內聖之學，似乎是「不可得而聞的」⑮。若細讀論語、孟子、大學、中庸，則性命之學，實已昭昭在目；若再融貫四書五經而加以體會，則知所謂道統，必是以性命之學做根本，然後再發爲經世之學以致用；所以是具體的內聖外王之學。這是先秦時代的一種特有的精神。宋明理學家，是循此理路與精神以宏揚道統；不過，除王陽明頗能學以致用外，其他理學家，大都祇能空言性理；或者，因過於拘泥細節，未能「從其大體」⑯，甚至成爲專制君主的奴僕之學，以致被後人譏其爲「吃人的禮教」。這就是說，宋明理學之流末，確是大有弊端的。不過，若作持平之論，宋明理學雖偏重於對性命之學的闡揚，確是宏揚了道統；而且亦決非

---

⑮ 論語公治長篇，子貢曰：「夫子之文章，可得而聞也；夫子之言性與天道，不可得而聞也。」

⑯ 孟子告子上有「從其大體為大人，從其小體為小人」之說，什麼是「從其大體」呢？什麼是「先立乎其大者」呢？愚以為周公思兼三王以施四事，這是真能「先立乎其大者」；亦是真能「從其大體」者。能如此，在其他細節方面，雖稍有缺失，實亦無傷；但宋明理學家卻過於拘泥，並過於重視細節，以致未能達成「致用」之目的。

使儒家學說佛化。

二、「允執厥中」之「中」是什麼

宋明理學所宏揚的性命之學究竟是什麼呢？也就是這仁義道德究竟是什麼呢？現在我們要研究「人心惟危，道心惟微，惟精惟一，允執厥中」這四句話。這四句話的頭兩句，照孔安國的解釋，是：「危則難安，微則難明」⓱。荀子解蔽篇曾說：「故道經曰：人心之危，道心之微，危微之機，惟明君子而後能知之。」此危微之機，明君子何以能知之？這必是能允執厥中。那麼，「中」是什麼呢？大致可以分成三方面來講：第一、劉子曰：「吾聞之，民受天地之中以生，所謂命也，是以有動作禮義威儀之則，以定命也。能者養之以福，不能者敗以取禍，是故君子勤禮，小人盡力；勤禮莫如致敬，盡力莫如敦篤；敬在養神，篤在守業。」⓲這就是說，中是人之生命所本。第二、中庸曰：「喜怒哀樂之未發，謂之中；發而皆中節，謂之和。中也者，天下之大本也；和也者，天下之達道也。致中和，天地位焉，萬物育焉。」這就是說，中是此心之所本。第三、程榮所輯「漢魏叢書」有：㈠漢、馬融撰，鄭玄註「忠經」一卷；㈡漢、徐幹撰「中論」二卷。又隋文帝時，河汾王通著「中說」二卷，

⓱ 王先謙：「荀子集解」世界書局「世界文庫」版，頁二六六。

⓲ 左傳：成公十三年。

「玄經」十卷，稱「文中子」⑲。這三部書，可能都是他人僞託之作。茲姑不論。就這三部書的內容而言，很可能就是依據論語堯曰篇所說：「惠而不費，勞而不怨，欲而不貪，泰而不驕，威而不猛」之五美，以申論在做人處事上如何實踐中道。這也就是說，中是做人處事之所本。

三、宋明理學與「中」一元論

我們認爲，宋明理學最基本的概念當然就是一個「理」字。宋明理學家所討論的，大體上離不開理氣心性這一類的問題。而且，宋明理學家之言心言性，係以內聖外王爲鵠的。其格物、致知、誠意、正心、修身等內聖之學，即性命之學；其齊家、治國、平天下等外王之學，即經世之學。因宋明理學家著重於內聖之學，所以其成就祇是闡明了性命之學。

宋明理學所討論的，大都是就「中是此心之所本」者而言。一般說來，中與衷實同一意義。如：「天誘其衷」、「折衷於夫子」，「降衷於下民」等，皆可當作「中」講，不與「心」完全同義。至於中或衷之所以與通常所謂「心」之意義不完全相同者，因中或衷之概念，頗與中正之道同義。這就是說，所謂「天誘其衷」，即是天引誘其心不「中」而喪失中正之道；「折衷於夫子」，即以孔子的中正之道爲評判的標準；「降衷於下民」，即爲降中道於下民。照這樣說來，此心之動，若合於中正之道，則就是中或衷。宋明理學家以此心之合於中正之

⑲ 文中子王通著：「中說」二卷，收入百子全書道家類。

道者爲不失心之本體。宋明理學大致可分爲程朱一派之理學及陸王一派之心學，無論那一派，他們都認爲仁義中正即心之本體。王陽明曰：

> 聖人之學，心學也。堯舜禹之相授受曰，人心惟危，道心惟微，惟精惟一，允執厥中，此心學之源也。中也者，道心之謂也。道心精一之謂仁，所謂中也。孔孟之學，惟務求仁，蓋精一之傳也，而當時之弊，固已有外求之者，故子貢致疑於多學而識，而以博施濟眾為仁，夫子告之一貫，而教以能近取譬，蓋使之求諸其心也。迨於孟氏之時，墨氏之言仁，至於摩頂放踵；而告子之徒，又有仁內義外之說，心學大壞。孟子闢義外之說，而曰、仁、人心也，學問之道無他，求其放心而已。又曰、仁義禮智，非由外鑠我也，我固有之，弗思耳矣。蓋王道息而霸術行，功利之徒，外假天理之近似，以濟其私，而以欺於人曰，天理固如是，不知既無其心矣，而尚何有所謂天理者乎！自是而後，析心與理而為二，而精一之學亡。……至宋周程二子，始復追尋孔顏之宗，而有無極而太極，定之以仁義中正。而主靜之說，動亦定，靜亦定，無內外，無將迎之論，庶幾精一之旨矣。⑳

陽明先生此說，是謂中、道心、仁義禮智，或心與理，皆祇是一事。此祇是一事之說，

---

⑳ 王文成公全集卷七「象山文集序」。

我們特名之爲「中」一元論。他的大弟子王龍溪，更倡四無之說，即：陽明每與門人論學，提四句爲教法。他提那四句呢？即：無善無惡心之體，有善有惡意之動，知善知惡是良知，爲善去惡是格物。龍溪認爲：「若悟得心是無善無惡之心，意即無善無惡之意，知即無善無惡之知，物即無善無惡之物。」㉑因此，「體用顯微，只是一機；心意知物，祇是一事。」（註同上）這是非常深入的闡明了「中」一元論。這就是說，從此心之自然流行來說，性情心理等皆祇是一事。此「祇是一事」之說，亦即「精一之訓」。蔡西山「書經集傳」對「大禹謨」人心道心之說，曾有如下之解釋：

> 心者，人之知覺，主於中而應於外者也。指其發於形氣者而言，則謂之人心；指其發於義理者而言，則謂之道心。人心易私而難公，故危；道心難明而易昧，故微。惟能精以察之，而不雜形氣之私；一以守之，而純乎義理之正，道心常為之主，而人心聽命焉。

這一段話，王陽明的門弟子徐愛，曾認爲有不妥之處。徐愛認爲此與「祇是一事」之說不合，茲將「陽明傳習錄上」與此有關之對話，錄之於左：

㉑ 王龍溪語錄卷一。

> 愛問，道心常為一身之主，而人心每聽命，以先生精一之訓推之，此語似有弊。先生曰：然。心一也，未雜於人，謂之道心；雜以人偽，謂之人心。人心之得其正者即道心，道心之失其正者即人心，初非有二心也。程子謂人心即人欲，道心即天理，語若分析，而意實得之。今日道心為主，而人心聽命，是二心也。天理人欲不並立，安有天理為主，人欲又從而聽命者。

傳習錄這一段話，可以說即陸王與程朱哲學之所以不同，須作非常深入的分析，才能完全說得明白。在拙著「介石先生思想與宋明理學」㉒及「王龍溪與宋明理學」㉓中，皆有較爲深入之討論，此姑不詳；惟特須說明者，人心道心之說，陽明與朱子雖有不同的說法；但大致上都承認人心是道心之失其正而自私與不公者。程伊川曰：「公則一，私則萬殊，人心不同如面，只是私心。」㉔伊川又曰：「在天爲命，在義爲理，在人爲性，主於身爲心，其實一也。心本善；發於思慮，則有善有不善。若既發則可謂之情，不可謂之心。」㉕伊川此所謂「其實一也」，實亦可解釋作「祇是一事」。再者，伊川所謂「體用一原，顯微無間」

㉒ 民國五十五年十月，三民主義研究所出版，幼獅總經銷。現已再版，為本集刊之六。
㉓ 幼獅學誌第八卷第四期，民國五十八年十二月。
㉔ 近思錄卷一。
㉕ 二程遺書卷一。

八字，實是非常明白的說明了「祇是一事」之理。陽明傳習錄中說這八個字是泄漏了天機，可見「祇是一事」之說，可能還是本於伊川。又朱晦翁亦說：

性情心，惟孟子說得好。仁是性，惻隱是情，須從心上發出來。心統性情者也。性只合是如此底，只是理，非有個物事。若是有底物事，則既有善，必有惡。惟其無此物，只有理，故無不善。㉖

又說：

性者心之理，情者心之動，才、便是那情之會恁地者。情與才絕相近。但情是遇物而發，路陌曲折恁地去底；才是那會如此的。要之，千頭萬緒，皆是從心上來。（同註十六）

又說：

仁義禮智，性也。性無形影可以摸索，只是有這理耳。惟情乃可得而見，惻隱羞惡辭

㉖ 語類卷五。

讓是非是也。㉗

朱子所說的，是說「千頭萬緒，皆是從心上發出來」；因此，亦可以說「祇是一事」。不過，朱子認爲心與性是有區別的㉘，此與陽明心即理之說，雖有哲學上的不同；但是，朱子既認定「皆是從心上發出來」，可見朱子亦不會反對「中」一元論。

四、「中」即禪宗之本「本來面目」

我本於宋明理學「其實一也」與「祇是一事」之說而說明「中是此心之所本」，這可名之爲「中」一元論，這就是性命之學最要緊的所在。蔣總統在「大學之道」及「孫子兵法與古代作戰原則以及今日戰爭藝術化的意義之闡明」這兩篇講詞中，對「中」這一觀念曾有極爲深刻而詳盡之討論，茲不贅述。在此仍須略加說明者，即：就中是喜怒哀樂之未發來說，此「未發」即禪宗所謂之「本來面目」。什麼是「本來面目」呢?茲就「六祖壇經」所載的一則故事，而略加說明。據說禪宗六祖惠能在黃梅得到五祖弘忍之衣缽後，秘密的南返廣東，約兩月，至大庾嶺。跟蹤惠能者，有數百人追來，欲奪衣缽。其中有一和尚，俗姓陳，名惠明，曾當過四品將軍，性行粗糙，追趕得最快，得能最先趕上，惠能乃擲下衣缽於石上，曰：

㉗ 語類卷九。

㉘ 朱子曾說：「靈處只是心，不是性，性只是理。」見語類卷五。

「此衣表信，可力爭耶？」

於是便躲藏在茅草之中。惠明至，大聲呼喚曰：

「行者行者，我為法來，不為衣來。」

惠能遂出，盤坐石上。惠明作禮曰：

「望行者為我說法。」惠能曰：

「汝既為法來，可屏息諸緣，勿生一念，吾為汝說。」惠明遵照惠能的指示靜坐下來。

歷時很久之後，惠能告訴惠明說：

「不思善，不思惡，正與麼時，那個是明上座本來面目？」

惠明聽了惠能這幾句話後，當即大悟㉙。他究竟悟了個什麼呢？簡單的說，就是悟到了喜怒哀樂未發之中。中就是心之本來面目。禪宗的公案，連篇累牘，都在討論悟的方法及悟得是否真確的問題。宋明理學的全部工夫，一方面在究明什麼是性命之學，一方面則著重於此性命之學的在人常日用方面的實踐。當然，理學家也注意宇宙論這方面的問題；所以宋明理學可以說是宇宙論與人的哲學相互融會貫通的一種綜合哲學，因此，我們也可以這樣的說，宋明理學一方面固是著重在窮究此心之本體是什麼？或，此心之本體何以是中？一方面確也是在窮究此宇宙的本體是不是中？而宋明理學的答案都是很肯定的。這也就是說，宋明理學

㉙ 唐、法海錄：六祖壇經行由品第一。

不祇是討論了「中是此心之所本」，也是討論了「中是人之生命所本」。關於「中是人之生命所本」這一點，容後再作較詳之討論。

五、「中」即「道統」之「續而不墜」

在這裡須略作說明者，宋明理學將性命之學實踐在人常日用方面，是著重於順其自然，不大著重於做人的技巧。但如馬融「忠經」所說的，尚與宋明理學之旨趣相合，亦與中庸所謂「至誠之道」頗爲相似。如「忠經天地神明章第一」曰：

> 忠者中也，至公無私。天無私四時行，地無私萬物生，人無私大亨貞。忠也者，一其心之謂矣。為國之本，何莫由忠。忠能固君臣、安社稷、感天地、動神明，而況於人乎？夫忠興於身、著於家、成於國，其行一焉。是故一於其身，忠之始也；一於其家，忠之中也；一於其國，忠之終也。身一則百祿至，家一則六親和，國一則萬人理。書云、惟精惟一，允執厥中。

這就是說，忠即中，即至公無私，亦即能一其心，一其行。這確是立論正大精闢，辯說清晰透徹，惟其缺點，在於偏重模仿；又「辨忠章第十四」曰：

> 君子之言，忠而不佞；小人之言，佞而似忠，……夫忠而能仁則國德彰；忠而能知則

國政舉；忠而能勇則國難清；故雖有其能，必由忠而成也。仁而不忠則私其恩；知而不忠則文其詐；勇而不忠則易其亂；是雖有其能，以不忠而敗也。

這所說的，很像孔子所說的。因其善於模仿，故易於被人看出是僞書；惟其旨趣甚佳，對做人處事，大有助益。又「中論法象第二」曰：「敬孤獨而慎幽微」。又曰：「故君子之交人也，歡而不媟，和而不同，好而不佞詐，學而不虛行，易親而難媚，多怨而寡非，故無絕，交無畔。明書曰：慎始而敬，終以不困。」又「備身第三」曰：「夫見人而不自見者謂之矇；聞人而不自聞者謂之聵；慮人而不自慮者謂之瞀。故明莫大乎自見；聰莫大乎自聞；睿莫大乎自慮。此三者舉之甚輕，行之甚邇，而莫之知也。」又「虛道第四」曰：「故夫才敏過人，未足貴也；博辯過人，未足貴也；勇決過人，未足貴也。君子之所貴者，遷善懼其不及，改惡恐其有餘。故孔子曰：顏氏之子，其殆庶幾乎，有不善未嘗不知，知之未嘗復行。」這完全在模仿孔孟的口吻。這一方面是說，中就是對自己的忠誠，即自己對自己忠誠就是中；一方面也是說，中不只是有過與不及，而更應該是：「和而不同」「易親而難媚」之恰到好處。這確是卑之無甚高論的闡明了「中」之意義，也確是闡明了「中」乃做人處事之所本而不能喪失。這些話對於「中」字的意義確是很深入的而有所發揮，亦與宋明理學之旨趣不相違背；但不如宋明理學之「致廣大而盡精微」，則是很顯然的。至於文中子「中說」，大家都知其必爲僞書，卻亦頗能發明本於「中」的做人處事之義蘊，例如「問易篇」曰：

> 文中子曰：議其盡天下之心乎？昔黃帝有合宮之聽，堯有衢室之問，舜有總章之訪，皆議之謂也。大哉議乎，並天下之謀，兼天下之智而理得矣。我何為哉？恭己正南面而已。子曰：人心惟危，道心惟微，言道之難進也。故君子思過而預防之，所以有誡也。切而不指，勤而不怨，曲而不諂，直而有禮，其惟誡乎！子曰：改過不恡無咎者善補過也。古之明王，詎能無過，從諫而已矣。故忠臣之事君也，盡忠補過。君失於上，則臣補於下；臣諫於上，則君從於下，此王道所以不跌也。取泰於否，易昏以明，非諫孰能臻乎。

文中子此說，是謂議就是中，誡就是中，補過就是中，做人處事自應以此爲基礎。此書大概是在說明貞觀之所以治者。因兼治儒道於一爐，且係模仿之作，故未能成爲宏揚道統的經典之作，惟頗能發揚本於「中」的做人處事之義蘊，亦不宜以其爲僞書而詆毀之。宋明理學屬於內聖方面的修身之學，雖並未超越以上三書之範疇，但宋明諸君子，皆無模仿之意，完全本於「六經著我」之創造精神以宏揚道統，所以其影響極大。又「中說立命篇」有曰：

> 房玄齡謂薛收曰：道之不行，必矣，夫子何營營乎？薛收曰：子非夫子之徒歟？天子失道，則諸侯修之；諸侯失道，則大夫修之；大夫失道；則士修之；士失道，則庶人修之。修之之道，從師無常，誨而不倦，窮而不濫，死而後已，得時則行，失時則蟠，此先王之道，所以續而不墜也。古者謂之繼時。「縱我不往，子寧不嗣音。」如之何

以不行而廢也。玄齡愓然謝曰：其行也如是之遠乎。

這一段話，好像遠離了我們欲討論的問題。實際上，這亦是講中正之道。辜鴻銘將「中庸」英譯為：The Conduct of Life。薛收此所說的「續而不墜」，實謂道統亦是一種生命的繼續。中庸之道或「中」的本身說它是一種生命的傳導，這是不錯的；因為「中」的本身，必與「人」同在，問題祇是或趨於晦暗或趨於明顯而已。即以大家所公認的，孔孟以後，道統衰頹而不振這一點言之，亦並不是說，此「中」之本身是完全喪失的。兩漢姑置不論，即以魏晉南北朝而言，儒家的道統，亦並非不存在。錢賓四先生有非常透闢的說明。他說：

> 近人講魏晉南北朝士風，認為他門只重道，不重儒，此是一大誤。又認為他們當時之門弟，只憑藉政治上之特殊地位，與經濟上之特殊勢力而維繫，此又是一大誤。當知魏晉南北朝時代之大家庭，大門弟，乃各有其「門風」與「家法」，各有其同遵共守之「禮教」，此等大體乃源自儒家。今姑舉其最顯著最簡易明者言：門第必尚「孝」、「弟」，因此必知「尊祖德」，「教子弟」。文選中有甚多當時著名文章，專在頌揚祖德及教導子弟方面者。……
>
> ……大要言之：則魏晉南北朝代之人生理想乃是消極的，包圍在門第圈中，胸襟狹窄。主要只可謂有志潔身保家；卻不比先秦乃及兩漢多知立德、立功、立言，富有一番淑

世精神。但中國歷史文化傳統，所以猶得維繫不輟，當時門第亦不為無功。㉚

此可見在魏晉南北朝時代，中國文化的傳統或所謂道統，仍是維繫不輟，祇是晦暗較不明顯而已。即以「忠經」、「中論」、「中說」這三本僞書而論，它一方面是說明了在做人做事上應如何實踐中道；一方面也即是說明了「道統」之不可廢。我們要作爲一個真正的人，要能做人處世恰到好處，「中」確是不能喪失的。我更認爲，這三本僞書，對宋明理學之興起，很可能具有相當之影響作用。

第四節　「中」一元論的哲學

茲進而說明「中」一元論這個哲學。

一、「中」是第一意義

照我們以上的解釋，道統表現在政治上，即是仁政或王道，而道統本身則就是「中」。我們綜合以上的解釋，已知中、衷、忠、以及性、心、理等，皆祇是一事。因此，我們特名之爲「中」一元論。「中」亦即禪宗之「本來面目」。從「人的哲學」或「人類學的哲學」來說，「中」是第一意義或第一範疇。有人將「中」解釋爲讀去聲之「中」，這雖是不錯的，

㉚ 見錢著「中國歷史上關於人生理想之四大轉變」一文。

卻是第二意義的。所謂第一範疇，它是問題獲得了究竟的或最後的解答。我個人認爲，哲學的任務，是尋求問題的解答。當有那麼一天，你認爲所有的問題都已解答而無話可說時，你便是明白了第一範疇，也就是得到了哲學。這與「哲學是指人的理性直搗實在界整體之最後原因」（請覆按第一章第一節）之說是相同的；這也是一種非常深切的反省性工作。因此，所謂第一範疇或究竟範疇，它必是指「本來如是」的。「中」既是此心之所本，也既是禪宗所謂之「本來面目」，則「中」當然就是「本來如是」，也當然就是第一意義或第一範疇。在此仍須稍作說明者，此即：宇宙的本體是一實體，其本性即是「中」。所以「中」是心之本體，亦即第一意義或第一範疇。

二、「中」是絕對者

黑格爾（Hegal）認爲這「本來如是」的最高可能的抽象性，即可知之宇宙萬象所共具的有（being）之概念。有、此「如是有」（isness）之性質，顯然是最高可能之抽象品。所以「有」是究竟可能的範疇，也是第一範疇㉛。黑格爾此所謂之「有」，實與「中」相似。

黑格爾也認爲「有」或「純有」是論理學的始源。他認爲「純有是純粹思想，是純粹未被確定過的直接態。」㉜他又說：「所謂純有，是純粹抽象性，是絕對的否定物。絕對的否

㉛ W. T. Stace, The Philosophy of Hegal 卷一第一章。

㉜ 黑格爾：小論理學第八六節。王述先譯，帕米爾書局版，頁三。

定物，按其直接性看來，就是『無』了。」（同註卅二第八七節）因此，黑格爾是爲絕對者得到兩個定義：第一個定義是：「絕對者是有」；第二個定義是：「絕對者是無」。絕對者何以是無？因爲絕對者或物自體，必是無特性的，無形式的，無內容的。這就是說，絕對者應該是一種無特性、無形式、無內容的；但是，卻是一種「有」。黑格爾叫它爲「純有」。此所謂純有是純粹無確定性的，類似佛家所謂之「無所住心」㉝，亦即我們所謂之「中」。黑格爾說：「純有和純無只存在於人類的思想中，這兩個同是始源，同是空虛的抽象態。」黑格爾認爲有與無同是始源的這個看法，大致是不錯的。因爲從「未被媒介過的，未被確定過的」始源之「有」來說，它確是與「無」同一。這就是說，從形而上的本體界來說，有與無同一是不錯的；但是，黑格爾認爲純有和純無只存在於人類的思想中，同是空虛的抽象態，這卻值得商討。即以我們所謂之「中」而論，照佛家的看法，它是離有無二邊的；因此，它既不是有，亦不是無。這個道理很明白，即：就其不是無而言，它必是有；就其不是有言，它必是無。於是，必有一種「有」它既是無，也是有；這種「有」，我們說它是「中」。「中」是絕對者，絕對者祇有一個定義，不是有兩個定義。而且，「中」既是絕對者，則「中」就是始源的「本來如是」，也就是宇宙萬象所共具的「本來如是」，所以它是宇宙本體的本性。它當然是一種存在，而不祇是存在於人類思想之中；不過，祇有人類的思想，才能體認到它的存在。誠然，它是空虛的抽象態；但是，它必是最真實而且是最具體的存在；因爲，它是

㉝ 見金剛經。拙著心物合一論第三章：「物之大而無外之分析」，對此有較為詳盡之說明。

一切存在之根本，它是宇宙本體之本性。

三、「中」是純乎天理

「中」何以是存在之根本，茲暫存而不論，以後自當曲盡其義。在此須加說明的，即我們所謂之「中」不是一種思辨，而是一種體認。黑格爾所謂之「有」，則是思辨的產物。黑格爾認為，「有」之所以是始源的，或者，「有」之所以是第一意義的，乃因為它是「未被媒介過的，未被確定過的」，它是純粹的抽象。司泰思（Stace）在「黑格爾哲學」中曾加以解釋說：

> 假如我們任擇一宇宙之物象而進行抽離其一切屬性，例如這張方的、硬的、黃的、有光亮的桌子，抽離其光亮的屬性則我們只剩有「這張桌子是方的、硬的、黃的」一命題。再抽離其黃色的屬性，則我們只剩有「這張桌子是方的、硬的」一命題。最後抽離其硬度的屬性，乃至於方形，則我們只剩有「這張桌子是有」。（同註廿九）

這是說明了什麼是「有」或「純有」，亦就是說明了「有」何以是始源的。

由此可見黑格爾所謂之「有」確是思辨的產物，所以他認為「是空虛的抽象態」。我們不擬評論黑格爾這個看法之對錯，而只是說，黑格爾哲學與中國哲學在方法上確有不同，這亦可能就是東西哲學與文化之所以不同。我們中國哲學，對始源的與第一意義的，大體上可分爲兩種看法：一種是類似西方自然哲學的或原始的「宇宙論」的看法；一種則類似原始的「人類學」的，或康德所謂之道德形上學的看法。茲先就後者加以說明：我們中國人是不習慣於像黑格爾哲學那樣的將一件物事就其屬性一一加以抽離。黑格爾那樣的作法，我們中國人常視之爲，祇是一種文字遊戲。我們中國人的辦法很簡單，但也很難。所謂很簡單，就是只要作一種真正的徹底的反省。宋明理學的全部學問全都在於教人如何去作真正而又徹底的反省。我們可以這樣的說，正統的中國哲學，是假定人之本性是至善的。這至善之本性究竟是什麼呢?它就是喜怒哀樂未發之中。中何以是至善的?王陽明的「無善無惡心之體」一語，就是很好的答案。因爲當喜怒哀樂未發時，既是「無善無惡」的，亦是「至公無私」的，這當然是至善的。此至善之中，即是道心；道心「稱其所有」的而又是非常精一純正的表現，則就是仁義禮智信，即王陽明所謂「道心精一之謂仁，所謂中也」。人如何才能得到此至善之中呢?亦即如何才能見到「本來面目」呢?這就是要把後天的習染之污去得乾乾淨淨而純乎天理。如何才能去掉這後天的習染之污呢?這就是要作真正而又徹底的反省。因爲這無善無惡而至誠無私的至善之中，用黑格爾常用的口吻來說，即是思想之本身，亦即沒有夾雜任何情緒的一種純正的思想，我們中國人則謂之純乎天理。這種純正的思想之產生或表現出來，必是完全解除了潛意識對意識的束縛。宋明理學家與禪宗的祖師們，其畢生的修爲，就是做這個工夫。這意思是說，人之至善的本性，它是沒有夾雜喜怒哀樂愛惡欲之任何一種情緒的；但在生活過程中，人必然的會發生這許多情緒，當此等情緒受到壓抑時，便變成潛意識；潛意識則常常隱秘的影響人之意識，使思想失其公正。假如人能完全化解所有的潛意識，則意識便解除了束縛，而恢復了思想之「本來面目」。佛家所謂之「解脫」，其真正意義，應是如此。我們如何才能化解所有的潛意識呢？這就是要作真正而又徹底的反省；如何才能作真正而又徹底的反省呢？這就是要作大學所說的格物、致知、誠意、正心、修身之一連串的工夫。宋明理學家的全部工夫，可以說全放在「誠意」二字上，如所謂「不愧屋漏」，「存誠慎獨」及「不走作」等等，全都在說明「誠意」這個工夫。王陽明傳習錄，有他與門弟子陸澄的一段問答，是說明如何獲得至善之中的方法，茲錄之於左：

澄於中字之義尚未明。曰：此須自心體會出，非言語所能喻，中只是天理。曰：何者為天理？曰：去得人欲，便是天理。曰：天理何以謂之中？曰：無所偏倚。曰：無所偏倚，是何等氣象？曰：如明鏡然，全體瑩澈，略無纖塵染著。曰：偏倚是有所染著。如著在好色好利好名等項上，方見得偏倚。若未發時，美色名利，皆未相著，何以便知其有偏倚？曰：雖未相著，然平日好色好利好名之心，原未嘗無；既未嘗無，則謂之有；既謂之有，則亦不可謂無偏倚。譬之病瘧之人，雖有時不發，而病根不曾除，則亦不得純謂之無病之人矣。須是平日好色好利好名等項一應私心，掃除蕩滌，無復纖毫留滯，而此心全體廓然，純是天理，方可謂之喜怒哀樂未發之中，方是天下之大本。

這段話說明了以下兩點：第一、真能誠意，便就是中；第二、中是一種氣象，也純是天理。照這個說法，以誠意作手段，是可以明得真理。可見中國哲學所謂之真理，不是從思辨得來，而是從誠意得來，亦即是從體認得來；至於像黑格爾那樣的抽離性的思辨工作，在宋明理學家看來，確全是戲論。

四、「中」之比較研究

我們已指陳了「中」是第一意義，「中」是絕對者，「中」是純乎天理，「中」是「續而不墜」者。茲爲進一步的以引伸其義而作進一步的說明，特略作比較的說明於次：

第一，「中」因爲是解脫了潛意識的束縛，使意識如全體瑩澈的明鏡一樣，不著一物，純是光明，所以我們說它就是純乎天理，就是王陽明所謂之良知。於是，我們也應是更進一步的體會了禪宗的「本來面目」究竟是什麼？這所謂之「中」，雖比黑格爾抽離事物所有屬性後之純有或純粹思想，其意義更爲深入，其體認更爲明確；但在理路上或邏輯上頗爲相似。這就是說，它們都是在陳述始源的「本來如是」，都是在陳述「第一意義」或「第一範疇」。

第二，「中」既是始源的「本來如是」，它就是自在自爲之存在，也就是沒有受到任何束縛的自由意志。自由意志實與純乎天理同意。在康德（Kant）的道德形上學裡，自由意志是「無待的令式」[34]，它自己就是目的，它當然是第一意義。因此，我們中國哲學所謂之「良

---

[34] 康德在「道德形上學基礎」（Fundamental Principle of the Metaphysic of ethic）中將令式分為有待的與無待的兩種。

知」或「天理」等等，皆是第一意義的。

第三，嘗讀叔本華（A. Schopenhauer）「意志與表象的世界」（Die Welt als Wille und Vorstellung）一書，深覺叔本華所謂之意志，與王陽明所謂之良知頗爲相近；不過，此無善無惡之良知，是「純亦不已」的自覺活動，亦即宋儒所謂流行之天理，絕不是不自覺的盲目衝動。叔本華對他所謂之意志，曾有於下之說明：

> 意志是物自體，是內在內容，是世界的本質。生命、可見的世界、現象，只是意志的反映。所以，生命因意志而起，如影隨形一樣的與意志分不開；如果意志存在，生命、世界便也存在。㉟

照叔本華這所說的，其對錯可姑置勿論；但可以使我們理解到，意志或良知確是第一意義的。

第四，笛卡爾（Descartes）「我思故我在」之說，這是大家所熟知的，西班牙哲學家奧德嘉・賈塞特（Ortea Y. Gasset 1883-1955）對此曾有於下之說明：

> 在西方哲學史上，笛卡爾以後，才發現意識、主體性、我。我們知道，這種發現使我

㉟ 劉大悲譯：「意志與表象的世界」，新潮文庫版，頁二四二。

們了解，在宇宙間無數存在事物之間，有一種東西，它的存在方式，和其他存在物完全不同：這東西就是思想。㊱

又說：

我們可以說，思想有一種特權，就是能使自己存在，能成為本身所面對的事實；……思想和存在是一個東西。思想的實在，除了我自覺我在思想這一事實以外，別無所有。存在就是這個自覺。認知中的基本事實即是：認知就是認知本身，不是別的東西。（同註卅六）

在西方哲學史上，是否如賈塞特所說，直到笛卡爾才發現思想之主體性，此可不論；惟照賈塞特所說，思想存在是有關實在的第一個真理。思想存在何以是第一個真理？因爲思想與存在是一個東西，它是存在的本性或第一屬性。這與黑格爾所謂之「有」頗爲相同；因爲認知就是認知本身，認知就是以自己作自己的屬性，認知除了它自己以外，別無所有。這就是說，這個「有」就是認知它自己。這固然可以說是第一意義的；但是，以爲「有」就是認知，這是我們不贊成的。因此，笛卡爾所謂之思想，與我們中國哲學所謂之道心、中、或良

㊱ 劉大悲譯：「哲學與生活」（what is philosophy?）新潮文庫版，頁一九九。

知等等，其意義仍有不同；因爲中國哲學所謂之「中」，如果指的是「道心」，則它本身就是真理，就是純正的思想；因爲它是一種純正的思想，它就是至善的。說「中」是至善的，此語並無毛病。所有的宋明理學及我國所有正統的學術思想，全都在說明這一真理；而且宋明理學家及禪宗的祖師們，其畢生的修爲，皆在於體認「中」何以是至善的這一真理。我之此說，不是在說明理學與禪宗無異；而只是說，禪宗亦認爲「中」是至善的。「中」既是至善的，則與笛卡爾所謂之思想，其意義自有不同。

五、「中」一元論的哲學

我們之所以說：「中」一元論，因爲本於「精一之訓」，「體用顯微，只是一機；心意知物，只是一事。」（見註廿二）而仁義禮智，或心與理，中與道心等等，皆「其實一也」（見註廿四）。這個「一」是「放之則彌六合，卷之則退藏於密」。中庸朱熹章句一開始就說：

> 其書始言一理，中散為萬事，末復合為一理。放之則彌六合，卷之則退藏於密，其味無窮，皆實學也。

此所謂密，是指密而不疏，密不通風，而絕不是神祕。此所謂密，是對愚昧者說的。即：對愚昧者言，這是密；對智慧者言，是毫無私密。六祖壇經行由品第一有曰：

> 惠明言下大悟。復問云：上來密語密意外，還更有密意否？惠能云：與汝說者，即非密也。汝若返照，密在汝邊。明曰：惠明雖在黃梅，實未省自己面目，今蒙指示，如人飲水，冷暖自知。……

由此可見所謂密者，好像一個喝過君山茶的人，對沒有喝過君山茶的人來說，君山茶的味道，是一個天大的秘密；但是，這絕對不是一種神秘。同時，這所謂密，它就是一。因爲所謂「退藏於密」，其義即爲退藏於「一理」。凡自外於「一理」者，他當然不知什麼是「一理」。對自外於「一理」者言，「一理」當然就是密。至於這「一理」是什麼呢？它就是「中」。因爲「中」既就是純乎天理，「中」當然就是這唯一之理。再者，宋明理學所謂之理；若只就人常日用而言，亦可簡稱爲內聖外王之理。這內聖外王之理是一貫的。本章第一節研究蔣總統哲學時所陳述的「性命之學和經世之學的均衡和統一」，這便是證明了內聖外王之理確是一貫的。又朱晦翁西銘註云：

> 西銘之作，意蓋如此。程子以為明理一而分殊，可謂一言以蔽之矣。蓋以乾為父，以坤為母，有生之類，無物不然，此所謂理一也。而人物之生，血脈之屬各親其親，各子其子，則其分亦安得而不殊哉。

此說固不無可議之處。但「一統而萬殊」，「萬殊而一貫」之義，實爲真理。同時，就

「中」是人心之本體而言，它就是「未發」；所謂「未發」，實與「無」同義。我們之所以說它似乎是黑格爾所說的「純有」，即是就「未發」而言；它若已發而不失其正，則是「從容中道」。中庸所謂之「喜怒哀樂之未發，謂之中；發而皆中節，謂之和。」這可以說，「中」就是清淨純正而未發生污染，和就是「從容中道」。不過，所謂已發仍只是它自己的已發，並非外於它自己而另外生出一個已發；所以未發與已發，「其實一也」，實「只是一事」。「理一而分殊」之說，從這個解析來加以體會，應是比較易於體認親切。

照晦翁西銘之註看來，他似乎在講「理一元論」。中國哲學中雖有「理一元論」這個觀念，但已往的中國哲學家皆不講「理一元論」或「氣一元論」；因爲這二者皆有所偏。因此，我們講「中」一元論，是既可以發皇「理一元論」之深義，而又可以救其偏。

「中」一元論，乃以「中」是第一意義，「中」是絕對者，「中」是純乎天理，爲其主要的內涵；以「其實一也」，「只是一事」，或「理一而分殊」，「一統而萬殊」與「萬殊而一貫」，爲其理論的依據；以未發與已發，或性命之學與經世之學的和諧統一，爲其體認的張本。這張本、這依據、這內涵，這是說明了「中」一元論是什麼？也是既深入而又極其明白易曉的說明了「惟精惟一，允執厥中」之道心或道統是什麼？這個道心我們應該如何來體認它呢？

第一、它雖是未發，卻是感情的起點。人之喜怒哀樂的情緒是從這未發而已發的。因爲它是未發，它是超倫理的；它「發而皆中節」，在人常日用之間，表現爲合乎倫理的行爲，所以成爲倫理的根本。從倫理哲學來說，這是一種很好的倫理哲學。

第二、它必是在摒絕一切意識，解除一切潛意束縛的這個當下，才真的顯露出來。這顯露出來的才是真的未發。未發確是「無」，因爲它無意識，而且無潛意識；但，它必是「有」，此可以說即黑格爾所謂之「純有」。這個「純有」，即是意識本身或思想本身。這是人人所共有的，所以它是真正的「共通意識」。這個「共通意識」，可以說是思想的起點。這個理論，可以說是一種很好的認識哲學。

第三、它因爲是思想的起點，所以它是自在自爲之存在，它當然沒有受到任何干擾；因此，它是真正的免除了先入之見。這就是說，祇有是思想的起點時，思想才真不會有偏見。史懷哲（A. Schweitzer. 1875-1965）說：

> 思想由於免除先入之見而給予生存意志力量。[37]

這意義也可以如此的加以解說，即：當思想免除了先入之見時，生命意志便表現出力量。史懷哲曾說：

> 當生存意志徹底了解自己以後，便知道唯一能依靠的是自己。（同註卅七，頁九九）
>
> 生存意志之火並非只在事實供給適當燃料時才燃燒；當他被逼得必須依靠自己維持生

---

[37] 鄭泰安譯「文明的哲學」（Philosophy of civilization）頁九六，新潮文庫八九，民國六五年版。

命時，它便燃燒起來而發出最純的光。（同註卅七，頁一〇〇）

生命意志須依靠自己維持生命時，那必是免除了先入之見；因此，思想若能免除先入之見，則此心必至公至誠，而生命意志必發出最純的光。這不只是思辨的，而是可以親身體驗的。我們曾說叔本華所謂之意志，與王陽明之良知頗爲相近；此所謂生命意志，則頗似流行之天理，或在實踐中的良知；因爲在天理流行中或良知實踐中，我們可以看到生命意志。這個說法，可以說是一種很好的生命哲學或文明的哲學。因爲當人們免除了先入之見時，他可以不需隱藏或否定人之衝動。當人類不需習得隱藏並否定人之衝動時，這才是真正的文明，也才是人之生命的光輝四溢。

第四、「中」或「道心」當然就是存在（being）。存在主義所體驗到的存有是空無與萬有之間的焦慮；而「中」則是體驗了空無與萬有之間的和諧。這個和諧就是源頭活水，亦即永恆的新。存有的體驗是各式各樣的。「中」這個體驗是最恰當的。保羅·田立克（Paul Tillich，1886-1965）說：

這新存有是什麼？保羅首先答道，它並不是什麼。既非割禮，亦非不受割禮，他說著。對於保羅，以及他的書信的好些讀者而言，這倒意味著某一樣十分明確的東西。它意思是說，既非作為猶太人，也非作為異教徒是根本要緊的；唯有一樣東西才可被算進，

即是說，與祂聯合著，這新實在者（the New Reality）即現存在祂裡頭。㊳

「中」並不是什麼？孔子所謂之「無可無不可」（論語微子），孔子之所以成爲「聖之時」（孟子萬章下），即因爲他把握了這個「它並不是什麼」而又「與它相聯合著」的「中」。它就是新存有。它是和諧而不是焦慮。大學講「維新」，是「無所不用其極」。這是要日新又新的從自我反省而獲得「中」，並不是要「無所不用其極」的否定或重新肯定什麼。這只是與「中」相聯合著；因爲這新實在或新存有是現存於「中」裡。這當然是一種非常健康的存在主義；也是一種最正確的「維新」哲學或革命的哲學。

我們本於以上之體認，當知「中」一元論是可以從倫理學、認識論、生命哲學或文明的哲學，存在主義或革命哲學等各方面而加以體認，其意義極爲廣大，其主旨極爲深遠。「中」一元論的哲學，它不只是比笛卡爾的「我思」，黑格爾的「純有」爲圓滿而正確，在西方的形上學來說，它應屬於一種新形上學，在下一節中我們將作較爲詳盡的比較說明。

第五節　「中」一元論與西方形上學

一、「中」是哲學之根本

㊳ Paul Tillich: the New Beng 第二章。

我們說「中」一元論是屬於一種新形上學，這即是說道統是一種新形上學。道統之所以是一種形上學，乃因為我們所謂之道統與「中」一元論是同義語。這就是說，道統就是一種「中」一元論。道統何以是「中」一元論，以上各節之陳述，已解說得很明白，應已毫無疑義。現須作進一步說明的，即：「中」是哲學的根本。「中」何以是哲學的根本？這道理很明白：因為笛卡爾所謂之「我思」與黑格爾所謂之「純有」既都可以作為最後原因而作為哲學的根本，這個較「我思」、「純有」為圓滿而正確之「中」當然也就是哲學的根本。很顯然的，由「中」所建立的哲學，至少是與由「我思」或「純有」所建立的哲學，無分軒輊。

一般說來，哲學應該是沒有好壞之分的;不過，假如某種自稱為哲學而沒有本根的學說，它若不是戲論，亦必是一種壞的或假的哲學。唯物論者強調存在決定思維，即唯物論的哲學是以物質的存在當作其哲學之根本。哲學是不能沒有本根的，因為「直搗實在界整體之最後原因」，或者，催迫人對實在界去尋求一種方法上確切無疑，敘述有系統而思想透徹的知識，是任何已成熟的人，所不可或免的。就一個已成熟的人，必須追求「最後原因」來說，這便是哲學不會消滅的原因。「中」之研究與體認，是可以滿足人之此種需求的。自乾嘉以來，我國學術界以考據訓詁為重，對於以「中」為主腦之研究，已幾至無人問津。

二、「中」是存在之本性

讀者一定會認為哲學確應該有其本根。但是，也一定會問，以「中」作為心之根本，這是不錯的；至於劉康公所謂「民受天地之中以生」，即以「中」為生命之所本，卻不見得真有意義。我們認爲「中」確是生命之所本，因爲它是存在的本性。現擬對此點作必要之討論與說明。

朱熹四書集註對中庸二字之注釋是：「中者，不偏不倚，無過不及之名；庸，平常也。」又曰「子程子曰：不偏之謂中，不易之謂庸。中者，天下之正道，庸者，天下之定理。」這解釋並不錯，問題在於：如說不偏不易就是天下之正道與定理，這是大有問題的。我們可以說，天下之正道與定理是不偏不倚的，但不能倒過來說；若倒過來說，則便是以偏概全。正道與定理非不偏不倚所能完全概括；因爲正道與定理，尚包含有其他之意義。因此，我們只能說中庸是天下之正道與定理，而不能說不偏不倚就是中庸。這就是說，不偏不倚不足以盡中庸之意義。中庸二字，在無知者看來，它是中間路線、妥協主義之別名；在世俗的觀點看來，它就是「執其兩端，用其中於民」㊴。前文所談到的「忠經」、「中論」、「中說」三書的觀點，也可以說全是從做人處事之世俗的觀點來說的。我們認爲，以不偏不倚而釋中庸，似乎祇是從世俗的觀點來說的。我覺得辜鴻銘很不錯，他將中庸翻譯爲：the conduct of life，可見他並沒有從世俗的觀點來看「中庸」。

我們認爲，程朱對「中」這一概念的解釋，是多少存有世俗的觀點。例如中庸曰：「知仁勇三者，天下之達德也，所以行之者一也。」朱晦翁對此所謂「一」解釋爲誠。這解釋當然可以；但是，爲什麼不直接的解釋爲「中」呢？這很可能就是爲了順應世俗的觀點。前文

㊴ 中庸第六章。

我們已論及，「中」與誠之意義是相同的。此理很明顯，祇要認爲「中」是心之本，「中」是一其心，則「中」必是誠。「中」不僅是誠；而且，它就是太極。薛敬軒曰：

誠者聖人之本，誠為太極。太極之有動靜，是天命之流行也，天命為太極。天下無性外之物，而性無不在，性為太極。一陰一陽之謂道，道為太極。聖人定之以中正仁義，而立靜立人極焉，仁義中正即太極。以主宰而言謂之帝，帝即太極；以妙用而言謂之神，神即太極；以理而言謂之天，天即太極。德無常師，主善為師；善無常主，協於克一，一為太極。喜怒哀樂未發謂之中，中為太極。心統性情，心為太極。惟皇上帝，降衷於下民，衷為太極。繼之者善也，善為太極。太極者，至大至極至精至妙，無以加尚，萬理之總名也。[40]

照薛氏此說，「中」就是太極。這是本於「其實一也」或「只是一事」之義而如此說。從「中」一元論的哲學來說；或者，就對於「中」有所體認者來說，這是不錯的；但是，這既解析不清，亦缺乏邏輯上的嚴謹。因此，所謂「中爲太極」，其義是說，「中」既是本體之本性，而太極又是「萬理之總名」，亦可說是本體或存在之別號，所以中是太極或存在之本性，它當然是「生命之所本」了。

---

[40] 張伯行輯：廣近思錄卷之一。

三、佛經所謂之「中」

我很奇怪，晦翁四書集註何以未能發揮上文所述「中」之深義。此姑不論，惟須說明者，程朱對於「中」這個概念之解釋，確不及佛氏之徒爲深入。前文曾說：「我們所謂之中，照佛家的看法，它是離有無二邊的。」佛經曾說：

> 但為引導眾生故，以假名說，離有無二邊，故名為中道。是法無性故，不得言有；亦無空故，不得言無。41

佛家以「中」爲無性無空，非無非有；因其「離有無二邊，故名爲中道」，這較之程朱釋「中」爲「無過與不及」是要較爲得之。因爲照薛敬軒所說，「中」就是太極。所謂「中」，本來祇是一個假名。從人之心或人之思想來說，它就是未發。未發乃非無非有。何以是「非無」呢？因爲未發與已發非二；何以是「非有」呢？因爲未發畢竟是「無」。這以「中」狀之，自然較爲妥切。但這祇能說明性命之學這一部份；不過，若依「其實一也」與「只是一事」之理而尙外推展出去，亦未嘗不能以「中」而說明哲學的宇宙論。佛家此所謂之「中」，實是從宇宙論而如是說。

---

41 龍樹菩薩造，青目菩薩釋，姚秦三藏法師鳩摩羅什譯：「中論」卷六，觀四諦品第二十四。

四、宇宙論或自然形上學

哲學的宇宙論，這就是自然哲學。凡研究「物之爲物」㊷者，或「追尋最高的原理和原因」（同註四二）者，這就是自然的形上學㊸。

一般說來，第一哲學（First Philosophy），神學（Theology），本體論（Ontology），及形上學（Metaphysics）等等，全都是形上學。亞理斯多德除稱「形上學」爲「第一哲學」外，亦曾稱爲上智之學；但亞氏未曾用過「形上學」這個名稱。形上學是「Metaphysics」的譯名。周易繫辭有「形而上者謂之道，形而下者謂之器」二語，大抵這就是中文形上學的根據。西文 Metaphysics 的原根字是希臘文，從 meta-physis 二詞相合而成，意謂：「自然物性（physis）以後（meta）」。但形上學本身卻應該具有「超物質」（beyond-physical）與「超經驗」（super-sensible）的意義。「自然物性以後」這個名詞，開始時只有「次序性價值」（sestematis value）。因爲這個名詞的首創者，是公元前一世紀左右的 Andronicus of Rhodes 氏，他在編輯亞氏全集時，把亞氏自己所命名的第一哲學或神學等著作，放在其「物理學」（physics）之後，因而把亞氏的「第一哲學」或「神學」改名爲 metaphysics，乃「後物理學」之謂，並無其他用意。但巧合的事，希臘文 metaphysics 的字義就是「超自然物性」、「超感覺」、「超經驗」或「超現象」，而亞氏在其「第一哲學」那部著作裡所研討的對象就是一些超物質、超經驗、超感覺或超現象之物，

㊷ 亞里斯多德著：「形上學」第一章。

㊸ 康德著：「道德形上學探本」，唐鉞重譯，臺灣商務版，頁三。

故Andronicus代亞氏所取的這個名稱確是恰到好處，可謂「名副其實」，也因此Metaphysics（形上學）這個名稱一直沿用迄今。

這個以研究「物之爲物，及其第一原因」（同註四二）爲任務；或以超物質、超經驗、超感覺或超現象之物爲研究對象的「形上學」；因爲它亦研究「物之爲物的本體」，所以它亦就是「本體論」。所謂「本體論」（Ontology），它是由兩個希臘字併合而成，即：是由ontos（實有的）與Logia（學術）併合而成；因此，形上學亦稱爲「實有之學」（science of Being）[44]，或稱之爲「爲存在而存在的科學」（the science of existence as existence）。

五、實有之學或有的科學

實有之學或「爲存在而存在的科學」，或稱「有的科學」，西方講實有之學的哲學家，在已往大致可以分爲兩派：一派就是前文所討論過的黑格爾哲學；一派就是自亞理斯多德以來的正統派。正統派雖然也認爲「有」的觀念是最空洞的，最貧乏的，最不確定的及其內涵是最窄的；但並不像黑格爾所說的，「有」的觀念與「無」的觀念相等。他們認爲「有」與「無」相等，這是不可思議的。至於「有」的觀念何以是最空洞的，茲特以一圖示之於左：

[44] Aristotle. Meta. BK. IV. 1003a18. "there is a Science which investigates being as being and the attributes which belong to it"。

內涵外延關係圖

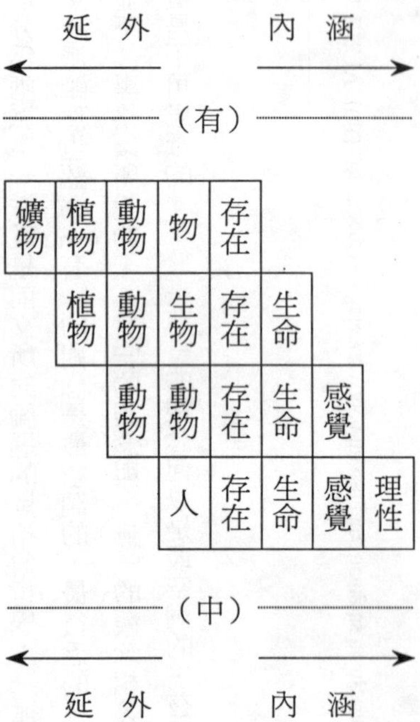

照上圖所示：人之內涵最豐富，而外延最小，至於物，則內涵最窄，而外延最大；因此，「有」之內涵當然更窄，也最空洞了。前文所討論過的黑格爾式的抽離，亦即是將某物之內涵完全加以抽離，以得到「純有」。按理，「純有」之外延應是最廣的。因此，「有」是最高的觀念，它不屬於任何類，它是更廣泛、最空洞的觀念，不能有一比「有」在內涵上更窄的，在外延方面則是更廣的觀念。又照上圖所示，則「中」是「有」之反對；因爲照上圖所示，「中」在外延方面什麼都不是，在內涵方面卻應是完備的，所以與「有」反對；而且，這個反對，也可以稱之爲「有」與「無」的反對。同時，「中」自身也因內涵與外延之相反，所以「中」自也是相反者之同一。

曾仰如在其編著之「形上學」一書中說：

我們不但不能給「有」下嚴格定義，且不能加以解釋，因為所謂解釋乃把不明顯之物加以明顯化，但「有」是最明顯的觀念，沒有比「有」更明顯的觀念，任何觀念都包括在「有」的觀念內，任何物都是「有」及必須先是「有」。

對「有」，我們既不能下嚴格定義，又不能加以適當解釋，吾人只能稍加描述（Descriptive definition）：凡有存在或能存在之物皆是「有」。易言之，任何不是「無」者即是「有」（whatever is not nothing）㊺

此所謂不能給「有」下嚴格定義，頗似禪宗所謂之「不可說」。禪宗不僅認爲不可說；而且認爲，若說即錯；所以他們主張不立語言文字。其實，禪宗的祖師們是最喜歡說的，他們曾留下了不少的語錄或「公案」。因爲，禪宗雖認爲不可說，卻特別重視「會」；所謂「會」，意即心領神會。這當然需要觀念的溝通或相互印可；於是便少不了語言文字，而造成了連篇累牘的公案。

「有」是什麼？是應該加以說明的；若說：任何不是「無」者即是「有」，這是不知有無同一之理，這不是從第一意義講的。在禪宗來說，這便是不會。因此，我們認爲黑格爾所謂之有是對的。不過，黑格爾從傳教士的手中，對中國哲學祇是有一知半解，他大概只讀過論語之類的翻譯本，所以他認爲孔子的學說只是講些道德的格言而已，並認定中國哲學是前

㊺ 曾仰如編著：「形上學」，臺灣商務版，頁八。

哲學的㊻。假如黑格爾能對宋明理學有深入之研究，並知道宋明理學有「其實一也」與「只是一事」之說，他當然不會作如此武斷之批評。

六、形上學與另具隻眼

程朱對中庸二字之解釋，雖似乎落入了第二義；但他們對中庸一書之理解，則頗爲正確。「中庸章句」開始便說：

此篇乃孔門傳授心法。子思恐其久而差也，故筆之於書，以授孟子。其書始言一理……皆實學也。善讀者，玩索而有得焉，則終身用之，有不能盡者矣。

我們讀中國哲學，是要玩索而得的。中國哲學，皆爲實學，決非玩弄概念而作文字遊戲。至於這「始言一理」之理，我們在上一節已有所討論，它就是喜怒哀樂未發而爲「天下之大本」的「中」。「中」在人而言，是此心之本體；在自然界而言，則是物之爲物之本體的本性。爲什麼呢？就「中」之本身言，它就是真誠與至公；因此，它的內涵除真誠與至公外就是無；至於它的外延呢？它什麼也不是，若說只是真與誠，這亦未爲不可。於是，我們當可

㊻ 黑格爾一八一六年在海得堡所講「哲學史講演錄」。及其所著「歷史哲學」，皆對於中國哲學有不適當之批評。

以說，「中」之外延與內涵是相等的（請參閱上文內涵外延關係圖）。外延與內涵相等這個觀念，西方哲學家聽來很不習慣；然而就前文所論述者而細加體認，則知這是無可置疑的。黑格爾說，「有與無是同一的，就表象和悟性看起來，這個命題好像是有了錯誤。」㊼黑格爾的這個命題是沒有錯誤的；因爲這是可以玩索而得的。我們認爲，「就表象和悟性看起來」，這不是第一意義看起來。真正的形上學，它必是第一意義的；它是經過玩索而「另具隻眼」的。這就是說，它是用第三隻眼，亦即智慧之眼看的。黑格爾是「另具隻眼」的。這個用「另具隻眼」看起來的東西，通常的兩隻眼睛是看不到的。這就是說，有與無之同一，不是通常的兩隻眼所能看到的。通常所看到的：「有」雖然可以過渡到「無」；但，這只是歷史觀。因爲從表象看起來，「有」與「無」的本身是絕對的對立，而其每一方，都沒有與其他的一方發生關聯的。馬克思將「另具隻眼」看見的東西誤以爲是通常看見的東西，而講唯物辯證法，那只是謊話，因爲就表象和悟性看起來，「有」和「無」絕對不是同一的。現象界有既是「有」而又是「無」的東西嗎？

「有」與「無」之同一，或內涵與外延相等，它才是「超自然物性」、「超感覺」、「超經驗」、或「超現象」的。西方哲學家將它名之爲「有」（being），我們中國哲學則將它名之爲「中」或太極等等。「中」或「有」都是假名，用西方哲學的述語來說，這都是概念。將它當作概念，故注重抽象；將它當作假名，故注重體認。因此，中國哲學重體會，西方哲

㊼ 黑格爾：「小邏輯」第八十八。王述先譯「黑格爾論理學」帕米爾書店出版，頁五。

學重思考。中國哲學的思考只是手段，而西方哲學則以思考當作哲學本身，此所以東西哲學有不同。於是，在形上學方面，西方哲學建立了龐大而嚴密的系統，中國哲學則只是留下片斷的體會的心得。我們讀中國哲學，若是會者，亦只有會心的微笑而已。這會心的微笑，若是真的直探本原，這就是古人所謂之「悟道」或「證道」。

東西哲學家儘管有方法上的不同；但他們所討論的與期望解決的問題則相同；而且，他們的造詣也是各有千秋的。有些人說，哲學是沒有一定之標準的，哲學常常只是名詞之爭。這完全是門外人語。哲學是有相同之境界的。哲學上的爭論，是境界上造詣不相同之人的爭論。此所謂不相同，有時是層次上的不相同，有時則是角度上的不相同，有時則兩者兼而有之；但是，造詣到了相當的境界，他們並無爭論，而只有以心印心之認可。千載之下，我們讀中外哲人之偉大著作，若真能心知其意，則頗像好友對話於一室之中。哲學並不是沒有一定之標準。

西方哲學或黑格爾哲學所謂之「有」，即我們所謂之「中」；所以「中」，既是心之本體，亦是物之爲物之本體的本性。就其是心之本體言，那是說，心見到了它自己的本來面目，它是能所不分的；就其是物之爲物之本體的本性而言，那是說，一切物之「本來如是」，應是內涵與外延相等的；也就是說，物之爲物，應是由無特性而有特性，由無內容而有內容，由無形式而有形式。它們是如何由無而有的，容後當再加論述。在這裡，我們只是從第一意義的或從始源的而說明這「本來如是」是什麼?黑格爾說：

有和無的真理是這兩者的統一。這兩者的統一叫作成。（同註四七）

又說：

現在再舉一個更顯明的例子，就是始源也是「有」「無」的統一。事象在其始源中，還沒有存在，這才能叫作始源，所以說始源是無。但是始源並不完全是事象的無，在始源當中又開始了事象的有。始源自身也是變成。（註同上）

黑格爾是以「有」、「無」、與「變成」這三個概念而說明物之所以爲物，他認爲「有」「無」統一後的成果就是「定有」（Determinate），定有就是質。黑格爾哲學並不完全對；但他對於由形上過渡到形下之體認與理解則是大致不錯，他確是另具隻眼的。

七、存在主義的形上學

我們仍須略作說明者，即前文將西方哲學分爲正統派與黑格爾派，是否正確，我認爲這不是太嚴重的問題；因爲我們之所以如此分類，旨在說明：一派是認爲有無不能同一；一派則認爲有無是同一的；而且，這兩種觀點確有種類上的不同。現在另有一種觀點，似不能歸入以上之任何一類。這種觀點是這樣的，即葛慕蘭在其大著「形上學」中所說的一段話：

存在主義者則主張所謂以「現象學方法」（phenomenological method），來描寫與分析顯現的實有。

由於除非詳細而準確的描寫經驗與件，我們無法十分正確的限定問題並提供具有價值的解決，故它不失為較適宜的方法。

可是，存在主義者拒絕此外也應用理性的方法，亦即觀念的知識與推理。

結果，哲學變了質，竟成為一種「自傳」——對自己內心體驗的描述而已。因為形上學是以抽象與普遍觀念來表達事物原因的學術，若按照存在主義的主張，形上學便無法成立了。例如哲學史上所載的存在主義哲學家們，尤其海德格（M. Hidegger），曾計劃研究『實有』而建立形上學，但皆遭受到失敗，這是緣由忽略理性的方法所致。㊽

葛教授在其大著中又說：「沙特（J.P. Sartre）輕視事物本身的實有，只著重人的『存在』，但人的存在僅是『純粹意識與絕對自由』，其實在性似乎太稀薄。」（同註四八）葛教授對存在主義的評論，是轉述他人的觀點，其對錯不擬加以討論；而且，對於存在主義，我亦不敢說有真正的研究。現在我們須作說明的，即：所謂「對自己內心體驗的描述」。凡其內心體驗的工夫達到了某種境界，則其所描述的即爲其所得的哲學境界。這就是說，若其內心體驗的工夫達到了第一意義的境界，也便認識了第一意義而能描述出第一意義。黑格爾所謂之「純

㊽ 葛慕蘭著「形上學」。先知出版社，頁六。

有」，不是用理性的方法所能達到的，他必須是得自體驗。前文我們曾以圖而表示外延與內涵之關係。照著這個圖，當我們由人而動物，而生物，而物的一步一步的往上推，當推到物這個概念時，再由物而推出「有」這個概念，是必須有觀念上之一躍。假如用黑格爾式之抽離法，當將所有的屬性抽離了而得到「有」時，也必須有觀念上之一躍。這所謂一躍，即是從現象界而超越到本體界。康德曾說：「範疇的使用決不能越過經驗範圍內的對象以外」㊾。這就是說，超越現象界而進入本體界後，是不能用範疇來陳述或思考的。因此，「純有」或「有」不能當作範疇，亦不能爲之下嚴格的定義。再者，這所謂一躍，是「山窮水盡疑無路，柳暗花明又一村」的躍到了新境界。這個境界，才真是形上學的境界，自不妨以抽象與普遍觀念來加以表達；但是，其所表達的必是屬於本體的，亦即所謂「事物原因」或「本來如是」的。

海德格與沙特是否有此一躍，我不知道，我只是說，循海德格與沙特的路數，並非不能達到物之爲物的本體界，這是非常明白的；而且，「應用理性的方法」若不經過我們所謂之「一躍」，是不能達到本體界的。康德說：

> 爲了把本體的名辭應用到物自體上，不當作現象論。然而悟性這樣做，同時也限制了它自己，承認它是不能藉賴任何範疇認知那些本體，因此不得不單以「無可知」的名義來設想它們。（同註四九）

㊾ 康德：「純理性批判」第一卷「超越的分析」第二篇第三章。

這是非常明白的說明了悟性或理性是不能達到本體界的。康德此所謂「無可知」，亦就是說不能以悟性或理性測知。康德說：「我們必須設定一種與感性直觀不同的特殊直觀，而其對象才真是積極意義上的本體。不過，這樣的一種特殊直觀（睿智的直觀），不是我們認識機能中所得有。」（同註四九）這很可以幫助我們說明必須「一躍」的理由。所謂「一躍」，即是超越感性直觀到達睿智直觀的途徑，祇要有此一躍，便能證知睿智體之存在。宋明理學家及禪宗的祖師們，他們大都有此體驗。至於存在主義者，他們雖有內心的體驗；但他們沒有經過一躍，則是很明白的。

八、純正而圓滿的形上學

我們所謂之「中」，是經過一躍後之體驗所得；若將這個所得之能與所，分開來體味，則生命之所本，或物之爲物之本體的本性便顯露出來；於是，薛敬軒所謂之誠、天命、性、道、中正仁義、上帝、神、善、一、中、心等等都是太極之說，若解作都是太極之本性，則是很正確的；因爲這些都是「其實一也」或「只是一事」而已。這不只是更進一步的說明了「中」一元論的哲學，也是極其明確的說明了「中」一元論這個形上學，較之西方古代的或現代的任何一個形上學，都可以顯示出，它是一種圓滿的新的形上學。

現在我們應該明白了，我們所謂之「中」，它既是睿智的直觀（能），也就是睿智體（所）。睿智體之客觀化，它就是物之爲物之本體的本性。例如上文所列之「內涵外延關係圖」。我們姑說這圖下面之「中」是心之本體，是「能」；這圖上面之「有」是物之本體的本性，是

「所」；那麼，有無同一，即是能所不分。將這有無同一者，或能所不分者客觀化，它當然就是物之為物的本體。當我們稱它為「中」時，我們要體會到，它就是本體之本性。因此，以「允執厥中」為基礎的中華道統或中國哲學的傳統與正統，它是一種極為純正而圓滿的形上學。這個形上學，我們稱它為「中」一元論；至於它與西方形上學之同異，以上應已說得非常明白。

第六節　形上學有關的幾個範疇

一、「中」一元論與形上學範疇

我們已說明了：道統是一種「中」一元論的哲學；而且是一種純正的新的形上學。因為它不僅以自己的本質作為自己的內容；而且，它「所表示的一切，有最後而圓滿的理解」。它是堅實而無可辯駁的。它所表示的，「有一些不可更易的東西」。它是「拒絕進步這個觀念」的㊿。這就是說，它是「百世以俟聖人而不惑」的。同時，它不僅是「一種方法上確切無疑，……而思想透闢的知識」；而且「是一種具體的生活方式」，「是一種安身立命的學

㊿ 在形上學的領域裡，是「拒絕進步這個觀念」的，例如：有、中、仁、及所謂太極等等，都是「本來如是」的，自無所謂進步不進步。至於由形上過渡到形下，從黑格爾哲學來說，這是變或變成。在我們中國哲學來說，這是由微而著，由隱而顯。此種現象自可視為進步；但所謂進步應是屬於現象界的。

問」。在「緒論」中，我們曾就哲學是什麼，作了較爲透徹的討論，它是與「緒論」中所謂之哲學大致相同的。先秦時代以來，它雖然沒有發展爲嚴密的體系；但詩書易禮春秋之書俱在，宋明諸理學家之語錄及著作亦俱在，誠體大而思精。它似不宜以系統範圍之。我們可以很肯定的說，「本來如是」者，雖可以建構成各種嚴密的體系；但「本來如是」之本身，則決不能以系統範圍之，則是非常明白的。

現在須再加說明的，即形上學有關的某些範疇，對於我們討論以道統爲基礎，亦即以「中」一元論爲基礎之中山先生思想，它是頗有關聯的，實有逐一加以討論之必要。第一、我們應加討論的，就是性質範疇或有與無的範疇，亦即最後原因或第一意義的問題。我們認爲，「有」與「無」是同一的。不過，這是僅限於本體界的。這在前面已有較爲詳明之解釋。這就是說，在本體界，它既無矛盾，亦無差異，更無因果；它就是中，亦只是一。若在現象界，有雖可以變成無；但「有」「無」絕對不能同一。

二、第一原理的有關問題

第二、我們應加討論的，即所謂第一原理的問題，亦即自明原理或最高原理的問題。有些哲學家認爲，根本沒有所謂自明原理或分析命題的存在。照我們所已討論過的來說，在本體界是沒有所謂分析命題的；因爲在本體界是不會有：「凡三角形都有三個角」這一類的命題；而且，在本體界的第一原理，它應該就是最後原因，亦即應該是：「有與無是同一的」。但在現象界，若肯定主詞而否定述詞，則似乎有點神經錯亂。假如有人說：「凡三角形都沒有三個角」，你能說他不是神經病嗎？因此，從現象界來說，有些自明原理，如思想三律等，它就是第一原理，此等適用於現象界的第一原理，是與本體界的第一原理不盡相同的。

一般而言，大多數西方哲學家，都贊成有四個第一原理存在，即：矛盾律（Principle of Contradiction），同一律（Principle of identity），排中律（Principle of excluded middle），因果律（Principle of Sufficient reason）[51]。所謂「矛盾律」，亞里斯多德曾作於下之解說：

> 萬理之中，極堅確的最高原理，是知者自明，不會錯誤的。它必定是極易懂曉的：極可知的。凡是人犯錯誤時，常是對於自己不知的事物，犯錯誤。對於自己極明白的原理，不會犯錯誤。這樣的原理，不是假設。它是人研究萬物時，必須知道的，故此它不會是一個尚待證明的假設。任何人，為能認識任何事物，必須認識它；並且以認識它為少之不得的先備因素。顯然，這樣的原理，是一切原理中，最為堅確的原理。這樣的原理是那一條呢？請聽我把它聲明在下面：
>
> 同一事物，依同一本體，同時又在於，又不在於同一主體，是不可能的。（加上為對付辯論時能遇的種種困難，所應加的一切注意點），這條原理，便是所有一切原理中，最堅確的那一條。[52]

---

[51] 羅光著，「形上學」，一九六二年香港版，頁一五一。

[52] 亞理斯多德：「形上學」，呂穆迪譯，臺灣商務版，頁二四。

在現象界：「有不能是非有」（It is impossible for a thing to be and not to be at the same time），或「一物不能是同時又不是該物」（A thing Cannot be and not be same thing at the same time），或「是不能是不是」（being is not non-being）等等，都是非常正確的。而且，我們對於「同時」一詞，尤應特別注意；因爲所謂「同時」，不僅指時間而已，其真正含義應是：「從同一觀點」（from the same Point），在「同時及同一地方」（at the same time and in the same circumstance），「在同一條件下」（Under the same condition）及「在同一情況下」（in the same respect），否則此定律就缺乏絕對有效性，就不是完全正確的了。亞里斯多德又說：

> 有些人說，哲人赫拉克利圖斯，曾相信，同一物，同時是如此如此，又不是如此如此。但同一主詞，同時有，又沒有同一賓詞，是自相矛盾的，是不可能的。即使有人口說那是可能的，心智中也不能真信那是可能的。互相衝突的事物，不能同時並存於同一主體，加上習慣應加的注意點，這是一個確定而無疑的前提。矛盾的信念，是互相衝突；故此顯然，不能同時並存於同一人的心智內。足證無任何人能真信，同一論句的肯定和否定；心中想著同一主詞和賓詞，說某物是如此，同時又說不是如此；這是不可能的。因為，針對同一主體，抱持互相衝突的意見，正是犯了錯誤；違反了那個極堅確的原理。（同註五二）

赫拉克利圖斯之說，祇著重在「一切皆流動」（all things are flowing），這是不錯的；若因此而主張：「同一物，同時是如此，又不是如此如此。」這確是聰明人的糊塗。因爲，比如河流中的水，「新的水老是向著你流的」，後一刹那所見者，確已不是前一刹那的水；但是，前一刹那的水，應仍是前一刹那的水，祇是已不爲我所見而已。即令前一刹那的水，已蒸發而成爲水蒸氣；然而前一刹那的水，仍是前一刹那的水，祇是此刻不存在而已。墨經說：「已然則嘗然」，在現象界，已是如此之物，它就是如此的，必須經過變化，它才會改變；而且，所謂改變，乃是走向未來時所發生的新變化，並非是改變已經過去者。人能改變已往的歷史嗎？人可以創造未來的歷史；但不能改變已成過去的往事。往事是祇能回味的。因此，「一切皆流動」之說，不足以作爲「是如此又不是如此」的依據。在現象界：互相衝突的事物，並非不能同時併存於同一主體。例如人之生理現象或社會現象等等，皆可以列舉很多的證明。亞理斯多德對於這一點是沒有看清楚的[53]；不過，「同一主詞和賓詞，說某物是如此，同時又說不是如此」，這確是不能成立的。而且，我們更應該理解到，在本體界，我們說：「有與無是同一的。」因爲在本體界，有與無都是如此的。這就是說，不落有無兩邊，固應叫作「中」；有無同一，亦應叫作「中」。也就是說，無論在本體界或現象界，「是如此又不是如此」之說，全都不能成立。這也是指明了唯物辯證法所謂之對立的統一。如解釋爲「是又

---

[53] 亞理斯多德說：「互相衝突的事物，不能同時並存於同一主體。」此話大有問題；因為，「國家」這個主體，即常有兩派衝突；而人之內心，亦常衝突矛盾。「抱持互相衝突的意見」，與「是如此而又不是如此」，應該是兩回事。這就是說，在現象界，互相衝突是難免的；至於「是又不是之說」，則是錯覺。

不是」，這確是絕對的謬誤。

三、思想三律與「中」一元論

茲再從同一律說起。所謂「同一律」，意即：「有是有」（Whatever is, is; or being is being）；「非有是非有」（Whatever is not, is not; or not-being is not-being）；或「A等於A」，「甲等於甲」。這就是說，同一律之基本意義是任何物不能與自身分開，不能與自己有任何區別，每一物「就是」及「必是」其自身。無論在本體界或在現象界都是絕對如是的。因爲本體必是本體（除非弄錯了，才會不是），至於現象界，例如我必是我，這是無可商酌的。有人認爲，同一律是最重要的定律，是其他定律的基礎。他們認爲，矛盾律實際上只是同一律的引伸，即矛盾律與同一律是同一個定律的兩面；也就是說，矛盾律只是同一律的否定形式，其意義及內容實際上與同一律沒有甚麼不同。當然，亦有許多人持反對意見，而認定矛盾律爲最重要。我們認爲，這兩個定律究竟是同一原理的兩面，或者是兩個完全不同性質的原理，並不太重要，問題是：這兩個定律，是我們作概念性思考時所不可或缺的。至於「排中律」，其基本意義是：「或是這個，或是那個，二者必居其一」。這就是說，一個東西只能是實有或虛無，二者必居其一，沒有成爲第三者的可能性。這正好與我們所謂之「中」相反。「中」是非有非無，亦絕非第三者。我們不認爲有第三者。從本體論來說，它是非有非無之一元，不是「中」與有無併立而成爲三元。從思想三律之研究，我們應是更進一步的認識了「中」一元論之真正的意義。

四、不落因果與不昧因果

第三、所謂「因果律」，照已往的看法，意即：「任何存在之物，必有其存在的理由或原因；缺乏足夠理由無物可以存在。」（Nothing is without a sufficient reason; everything must have a sufficient reason for its being and existence）[54]因果律亦是存在於現象界的。關於因果律，禪宗有一則具有深意的公案。據說：百丈禪師每上堂，有一老人隨眾聽法。一日眾退，唯老人不去。百丈禪師問：

「你是何人？」老人曰：

「某非人也。於過去迦葉佛時，曾住此山，因學人問大修行人，還落因果也無？某對云，不落因果，遂五百生墮野狐身，今請和尚代一轉語，貴脫野狐身。」百丈曰：

「你請問好了。」老人曰：

「大修行人，還落因果也無？」百丈曰：

「不昧因果。」老人於言下大悟，作禮曰：

「某已脫野狐身，住在山後，敢請依亡僧之例予以安葬。」[55]

該公案並記載於午餐後，百丈曾率領眾僧至山後巖下，尋出一隻死野狐，依法予以火葬。

---

[54] 曾仰如：「形上學」，臺灣商務版，頁四八，這是引用吳爾夫（De wulf）的話。

[55] 明、瞿汝稷：「指月錄」，卷八。

我們不必論究這則公案之真假，只須研究其有無意義。這是具有深意的。因爲從本體界來說，它既不落有無兩邊，自然不落因果；但是，這是指「不起一念」而言，若「一念」才起，則因果歷歷在目。這就是說，不落因果，是本體界事；不昧因果，是現象界之真知識。若落入現象界而仍執著於不落因果，當然要變成野狐禪了。再者，從物理學來說，所謂因果，其意義是這樣的：

> 如說「石頭打到窗戶而造成玻璃破碎的原因」。在這裡因果律被想成是物件之間的關係；即石頭和窗戶上玻璃的關係。科學家則以不同的方式來表示這件事情。他是以狀態來敘述：當石頭和玻璃分開時，即：時間 t_1 時石頭和玻璃的狀態；和當石頭和玻璃碰撞時，亦即：時間 t_2 時石頭和玻璃則為另一狀態了。於是，科學家的因果律，是在整個系統中物件在不同時間的不同狀態的關係。[56]

近代物理學也允許因果律有兩種不同的但都正確的意義，即：因果律可分爲較強的意義與較弱的意義兩種。諾斯教授對此曾有於下之解釋：

---

[56] Werner Heisenberg: Physics & Philosophy 諾斯落（F. S. C. Northrop）教授對此書曾有一簡明之介紹置於卷首。本文係引自該「簡介」。

必須注意的，這力學因果律的定律留下一個問題：什麼獨立變數被需要用來定出任何時間的系統狀態？所以，至少有兩種可能發生：(A)可能率的觀念可被用來定義系統的狀態；或(B)它可能不用可能率觀念。當(B)的情形時，沒有任何涉及可能率的變數出現在狀態函數內，於是，力學因果的較強形態出現。當(A)情形，及可能率和別的如位置和動量之獨立的變數，出現在狀態函數內和只有較弱形態的力學因果出現。……何謂宿命論？再次的，這個字的用法並沒有統一，依照一般普通常識的用法是指最強的可能的因果。那麼讓我們使用「宿命論」只是表示力學的因果律的較強形態。然後我相信小心的讀者將得到他的問題的答案：在牛頓、愛因斯坦和量子力學中，力學的(遠甚於目的論的)因果律成立。這就是為何量子物理叫作量子力學，而不叫作量子目的論的原因。但是，因為在牛頓的和愛因斯坦的物理中因果律是較強的形態而所以是宿命論的，在量子力學中它是較弱的因果形態而所以是力學的但非宿命的。從後面的事實所以我們要知道，假使此書的某部份海森堡使用「力學的因果律」表示它們的較強的、宿命的意義和提出問題：「力學因果律在量子力學成立嗎？」那麼答案必須是：「否」。(同註五六)

這應該是因果律最現代的，也是最精確的看法。惟所謂較弱的意義，即可能率的觀念恢復到科學的知識裡。這就是說：「上帝玩骰子。」也就是說，從可能率而言，例如骰子是六分之一，而不是百分之百的必然，它不是宿命論的。

五、潛能與現實之必要說明

第四、茲對於潛能與現實作必要之討論。多瑪斯（St. Thomas）曾說：

一、實有之界，有些物體，現時尚無生存將來能有生存。現無而能有，謂之潛能。既有而仍有，謂之現實。生存分兩種：一是實體生存；一是附性生存。實體生存，是本體自立的生存；附性的生存，是某物本體生存，附有的品性或情況。……

二、以上兩種生存，任何一種，都有潛能與現實之分。因之，物體也分兩種：一是現實物體；一是潛能物體。認清了這些分別，便可確定物質，原質和主體的定義。物質非他，凡是潛能的物體，都是物質，都可以叫作物質。對於本體生存，有潛能的物質，叫作「原質」。對於附性生存，有潛能的物質，叫作「主體」。物質是物體由以構成的質料。本體生存所必需的質料，就是原質，也叫作「元質」，「或第一物質」。主體也叫作「容體」，因為它是收容附性的實體。對於附性說，實體本身，空虛虧乏，而能容受，故稱容體。凡是物質，都有空虛虧乏而能容受的特性，因此都可以叫作「容體」，同時都有些主體的涵意。反過去說：凡是主體，也都有物質的涵意。……另一方面，實體的物質，領受實體生存，本身空虛虧乏，沒有生存；既有以後，現實所有生存，全仰給於實體的理性。物之性理全備，其實體始能因而形成。性理寄存於物質，授生存於物質，和附性寄存於主體，所發生的作用，全不相同。附性的生存，得自實體，依附實體，形容實體，作實體的附屬品，和點綴品。性理寄存於物質，不是依附物質，而是充實物質，成全物質，使原來空虛虧乏，沒有生存現實的物質得到生存的現實飽滿。……

三、性理是什麼？性理是物之本性實體，現實生存具有之理，是物質領受實體生存，必須有的憑藉。性理的效能是授與生存，充實物質的空虛，成全物體，實現它生存的潛能。……57

我們之所以不惜篇幅抄錄以上三段，因爲對於「潛能與現實」，這是說得非常清楚明白，而且這也是經典之作。照這個說法，性理與物質是兩回事，而潛能與現實則是物質之潛能與現實而已。許多人以爲宋明理學講理與氣也是如此講的。其實不然。宋明理學，一方面講「體用一原，顯微無間」：這是說，形上與形下是一而非二。一方面則以太極爲形上，以陰陽爲形下；例如朱子說：「太極，形而上之道也；陰陽，形而下之器也……。」道與器則是兩回事；而且，我曾經發現了「本體界與現象界的矛盾」58。我們爲什麼要說到這些呢？因爲多瑪斯所講的潛能與現實，若是從現象界說的，這還算沒有什麼多大的錯誤；若以爲形而上之本體界，也是具有本性實體與物質實體，則與宋明理學全不相類。宋明理學是認爲，此形上之本體爲一，即通常所謂之太極，其本性即前文所謂之「中」。當此本體是未發，它祇是和

---

57 呂穆迪譯：漢譯世界名著叢書：「哲學基礎」聖多瑪斯著：「性體因素論」。臺灣商務版，頁四—五。

58 詳見拙著「心物合一論」第三章第六節。

「無」同一之「純有」。這就是說，本體是什麼都沒有，但亦不是「頑空」；故可視之爲「純有」或「無」，而名之爲「太極」，其本性於未發時謂之中，不是個光輝輝的物事。當此本體是已發，則有理與氣可說。此理可叫它作天理，此氣可叫它作天能。天能天理，可以表明宋明理學的真理；而天能天理是隱或微，似乎是潛存的；至於陰陽則便是現實的。照這樣說來，潛能與性理應是不可分的，而不是「性理進入物質」，「寄存於物體」。關於此點，俟下章中討論「心物合一論」的哲學時，再作較詳盡之說明。

六、各種範疇之簡略說明

第五、茲再就可能性與現實性，自由與必然，形式與內容，一與多等問題，亦即關於分量、形態、關係等各種範疇，略作簡要之說明。亞理斯多德談原因，釋迦講緣起，內容雖不完全相同，主要的都在爲現象之生成求得合理之解釋。中國哲學雖不否定原因，但不像亞理斯多德與釋迦講得那樣的很肯定，那樣的很「穿鑿」。中國人講的是「渾沌」。孟子曰：「所惡於智者，爲其鑿也。」（離婁下）易緯與莊子都有將「渾沌」鑿死的故事。因此，在中國哲學裡，頂多只講「太極生兩儀」或「無極而太極」。中國哲學不講因緣和合，不講內在因與外在因。中國哲學特注重體用之說。體或本體可以說就是可能。此所謂可能，乃指變通的可能。變通之跡即是現實或現象。周易繫辭上傳曰：「是故闔戶謂之坤，闢戶謂之乾，一闔一闢謂之變，往來不窮謂之通，見乃謂之象，形乃謂之器，制而用之謂之法，民咸用之謂之神。」在變通的過程中，若說它有宿命論的與可能率的這兩種可能，這是現代科學方法所許可的；

在中國哲學中雖沒有明白的表現這種觀念，但中國哲學講「唯變所適」，卻很顯然的注重「適」而不太注重規律。這就是說，可能性與現實性這兩個觀念，它是包含於變通之中的。通是指其可能性而言，變之跡即爲現實。可能是以通爲準，並非以不變之規律爲準，這是中國哲學之一大特色。至於，可能性如何轉化爲現實性那不是哲學的問題了。

我們認爲，在本體界，既是自由的，亦是必然的。即以心之本體言，它是無善無惡的。佛家講解脫，在實質上即是解除此心之束縛；也可以說，即是完全解除潛意識對意識之束縛，使意識能無拘無束的活動。心或意識之這種無拘無束的活動，當然是自由的，亦即沒有先入之偏見而無善無惡的；但是，這卻是至善的。就其是至善的來說，這就是必然的。再就宇宙的本體來說，它若是非有非無的，則必是自由的；因爲非有非無，可以說是真正的無限。真無限即是真自由。但是，它畢竟是一，一與必然應該是同義語。在本體界，自由與必然應是同一的。至於在現象界之自由與必然，那不是哲學的問題。

亞里斯多德將內在因分爲質料因與形式因。這可以說是內容與形式的問題。這相當於中國哲學的理與氣的問題。至於舊瓶裝新酒之說，不是真正的或有機的形式與內容的問題；而只是現象界的一種現象，這亦不屬於哲學的問題。

七、「中」一元論與併存二元論的哲學

最後談到一與多的問題。在本體界，它只是一；在現象界，它就是多。例如水與波浪：水是一，波浪是多。這二者不一亦不異。就其是不異而言，水即波浪，波浪即水。這就是說，

一即一切，一切即一。就其是不一而言，水畢竟是水，波浪畢竟是波浪，這二者是不可混爲一談的。這是以水喻本體，波浪喻現象，而闡明了體用一原之理，並藉以說明一與多是同一的。例如水與波浪即是同一的。若僅就體與用之本身言，體只是一，用則是多，一與多是顯然不相同的。西方哲學家，多未能理解到這一點，所以自希臘以來，一與多，常爲爭論不休之問題。已往的西方哲學家，對於語言層次上的區別，似乎是不大注意的，尤其是常將本體界的與現象界的混爲一談。這也可能是：他們對於本體界，未能有真正的體認。康德那樣著名的哲學家，他仍是「望道而未之見」，因爲他只知道有睿智界。黑格爾則似是見到了本體，因爲他所謂之有無是同一的，這即是直指本體界而言的。羅素（Bertrand Russell）曾說：

> 我們可以看出，我的觀點既不是唯物主義的，也不是唯心主義的，而是施福爾博士（Dr. H. M. Sheffer）所提出的，我們名之為「中一元論」(neutral monism)。這個一元論，即因為世界之中只有一種太素，是所謂「事點」。但這也可以說是多元論，因為我承認有無數的事點，每個最小的事點都是一個自存的邏輯之實體(Logically Self-subsistent Entity)。[59]

---

[59] Russell：Outline of Philosophy 第二六章。頁二九三，一般人都將 neutral monism 譯為中立一元論，實為不妥；考 neutral 一詞，確有中立之義，但亦有無色、無性、中性等義，與中庸所謂之喜怒哀樂未發，其義相通，故宜譯為「中一元論」。

很顯然的，羅素是將本體界與現象界混爲一談了。假使羅素能經過我們在前文所指陳過的「一躍」，則其所見，不會如此夾雜不清。我們認爲，從現象界來說，確是多元的；不過，它可約化而且必須約化爲二元。這就是說，從本體界言，它是「中」一元論；從現象界言，它似可叫作「併存狀態」（Coexistent states）二元論，或簡稱「併存二元論」。茲引述海森堡的話以爲說明。他說：

> 由白克赫夫（Birkhoff），紐曼（Neumann）和最近的魏查克（Weizsacker）嘗試的結果，能夠敘述量子學的數學設計被解釋為古典邏輯的推廣和修改，特別是在古典邏輯中一個基本的定律極需修改。在古典邏輯假設：假使一敘述有任何意義的話則肯定敘述或否定敘述必有正確的，如這是桌子或這不是桌子，一定有一種敘述是正確的。二分法之意義為第三種不可能存在，我們也許不曉得肯定與否定何者為正確，但在事實上，兩者之間必有一個正確的。
>
> 在量子論中，這種二分法的邏輯定律是需要修正的，對於反對這基本原理修正的人，他當然立刻爭論說這原理是依日常的語言假設的，而我們至少在邏輯的最後修正必須用自然語言，我們若以自然語言來描述將會自相矛盾，因為邏輯綱目不能用到自然語言上，不過魏查克指出語言的各種層次是可以區別的。
>
> 第一是相關於實物如原子電子。第二是關於實物的敘述，第三是關於實物敘述之敘述等等，而在不同層次可以有不同的邏輯句型，當然最後無可置疑的我們又回到自然語

言和古典邏輯上，然而魏查克提議以相似的方法，將古典邏輯當做量子邏輯的前導，就如同古典物理當為量子物理的前導一樣，因此古典邏輯是被含在量子邏輯的限制下的一種情形，而後者構成更一般的邏輯句型。[60]

海森堡的這些話主要的是否定了「排中律」；同時也提出了語言之各種層次之區別。這兩點都有助於我們哲學的說明。雖然他所講的語言層次，不必就是我們所講的層次；但是，層次之應加區別，這已說得很明白。這就是說，在現象界是真的語句，在本體界就不一定是真的；猶如在古典物理學是真的語句，在量子力學便不真了。海森堡又說：

> 其他的問題是有關在修正邏輯句型下的本體論。假如一對複數代表一敘述，正如我們剛才所說的一樣，自然必存在一個「狀態」或「狀況」使這敘述為真，在這關係上我們將用「狀態」這個片語。對應於互補敘述的「狀態」被魏查克稱為併存狀態（Coexistent states），此項併存正確的描述位置，因此稱他們為「不同的狀態」事實上是困難的，因為每一狀態或多或少也包含其他「併存狀態」，因此，「狀態」這概念將成為量子論中本體論的第一定義。我們立刻可以瞭解到「狀態」這個詞語的使用，特別是「併存狀態」是如此不同於通常唯物質主義下的本體論，以致於懷疑我們是否正使用一種

---

[60] Werner Heisenberg: Physics & Philosophy-the revolution in modern science 第十章。

便利的術語。另一方面假使我們考慮「狀態」這個詞語為描述某種可能性而不是它的真實性——我們也許可以用「可能性」來代替「狀態」——如此則併存的可能性的概念完全令人心悅的，因為可能性可以內含或重疊其他的可能性。（同註六〇）

我們所謂之「併存狀態二元論」，是借用魏查克所說的。在量子力學裡，互補概念（Concept of complementarity）是很重要的，併存說可以說是由此導出的。因此，併存二元論，亦即互補二元論。我們無意模仿波爾（Bohr）的學說，祇是照傳統的太極生兩儀之說，必須得出本體的「中」一元論，現象的併存或互補二元論。我們的「中」一元論哲學，是道統之最正確的說明，用最新的物理學理論也更能說得通。

在此須特加說明的，這個「併存或互補二元論」，它是狀態的，不是辯證的。所謂辯證的，即是純思辯的；所謂狀態的，即是在「如果——則」的型式之下，由事實歸納而得，並始終依據客觀的狀態而檢證其真僞。這似乎是實證的；但是，這是形上學，與已往的經驗論或實證論都不相同；而且，這在西洋的系統哲學裡，是一項全新的觀念。

從一種哲學專著來說，以上所討論的，頗嫌簡略，難免有欠週全；但就本書之體系來說，卻已說得相當多了；而且，對於道統是什麼？它是不是哲學？以及它與形上學之同異何在？都已說得相當透徹了。這也是說，我們所謂之「中」一元論的哲學，乃一種純正而圓滿的形上學。這個形上學，就形而上言，它是一，是有與無之同一，是自由與必然之統一。就形而下言，亦即這形上之本體，呈現爲形下之現象時，它卻是併存狀態的二元；而這個併存的，亦是互補的。這是結合現代物理學對「自然物性」，亦即本體之本性，所作之最真實之描述，羅素（Bertrand Russell）名之爲「中一元論」。羅素的這個「中」與「永執厥中」之中，或喜怒哀樂未發之中，雖可能有層級上的不同，實無本質上的差異。這是從現代哲學的觀點，對道統作了極深之解析。本於這個解析，使我們更爲明白的認識了中山先生的「平人類之不平」的革命學，及其「以成救國救民之仁」之三民主義思想，確是淵源於中華道統而無疑。這個極高明而重「仁」之實踐的中華道統，實非淺識之徒所能明其究竟。淸儒淺陋，否定道統而毀之，實不足怪。

第四章　中山哲學思想與中華道統

茲再從中山哲學思想之各方面，以說明中山思想，確淵源於中華道統。

第一節　道統與中山民生哲學

一、「中」一元論與中山民生哲學

我國確有歷聖相傳之道統。這個道統，具見於詩書禮樂易春秋及論孟之書。這個道統，是以「人心惟危，道心惟微，惟精惟一，允執厥中」之十六字心傳爲主腦；以性命之學與經世之學的均衡和統一，「即合內外之道，爲學問的最高標準，也就是人類理性發展的最高境界。」❶就性命之學來說，它可分爲心性之學與宇宙本體之學兩部份，即「性與天道」兩部份。子貢曰：「夫子之文章，可得而聞也；夫子之言性與天道，不可得而聞也。」（論語公冶長）先秦儒者，以實踐力行爲務，對於「性與天道」，很少言講，故「不可得而聞」。這就是說，中國哲學，是一種實踐力行的哲學，而不是一種談論的哲學。這種哲學，由實踐可以

❶ 蔣主席經國先生著：「領袖、慈父、嚴師——父親九十誕辰紀念文。」

體認親切，由言說反而說不明白。但是，世衰道微，非言說不足以發明其底蘊；所以孔子晚年，刪詩書，訂禮樂，贊周易，修春秋，以宣傳先聖之道統，以發明歷史的真精神。宋明諸君子，亦是抱著這同樣之心情的。中山先生晚年，更發現了宣傳主義或道理之重要❷。我們爲了使道理明白化，對心性之學與宇宙本體之學加以言說，亦是很重要的。

在上一章中，我們就道統之關於心性之學與宇宙本體之學這兩方面，都作了必要之說明。從心性之學來說，這作爲人心本體之「中」，它就是仁，也就是「一」。中庸曰：「知仁勇三者，天下之達德也，所以行之者一也。」此所謂「一」，即是「中」。「中」是未發，仁是已發。仁是「中」稱其所有的發而爲人之達德。「中」就是最高原理，就是第一義諦。從宇宙本體之學來說，「中」就是不落有無兩邊。照常識的說法，或是有，或是無，二者必居其一。現在我們說：「中」既不是有，又不是無；而是「離有無二邊」，此誠不可思議。同樣的，照傳統物理學來說，或是波，或是粒，二者必居其一。現依量子力學，波粒都是正確的。依波粒併存之論，則黑格爾的有無同一之說，並非於理不通。「中」就是與無相同之「純有」，它可以說是「離有無兩邊」的。而且，我們也已明白的體認到：從形上之本體來說，本體就是一，也就是有與無之同一，自由與必然之同一等等；在本體界，無矛盾可說，無因

❷ 作者謹按：中山先生心目中之主義固是代表一種主張或信仰，亦與道或道理同意，這在中山遺教內到處可以找到證明。如說：「這三民主義都是一貫的道理，便是在打不平。」「信仰中的道理，用簡單的話說出來，便是主義。」「救國之道」等等。因此，決不能將三民主義完全當作主張看，也應當作道理或學說思想看。

果可說。至於形下之現象界，卻有因果、有矛盾、有差別、有殊異、有眾多，而萬象紛紜錯雜。現象界與本體界是恰好相反的。因此，我們乃體認出：從本體來說，應是「中」一元論；從現象來說，則是併存或互補二元論；而形上與形下，卻又是「體用一原，顯微無間」的。照我們的哲學，是可以消除西洋哲學史上一與多之爭，一元與二元之爭。我們的哲學，是「理一而分殊」的。在上一章中，我們對道統作較詳盡之討論，旨在說明一之所以爲一；現在我們應就「一」如何過渡到分殊，亦即分殊之所以爲分殊，作必要之討論。

首先特說明「道統與中山民生哲學」。我們認爲，中山先生民生哲學是以道統爲基礎的，亦即：民生哲學是以「中」一元論爲基礎的。我們知道，「中」是未發。這未發而已發時，它落實在什麼上面呢？或者說，它由微而著，由隱而顯，是顯現著明在什麼上呢？我們可以這樣的說，它是顯現著明了它自己，也就是顯現著明了已發。已發是什麼呢？它就是黑格爾所謂之成或變成（Becoming），亦即周易所謂之生生。這就是已發它自己。它是「天行健」的，它是「純亦不已」（意即純然的沒有止息）的，它可以說，即流行之天理。從宇宙哲學來說，這宇宙祇是變成，祇是生生；就人的哲學來說，人之心靈的活動，就是已發。禪宗及宋明理學家，認爲我們可以從觀念上或心靈上而逆還的以體悟或證得未發。宇宙秩序是不可逆的，心理程序則是可以逆還的。

黑格爾以有（Being）、無（Nothing）、變成（Becoming）這三個範疇爲邏輯範疇的第一個三題論。黑格爾認爲：「假使我們肯定任何東西爲『有』，我們必須同時承認它爲『非有』。……何以一種事物同時爲有又爲非有？答案是：當它爲『變成』時，它便同時爲有又爲非有。因此，變成這個範疇消融了矛盾。換言之，第一與第二範疇間的矛盾，始終消融於統一前兩者之第三範疇中。這第三範疇包含著兩個對立體在它自身之中，但是它也包含它們根本的和諧與統一。於是，變成是一個非有之有或有之非有。它是單純的思想，也就是那融合有無兩矛盾於一爐的和諧。」❸黑格爾此所謂之變成，實即我們所謂之「中」。「中」不祇是「為有又為非有」，且亦是「非有非無」；因此，「中」之本身，實無所謂變與不變；不過，「中」必顯現為變，則是無可置疑的。再者，黑格爾亦認為「有」是上位範疇或高層範疇，而「變成」則是下位範疇或低層範疇。黑格爾之各上位範疇是包含其下位範疇，故而是具體的，它與柏拉圖的觀念不一樣。柏拉圖的高層級觀念不包含低層級的觀念，故而是抽象的。就這一點說，我們所謂之「中」與黑格爾所謂之「有」亦頗為相似；因為都是具體的。不過，黑格爾認為：「高層範疇包含低層範疇既為真實；於是，低層範疇亦包含高層範疇。」（同註三）黑格爾以橡實與橡樹為例，而說明「變成」包含著「有」，「有」亦含蘊著「變成」。我們不贊成此種論點。我們認為，自宇宙論言之，「中」顯現為「變成」，「變成」則不顯現為「中」；因為這是不可逆的。於是，祇有當「變成」消失時，「中」才顯現。這個「中」之顯現，不是循「逆還」之路，而是一循環；所以我們認定「中」是走向「變成」，亦即未發而顯現為已發。未發現顯為已發，即是由一過渡到分殊，亦即是由微而顯，由形上而形下。惟形上形下，或已發未發，雖表現為矛盾或反對，卻亦不是兩個。在上章第六節我們討論一

❸ W. T. Stace: The Philosophy of Hegal 第一卷第三章。

與多時，對此已有所陳述。

這已發或「變成」究竟是什麼呢？它即周易所謂之「易」，亦即所謂「生生」。周易繫辭上傳第五章曰：「生生之謂易」。易或生生就是指陰陽的變化。周易繫辭上卷第六章有曰：

> 夫易廣矣大矣，以言乎遠則不禦，以言乎邇則靜而正，以言乎天地之間則備矣。夫乾，其靜也專，其動也直，是以大生焉；夫坤，其靜也翕，其動也闢，是以廣生焉。廣大配天地，變通配四時，陰陽之義配日月，易簡之善配至德。

這是對變成、變易、或生生之本質與功能的一種較爲完備的描述，這是兩千年前之古人的一種體會或想像。我們祇要不錯會其意，它仍是很正確的，它較之黑格爾的橡實與橡樹之例爲恰當；因爲我們對於「存有」（Being）之體認，祇須體認未發已發，或「中」與「變成」，而不必體會到橡實與橡樹。我們一想到橡樹之開花結果，便又回到橡實了。這無異是：「中——變成——中」這個大循環了。這是過猶不及的。雖然黑格爾也體會了虛無與萬有之間的和諧與統一；但是，卻亦引發了「焦慮」。假如我們祇體認「變成」所成就的「盛德大業」，或者，我們祇體會「變成」所顯現著明的祇是「變成」它自己，亦即祇是「已發」它自己；那麼，我們所體會的必祇是「富有」與「日新」，而絕無「焦慮」。「富有之謂大業，日新之謂盛德。」張橫渠曰：「富有者，大而无外；日新者，久而无窮。」這「已發」的本身，確是「盛德大業至矣哉」。

「已發」是可以從自然形上學與人的哲學這兩方面來加以體認的。從人的哲學來說，已發乃心靈活動；從宇宙論來說，已發乃宇宙萬物之生成變化。「未發」亦應從這兩方面而加以體認。惟宇宙之「未發」，西方哲學家似皆認爲祇能從想像中得之。我們中國哲學則將心之未發與宇宙之未發視爲一事。心之未發於定靜中證得之。禪宗及宋明理學，多談定與靜之工夫或境界，此是譬如飲水，冷暖自知的。以此所知者而類推的以說宇宙之未發，則是較想像爲妥切的。前章我們談未發之中，皆是根據親身的體驗，亦即是「反求諸已」得來而不是依憑文字加以想像的結果。再者，中國哲學雖視宇宙之已發與心之已發爲一事，但絕非唯心論，這就是我們要講的心物合一論，這是一種形上學，亦是一種宇宙論，在下一節中，我們將作簡要的陳述。

現在我們應加指陳的，即：這心之已發與宇宙之已發，在人的哲學方面，或在社會現象方面，是不是可以將這兩者視作一事呢？我們認爲，民生二字，是可以將這兩者加以統攝的。這即是從人的哲學來說，這未發而已發時是落實在「民生」上面，亦即「中」一元論是顯現著明而爲民生哲學；或者說，民生哲學是以「中」一元論，亦即是以道統爲其基礎。

二、中山民生哲學不是唯心論

中山民生哲學以道統或「中」一元論爲基礎，易被一般人誤爲唯心論。民生哲學不是唯心論，茲特作簡要之說明。民生主義第一講說：

民生兩個字，是中國向來用慣了的一個名詞，我們常說甚麼國計民生，不過我們所用的這句話，恐怕多是信口而出，不求甚解，未見得含有幾多意義的。但是今日科學大明，在科學範圍之內，拿這個名詞來用於社會經濟上，就覺得意義無窮了。我今天就拿這個名詞來下個定義，可說民生就是人民的生活，社會的生存，國民的生計，群眾的生命便是。我現在就是用民生二字，來講外國近百十年來所發生的一個最大問題，這個問題就是社會問題，故民生主義就是社會主義，又名共產主義，即是大同主義。欲明白這個主義，斷非幾句定義的話，可以講得清楚的，必須把民生主義的演講，從頭聽到尾，才可以徹底明白了解的。

又說：

近來美國有一位馬克思的信徒威廉氏，深究馬克思的主義，見得自己同門互相紛爭，一定是馬克思學說還有不充分的地方，所以他便發表意見說，馬克思以物質為歷史的重心是不對的，社會問題才是歷史的重心，而社會問題中又以生存為重心，那才是合理。民生問題就是生存問題，這位美國學者最近發明，適與吾黨主義若合符節。這種發明，就是民生為社會進化的重心，社會進化又為歷史的重心，歸結到歷史的重心是民生，不是物質。我們提倡民生主義二十多年，當初詳細研究，反覆思維，就是覺得用民生這兩個字來包括社會問題，較之用社會或共產等名詞為適當，切實而且明瞭，故採用之。不圖歐戰發生之後，事理更明，學問更進，而馬克思宗徒亦有發明相同之點，此足見吾黨之提倡民生主義，正合乎進化之原理，非同時髦學者之人云亦云也。

民生主義既明，現在乃可進而說明中山民生哲學是什麼？首須說明的，即：民生哲學之本質是什麼？民生主義第一講曾說，物質不是歷史的重心，社會問題才是歷史的重心，社會問題中又以生存爲重心，民生問題就是生存問題。茲特以一圖示之於下：

（歷史重心體系圖）

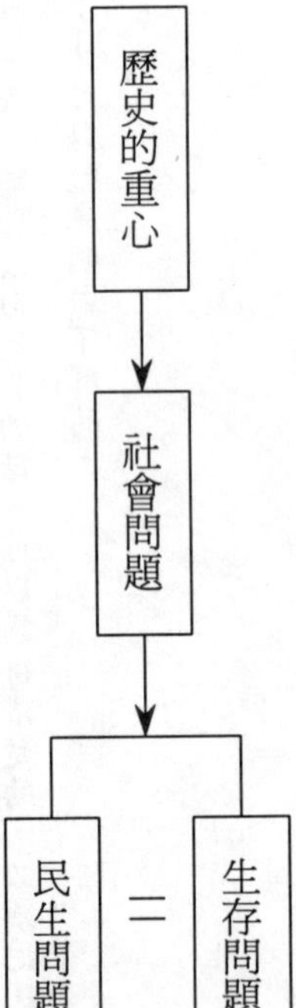

這就是說，社會問題是以民生或生存爲本質。很顯然的，中山民生哲學，實就是社會哲學，也就是人類學的哲學，它是以人之生存爲第一意義的。

當我們面對生存或存在時，我們所看到的每一樣東西都只是每一片斷；我們所面對的世界，都只是我們接二連三所繼續看到片斷事物的集合。我們所面對的世界，它雖然巨大，但終究只是片斷而已。當我們以理論的態度面對它時，所得到的祇是許多問題而已。例如有和無的意識，矛盾的意識等等全都是問題。哈姆雷特說：「生或死，就是問題所在。」當我們面對存在時，我們確就是面對了問題。

笛卡爾是以「我思故我在」來作爲問題的解答。思想之存在是無可懷疑的。思想即令就是做夢或幻想吧？夢中或幻想中所見雖是假的，夢或幻想的本身則是千真萬確的。禪宗說：「花開見道」。見到了「見到花開之見」，就是見到了道，也就是見到了實在或真實。這就是說，我們可以懷疑一切；但不能懷疑這懷疑本身；因爲對懷疑而加以懷疑，這懷疑即爲無可懷疑之存在。

照這個說法，則我們所謂之「允執厥中」的這個喜怒哀樂未發之中，確是真正的存在。因爲當我們對於「中」有所體認時，不僅認識了「中」之存在，也是認識了「體認」它自己的存在；此所謂存在，當然是無可置疑的。當然，笛卡爾所謂之我，是一普遍性的概念，即是指所有的每一個人。人因思想而存在，這是不錯的；但是，卻是唯心論的。因爲所謂「我思故我在」，祇是肯定思想之存在。奧德嘉・賈塞特（Ortega Y Gasset, 1883-1955）說：

> 思想的實在，除了我自覺我在思想這一事實外，別無所有。存在就是這個自覺。認知中的基本事實即是：認知就是認知本身，不是別的東西。❹

---

❹ Ortega Y Gasset, what is Philosophy? 第七章。

又說：

但思想卻很神奇，它的實體，它的存在本質，化歸「我的感覺」（Sensing to me）。此刻，因為我只是思想組成的；所以，我們會說思想是唯一只基於對本身自覺而存在的東西；也就是說，它的實在只基於對本身的自覺。它是本身感覺到的，此外便沒有別的了。它的本質重在它的現象。（同註四）

這是對於唯心論之一種非常確切的說明。唯心論的貢獻，在於認識了思想。用我們中國哲學的語字來說，唯心論確是認識了心；不過尙未能認識心之本體，亦即這宇宙本體之本性，即我們所謂之「中」。至於唯心論之錯誤，則在於固執的抓住「思想存在，所以我存在」的意義，而無視於它的對象也必然存在。賈塞特說：「我們要將這個困境充分的系統化的把它陳述出來。『我』是最內在的本體，在我們內面的就是這個東西，它爲自身而存在。然而，它一定發現一個與自身根本不同的世界，並離開自身去接觸這個世界而不失其內在的特性。所以，這個『我』一方面是內在的，同時又是外在的；一方面是退縮的，同時又是自由的；一方面是被囚者，同時又是自由之身。這個問題是頗令人驚訝的。」（同註四第九章）唯心論者，就是對於這個「令人驚訝」的問題而熟視無睹；而執著「我」成爲一封閉的系統；而將一切存在化歸「我的感覺」。至於我們所謂之「中」，它雖然是心之本體；但是，它是未發，而且當它是已發時，它不執著爲「我的感覺」，乃落實在生存或民生方面。因此，「中」雖然是與「我思」一樣的同爲真實之存在，卻絕非唯心論，它並沒有落入賈塞特所謂之唯心論的困境。

我們所謂之生存或民生，乃指人之生存。照中山先生的說法，民生是指人之生命、生活、及社會生活的方式。這就是說，生存不祇是存在，而且是存在的一種方式。一般說來，人之生存是指「我」的存在，「我」則是一自覺的存在。人如缺乏自覺，便無所謂「我」之存在，此似是成了笛卡爾的信徒。不過，人之生存，固必是人之自覺的存在，卻亦是「社會的生存」。它不祇是一種生命，生活之存在，而且是一種生計。所謂「生計」，實有如何活下去之含義，是表現爲各種存在的方式。很顯然的，人之存在，不僅是自覺的存在，且是多彩多姿之活的事實。這就是說，自覺絕非一封閉的系統，而是表現爲生命、生活，或存在之各種方式。因此，生存問題，既非單純的物質問題，亦非單純的心靈問題，而是民生問題。民生哲學雖亦肯定人爲自覺之存在，但民生哲學卻不是唯心論的。

三、中山民生哲學與人的哲學

茲再就生物學之觀點而討論人之生存。現代生物學家，他們從來不用「較低級」或「較高級」來形容生命的形式。這可能是現代生物學家烏克斯庫爾（Johnnes von Uexküll）與達爾文（C. Darwin）不相同的地方，卻亦不是說現代生物學是反對進化論。歐恩斯特・凱西勒（Ernst Cassirer）說：

烏克斯庫爾先從最低等的有機體著手，他再把這些探討逐漸擴及所有的有機生命。……生命無處不完美；就最小的與最大的圈子言，莫不如此。就一廣泛的含意言，每種有機體（連最低級的在內）不但都能適應它的環境，而且能全然切合它的環境。根據解剖學的結構觀之，每種生命形式都具有 Merknetz 與 Wirknetz——也就是一種收納系統與一種反應系統（A Receptor System and an Effector System）。設無這兩種系統的統整平衡，任何有機體都不能存續。每一種生物都憑受納系統來接受外來刺激（Outward Stimuli）並憑反應系統來回應它們；在所有的情形裡，這兩種系統都是綿密交織而不可分。它們是烏克斯庫爾所說的「機能圈」（Functional Circle，德文 Funktionskreis）這條鎖鏈上環結。❺

凱西勒此說，是非常明確的說明了有機體之生存的基本形式。至於人之生存，凱西勒又說：「人的機能圈不但在量的方面放大了；在質的方面它也經過了一種改變。我們不妨說，人發現了一種新的方法，來使他自己適應他的環境。就受納系統與反應系統言，人無異於一切物種，但是我們在人的這兩個環結之間，看到了第三個環結，它就是我們所說的『象徵系統』（Symbolic System）。這種新本領轉變了整個人類生命。與其他動物比較，人不僅生活在一個比較廣大的實在裡；他更可以說是生活在實在的一個新『次元』（Dimension）裡。有機的反應與人類的反應是截然有異的。於動物言，每有外來的刺激，即有直接瞬間的回應；就人的

---

❺ 凱西勒著：An essay on Man. 林若洲譯：「人的哲學」審美譯叢版，頁三九。

情形言，這種回應是遲緩的。一種緩慢而繁雜的思想過程把它中斷了，阻延了。粗淺看來，這種遲延好像得之非福。」（同註五，頁四〇）凱西勒這所說的，是說「人」生活在實在的一個新「次元」，即所謂「象徵系統」內。而且，「人不能逃避他自己的成就」（同註上）。「象徵系統」即他採用他自己生命內的種種條件所成就的，而且幾乎是宿命論的。凱西勒又說：

> 人生活其中的，不再是一個僅屬物理的宇宙，卻是一個象徵的宇宙。語言、神話、藝術、與宗教都是這個宇宙的各部份。它們是各色絲縷，共同編出了人類經驗的象徵之網。人類在思想與經驗上的一切進步，都進一步精鍊與加強了這個網。人不再能夠直接的面對實在；易言之，他不能夠正面看到它。人的象徵活動向前推進多少，他的物理的實在似乎就後退多少。人不去直接對付事物的本身，就某種意味言，反而一味跟他自己商量。（同註五，頁四〇——頁四一）

這是非常清楚的說明了唯心論所以錯誤之原因。即：唯心論誤以「象徵系統」當作全是「我的感覺」，而未能正確的認識到，「象徵系統」是受納系統與反應系統交互影響所成就的一種新的生命形式，亦即在刺激與反應之間，有「人」之「原創」作用。無疑的，這種新的生命形式是進化而成的，它本身就是一種原創作用（Original Creation），包含突變（Sudden Mutation）與意外進化（Emergent Evolution）這兩種現象，這也是人之所以為人與人之生存的特色。人之這個特色之存在，實無可置疑。在此仍須說明者：第一、象徵系統與信號系統是完全不同的。

一般動物，尤其是馴養動物對信號非常敏感，所以巴夫洛夫(Pavlov)能以「制約反應」(Conditioned Reflexes）改變狗的「食物處境」（Foodsituation）；但是，一般所謂的「制約反應」不惟不近乎人類象徵思想的根本特質，甚至可以說是正好相反。就象徵一詞之正確含義來說，它不能被還原爲簡單的信號。信號與象徵屬於兩個不同的境界：信號是物理的存在境界的部份；象徵是人類的意義境界的部份。信號是「通信員」（Operator），象徵是「指示者」（Designator）❻。信號，不論我們怎樣了解它與使用它，到底具有某種物理的或實質的存在；象徵只有一種作用上的價值。認識了這個分際，便知道人和動物爲什麼不同。當然，就某種象徵過程的發展言，類人猿確向前走了頗有分量的一步，但牠們並沒有達到人類世界的門檻，牠們祇是走進了既不能「突變」而又沒有「意外變化」的死胡同。因此，我們對於「突變」之說，以及中山先生的分期進化之說❼，我們若能有正確之理解，便知這兩種學說，既可以破唯物論之謬誤，亦是指示了人之生存的正確原則。這分期進化及「突變」的學說，在下一節中將作較詳盡的討論。

第二、人之生存或有機生命的一個普遍條件，也是其唯一存在條件，即是其在時間內的演化。人之生存，它不是一樣東西，而是一個過程。人類的生命是一個永不止息的持續的事

❻ Charles Morris, the Foundation of the Theory of signs.

❼ 「孫文學說」第四章有云：「…進化之時期有三：其一為物質進化之時期，其二為物種進化之時期，其三為人類進化之時期。」

象川流（Stream of Events）。在這道川流裡，沒有任何事情會在完全相同的形貌裡重複出現。這就是赫拉克利圖所說的一句名詞：「你不能夠兩度涉足同一條河流。」（You Cannot step twice into the same river.）因此，人之生存的三個時間形式，即所謂過去，現在，與未來，它們是構成一個整體，不能被分裂成個別的元素。這就是說，人生活其中的，也是它自己所成就的象徵系統。從純生物學的觀點來說，它是受納系統與反應系統交互影響所成就的；若稍作較爲深入之討論，則知所謂人與環境之交互影響，此中環境一詞，現象學則稱之爲社會文物。現象學這觀點是正確的。也就是說，人因爲是生活在事象之川流中，所以他之現在雖然祇是一個點，卻是整個變遷（Passage）中的一個點。當我們要說明一個有機體的片刻狀態，在時間上，一定要考慮它的歷史，一定要指涉它的未來。很顯然的，民生哲學是不宜與民生史觀分開來討論的。

照以上所說，人是生存在他自己的作用與他自己的歷史裡。他自己的作用，是成就了他的象徵系統或象徵宇宙；他自己的歷史，常擴大到他所面對的歷史文物。他的整個或全部的生存，顯露了生命的意義。生命無處不完美，「生」是個究竟而自主的實在。凱西勒說：

> 生物學的思想，就類型言，卻不同於物理學或化學的思想。烏克斯庫爾是個堅決主張生命論（Vitalism）的人，他是生命自律原理（The Principle of the Autonomy of Life）的一位辯護者。生命是個究竟而自主的實在（Life is an Ultimate and Self-Dependent Reality）。我們不能拿物理學或化學的來描述或說明它。……他嘗表示，只有十分幼稚的獨斷論才會認定：

所有的生物都有一個相同的絕對實在。實在（Reality）不是一個唯一的與同質的東西；它是極其多樣的，有多少不同的機體，就有多少不同的型與樣（Schemes and Patterns）。易言之，每個有機體各是一個單價存在（A Monadis Being）。因為它有它自己的經驗，它就有它自己的世界。我們在某一生物品種的生命裡見到的現象，不可通變為另一品種的。兩種不同機體的經驗及其實在不能互約。烏克斯庫爾說：在蒼蠅的世界裡，我們只能找到「蒼蠅的事情」；在海膽的世界裡，我們只能找到「海膽的事情」。（同註五，頁三七—三八）

人之生存的意義，以上已說得很明白了，這完全是從生物學的觀點來說，亦即不涉及本體界的。若涉及本體界，這些說法是大有問題的；因爲從本體界說，它必是唯一的與同質的；例如我們所謂之「中」，即是唯一而又同質的。當然，我是我，我不能是別人。從現象界之我來說，我是不可置換的，這當然不能互約；但是，現象界之現象，亦並非不可約化的。通常所謂之心和物，陰和陽等等，即是對現象之一種約化。心和物的問題，這是涉及了本體界。如果所討論的問題，祇涉及現象界，則心物問題可以「存而不論」。在現象界，生命或生存，它本身就是生命或生存現象的根本。從生命的形式來說，它雖是多樣的，也各是一個單價存在；但是，它卻是究竟而自主的實在，它是人的世界之起點。在人的世界裡，個人的生命，或社會的生存與群眾的生命，造就雖各有不同；而生存，生命之基本意義，則是一致的；而且，無生計則無生活，無生活則無生命與生存；生活、生存、生計、生命，在人的世界裡，都是第一意義的。這就是說，民生哲學的本質應該就是民生。民生固然不是宇宙的本體，從宇宙哲學來說，它不是第一意義的；但是，從「人」或從「我」來說，它卻是第一意義的。這個道理很簡單，沒有民生，便沒有人的世界，更無人的哲學。民生哲學，是人的哲學；人的哲學，以民生當作第一意義，亦即以民生當作人這個現象的本質。不過，它祇是現象界的一種本質，而不是本體界的唯一的本質。

四、民生是第一意義的

在人的世界裡，不能以物當作本體；而且，姑不論此所謂之「物」的意義是什麼？我們可以這樣的說，在物的世界裡，是可以以物當作本體，那是物理化學的事。人固然非物不能生活；但「人」卻是活在象徵系統裡。失去了象徵系統，便是失去了人的意義，也失去了人的世界與人的哲學。在人的世界裡，似乎可以以心當作本體；因爲人之所以爲人，在乎人之有「心」，亦即笛卡爾所謂之「我思故我在」。這個錯誤，前文已有述及，茲更依賈塞特的哲學以爲說明。賈塞特這位在西班牙最著影響力的哲學家，他與凱西勒同樣的認爲生命或生活是第一意義的。賈塞特說：

> 我們以前說過，基本的事實，是自我和萬物的共同存在。但是，當我們說我們用來與世界共存的方式是屬統一性又屬二元性的根本實在，是屬於根本二元性的顯著事實時，一定沒有考慮到那一點，即：說那些東西「共存」是錯誤的。因為共存只表示一

物位在另一物之旁，這一物與另一物同時存在。我們現在所要表達的，因存有和存在兩個古老概念的偏頗性和靜態性而變為虛假錯誤的了。這不但是關於世界本身存在以及我存在於世界，接近世界的問題，而且是一種概念，表示世界因有我的關係繼續保持它的本來面目，表示它的特性是律動的、面對我的、和我對立的；而我也是影響它的人、注視它的人、夢想它的人、遭遇它的人、愛它或恨它的人。

存有的靜態概念算是過去了，以後我們會了解它的附帶角色是什麼？因此，代之而起的必然是一種活動的存有。我們可以說，當世界的存有面對我時，它是涉及我的作用問題；同樣，也是關於我對它的影響問題。但這一點，包括觀察世界、思想世界、接觸世界、愛世界和恨世界的自我的實在，對它充滿熱情，或對憤怒、改變它、消耗它、遭遇它，這就是我們平常所謂的「生活」。這是「我的生活」、「我們的生活」、我們之中每個人的生活。

那麼，現在讓我們除去像「存在」、「共存」、「存有」這些尊嚴和神聖的字眼，用下面的說法來代替，即宇宙間最根本的東西是「我的生活」以及我生命範圍內其他任何存在或不存在的東西。現在，我們如果說，萬物、宇宙、上帝都包含在我的生活中，便毫無使人困惑的地方，因為「我的生活」，不只是我自己而已，不只是主體的我而已；我的生活包含著外在世界。我們已超越過去三百年來的主觀主義，已將自我的內在毒害除去，自我不再是唯一存在的東西，不再遭遇到以往所遇到的那種孤獨，已與存有結合為一個體了。……我們的肺臟再度接觸著氣氛，我們的雙翅已高舉欲飛，而

我們的心也已追求仁慈。……（同註三第十章）

賈塞特這所說的，我們並不完全贊成；例如他說：「我們的心也已追求仁慈」，我們則說，我們的心之本體「中」就是仁慈。例如他說，「已與存有結合爲一個體了」，我們則認爲，從形上學說，祇是一而沒有分；所謂結合爲一體，乃「本來如是」，乃不二亦不一。不過，賈塞特能打通「我」與存有之間隔，確是很不錯的。再者，他強調「宇宙最根本的東西是『我的生活』以及我生命範圍內其他任何存在或不存在的東西。」最足以發揮民生哲學之奧義。凱西勒（1874-1945）與賈塞特（1883-1955）二人，他們彼此是否有影響，我不知道；他二人與孫中山先生大致不會有什麼影響的；但是，他們二人的學說，卻都能闡揚中山民生哲學。中山民生哲學，乃以生命或生活爲始源的亦即爲第一意義的。凱西勒與賈塞特二人的學說，皆頗能發明此一奧義。

五、中山民生哲學的主要涵義

中山民生哲學的本質就是民生。民生本身「是一個永不止息的持續的事象川流」，它是「在時間內的演化」；它本身就是一種過程。歷史是過程之陳跡。歷史過程之變化，是民生史觀所必須研究之課題。茲更將民生之究竟的意義，亦即中山民生哲學與民生史觀的含義究竟是什麼？特分述之於左：

第一、我們已一再的指陳過、生存、生活、或生命都是第一意義的，也都是現象界的究竟而自主的實在。爲什麼呢？因爲必須先有生命與生活，然後才有哲學活動。哲學是我在生活中所表現的許多東西之一。哲學的存在是藉人之生活而表現出來的存在，必須發見所謂「活」到底是什麼東西之後，哲學才會存在。所以必須先有生活，然後才有哲學活動，也才有與人相關的種種東西之存在。賈塞特說：「甚至思想活動也不先於生活；因爲思想活動也是生活中的一部份，是生活中的特殊活動。」（同註三第一章）當然，我們所謂之「中」，必是清楚的發現了所謂「活」究竟是什麼？所以它與仁、誠、以及佛家所謂之本來面目同義。現從民生哲學的範疇而肯定生活爲第一意義，這是很正確的。在現象界，尤其是在人的現象裡，生活確是先於一切的。

第二、生活亦即是無可懷疑的。因爲照笛卡爾的哲學，思想即是無可懷疑的實在，而思想本身也就是一種生活中的活動，所以我們的生活是一個無可懷疑的事實。

第三、因爲我們自己的生活，我們每一個人的生活，都是無可疑懷的；所以生活就是在這世界上發現自己。「發現自己」、「了解自己」和「認識自己」，是生活的基本範疇。凱西勒說：「大家顯然都承認自我認識（Self-Knowledge）是哲學探索之最高鵠的。雖然各種哲學學派衝突互見，這個目標則始終不變也不動搖；它成了一切思想中的阿基米德支點（Archimedean Point），它是確切的、不可能移動的。縱使最持懷疑態度的思想家，也不否認自我認識的可能與必需。」（同註五，頁一）再就所有較高形式的宗教生活來說，「認識你自己」（Know thyself）這個準則被目爲一種無上命令（a categorical imperative），亦即被目爲一種究極的倫理與宗教律。禪宗所謂之什麼是本來面目，在體認的境界上與其他宗教容有不同，但從「認識你自己」這個準則來說，可見所有的宗教都是一致的。

第四、所謂認識自己，其終極意義即是要認識這認識之本身，亦即自己反映自己，自己考察自己。有人以爲認識或思想有二元性，此即將思想或認識本身化爲兩個東西：一個是被反省的思想，另一個是反省的思想；或：一個是能知，另一個是所知。在形而上的本體界，或思想對它自己加以思想，認知對它自己加以認知時，是一而非二，即：能所是合一的。能所不分之義，許多人難於體會；因爲許多人並不知道思想他自己的思想。但是，許多人卻對於「生活是在這世界上發現自己」的陳述，較爲易於明白。這個陳述，實質上也不是在這個世界中發現自己的肉體。如果只有肉體，生活的過程便不存在；因爲任何物質的肉體，都不會認識或注意其他的肉體。例如彈子房的撞球，它祇是受物理作用而撞來撞去。我們人類的生活世界，是由許多令人感到愉快和不愉快的東西組成的；是由一些有害的和有益的東西組成的；是由一些安樂的和危險的東西組成的。在現象界，對我們最重要的，不在於這些東西是否爲物體，而是它們對我們發生影響，使我們對它發生興趣，或安慰我們，或威脅我們，或折磨我們，我們是在這種情形之下發現自己的。當我們發現自己時便發現生活。

第五、我們是在發現影響我們世界的同時，也發現了自己，即發現自己在這世界從事種種活動。我們一方面，發現這世界就是影響我們的東西；一方面也發現這世界是由我從事活動的東西構成的。因此，所謂生活就是指每個人都發現自己處在一個具有許多問題而影響自己並從事種種活動的領域中。在這個領域中，以時空爲必須條件，並以一種「象徵的想像與知能」（a symbolic imagination and intelligence）而形成一種「象徵系統」。藉著這個系統，人創造了他自己的世界，也開展了他自己的生活過程；所謂生活過程，就是他自己從事種種活動的過程。

第六、從事種種活動，就是做這做那。例如，我撰述本書，就是我做這個工作，亦就是我從事思想活動。從事思想活動就是生活。當然，從事其他的各種活動，亦都是生活；但是，若不是以「想著它們」的方式使自己和各種對象發生關係，卻算不得是真正的生活。真正的生活應該是從事思想的活動；否則，亦祇是行屍走肉而已。所以任何哲學必都是從事思想活動的哲學。從事思想的活動，是多式多樣的；不過，認識或發現自己在這世界從事思想的活動，確是思想的起點，也是生活的起點。

第七、思想活動即是創造活動。例如創造真理，創造哲學等等。當然，我的創造活動是我的生活；但很奇怪，那被創造的東西也是我的生活。例如，我撰述本書，這就是我製造或創造的東西。當我寫完了本書時，正確的說，我所完成的不是書，而是我的撰述活動。我所完成的這本書是我的撰述活動所使用的工具，當完成了我的撰述活動而我的動作對象不再存在時，它已轉變爲另一個東西，即成爲被人閱讀的哲學讀物了。人之其他創造或製造的活動，例如製造香煙、啤酒、鞋子、襪子等等，亦莫不如是。這就是說，人所創造的東西，也就是人的生活。再者，我所創造的東西，它本身雖然並不是自存的，而是我在生活中把它顯現出來的；但當我把它顯現出來後，卻存留在我的生活之外。以不是自存的東西爲沒有根本的存在性，這是一項錯誤。這與我們目前所欲討論的問題，並無多大的關係。我們需要說明的，即：我們所謂之哲學，在本質上即是我們造成的。因此，民生哲學它必是中山先生革命活動的創造物；所以民生哲學，它是中山三民主義之哲學基礎，而中山三民主義在本質上全是與「我們的生活」有關聯，是實踐了生活的創造活動。

第八、我們將生活解釋爲發現自己在從事種種活動，解釋爲一種創造活動或一種行動。人之所有行動都是使自己從事某種活動和追求某種東西的過程。人爲什麼會如此呢？人的行動或生活大致是源於環境或生理的需求。例如人之自我表現的活動是起源於通常所謂之目的，亦即追求這種目的。人之所以選擇這種追求，當在於滿足生活上的需要。而且，生活是在世界中發現自己，這世界根本不是封閉的，所以時常給予我們許多機會。這就是說，生活的世界及其每一瞬間，都含有能做種種事的機會，不含有只能這樣做的必然性。但在另一方面，這些可能性並不是沒有限制；因爲生活總是發現自己處在某些環境之中，總是發現自己處在充滿物和人的環境中。我們並非生活在不明確的世界裡。從本質上看，生命世界便是環境。環境是一種被決定了的東西，是一種封閉的東西；不過，它也是具有內在自由的，即：有空隙讓人們去作決定。環境是生活不斷切入的一個無法脫離的流域性的河床。所以，生活是一種矛盾的實在，它既是自由的，亦是決定論的。馬克斯的經濟決定論，以及其他各種各式的，如生物的、歷史的、社會的等等決定論，都祇有一半是對的。我們必須超越非此即彼的排中性，而把握生活這種實在的矛盾性。

第九、生活是決定自己將要從事什麼工作的過程，也是在各種可能性中不斷從事決定的過程，它與當下不可分的。賈塞特說：

> 在生活過程中，現在與過去都不是在先的。生活是對未來完成的活動，我們發現現在或過去對未來而言，都將留在我們後面。生活是將要來到的東西，是還沒有成為過去的東西。（同註三第十二章）

因此，生活在本質上即是在創造未來。它創造未來的什麼呢？它並不特定的創造什麼，它祇是表明人類「生活之目的，在增進人類全體之生活；生命之意義，在創造宇宙繼起之生命」。這就是生活的特質，也應該是民生哲學的特質。這個特質亦最能顯現與著明這「已發」它自己。

第十、生活固然會將過去的「偏好的傳統型態」❽重新表現出來，也會將接著而來的未來在生活中表現出來。因此，生活是必然的涵蘊著變遷。誠然，變遷會有正負兩面，但必然的涵蘊穩定與進化（Stabilization and Evolution）的矛盾。從某種觀點說，生活或生存，與文化或文物制度，似乎是同義語。我們可以這樣的說，文化是生活的沉澱物，是人類生存的成就；這個成就是精鍊與加強了整個的「象徵系統」。這整個「象徵系統」亦即一「變化系統」，它是以當下的方式，亦即每一個活著的人當下感受的方式，包含現在、過去與未來，在生活中表現出來，使他自己適應他的環境。適應就是表示變遷，也就是表示進化。潘乃德（Ruth Benedict）說：

---

❽ Ruth Benedict, patterns of Culture。第二章。

每個文化以及每個時代都是從無數可能性之中挑選一小部份而加以發揮。（同註八）

這句話給我的感受甚深。我讀潘乃德的大著時，曾爲變遷列成於下的公式：

$$\left[\text{變遷}=\left(\frac{y}{\text{文化}}+\frac{z}{\text{時代}}\right)x\right]$$

這公式是謂：文化的可能性加時代的可能性，乘挑選者之偶然的機會，便成爲創造或變遷。時代與文化是客觀的因素，而挑選則是主觀的，二者缺一不可。我不敢說這是絕對正確的；但，這是不太嚴格的表示了變遷或創造進化的意義。同時，我們認爲，進化不是指人性進化而是指人事進化。人性有變化，但人之本性並未變化❾。人性的變化，其成就即是精鍊與加強了「象徵系統」。這是顯露了人事進化的原因與事實；因爲「象徵系統」的精鍊與加強，當然會促成「物理系統」或「象徵宇宙」的精鍊與加強，這當然就是表現人事進化。中山先生所說：「進化一學，有天然進化、人事進化之別也」❿，民生哲學講進化，當然是講人事

❾「人性有變化，人之本性並未變化。」本性是指形而上者言，人性是指現象界的人之性格言，兩句話雖是矛盾的，但兩者皆真。排中律被推翻後，此種表達的方式，不能算是不對。

❿「平實尚不肯認錯」民前四年八月，以南洋小學生名義發表於星洲中興日報。又在「孫文學說」第四章中，亦將進化分為物質進化，物種進化與人類進化三期。

進化；而人事進化之成就，是成就了「象徵系統」，亦即成就了語言、神話、藝術、宗教、以及其他所有的文物制度等等。這是從人之創造進化或人之成就而說明人之生存或生活究竟是什麼，亦即是說明民生哲學的本質究竟是什麼？

六、為經世之學導向的哲學

以上是從究竟的觀點以探討民生之意義，並因而概括的說明了中山民生哲學的主要涵義。這個哲學，是以民生爲本質，亦即此未發之中，在已發而永不止息之事象川流中，呈現出生命的現象；而且，在「人」這個現象中，亦即在民生中，有一種能認識自己的本來面目，即我們所謂未發之中的心靈狀態。這個心靈狀態，既發現了自己，也發現了生活。生活與自己是不可分的。在現象界民生是第一意義的。精神與物質，在民生這個現象中是不可分的；所以民生哲學是不偏於唯心或唯物。不過，中山先生他自己並未從上述的觀點來講他的民生哲學。他祇是從哲學的觀點來講他的可以實踐的三民主義。三民主義是中山先生從哲學觀點而講的一種經世之學，即：中山先生講三民主義，不祇是講它的內容，且常常闡揚它的本質，亦即常常指出它的哲學是什麼。三民主義「最後實在都可以歸納於民生」⓫，民生就是三民主義最究竟的本質，它就是三民主義的哲學基礎。

以上十點，因是從究竟的觀點闡明了民生之奧義，所以，也就是從究竟的觀點闡明了三

⓫ 先總統蔣公：「總理遺教」第五講。

民主義的本質。這究竟的觀點是什麼呢？這即是：「中山三民主義在本質上全與『我們的生活』有關聯的」。它的倫理的本質，「在創造宇宙繼起之生命」；它的民主與科學的本質，在「增進人類全體之生活」；它是在被決定了的生命世界裡所表現的生存意志或自由創造之目的與意義。這個究竟的觀點是完全正確而無可置疑的。而且，從純哲學的觀點來說（即不祇是從民生哲學的觀點來說），這個究竟的觀點，亦是「與人生整體緊緊接連在一起」的知識，對「最後原因」也有較爲「圓滿的理解」。這個究竟的觀點，與我們在第一章所討論的哲學特質，是完全符合的。

照我們所作的分類：中山三民主義是屬於經世之學的部份，道統則是屬於性命之學的部份；至於民生哲學，則是從生存或生活之主要涵義，以闡揚人之本質，究明人之生活：它既不是一封閉的心靈系統，亦是一超越物質範疇的實在；它植根基於認識自己，並從種種活動過程中，以既自由而又必然的矛盾性，不斷的從事決定，不斷的適應環境，不斷的創造未來；它的最基本的涵義，是本於性命之學，實踐人之原創活動，以成人之能而達成經世之學的目的。很顯然的，民生哲學是本於道統而爲經世之學導向的一種哲學。它是不忘認識自己之本來如是的；它與我國所謂之道統，亦即我們所謂之「中」一元論是一理貫通的；它確是由心性之學到經世之學的過渡，在本質上，它是性理與經濟兼通的一種哲學。只有這種哲學才真能免除先入之見，只有這種哲學才不會墮入虛無主義，才不會與自己的生命脫節，才能使生存意志發出最純的光，而實踐人之生活的創造活動。

這是從「民生」的真義所得到的一種結論，雖不是中山先生自己講過的，卻最能發揚中山先生畢生從事革命的精神與「仁所由表現」的三民主義之真義。這就是說，中山先生為「平人類之不平」而從事三民主義的革命，是真能發揮人之生存意志與人之原創活動；也就是這個由「已發」而所成之「象徵系統」，不祇是表現了理性的思辨功能，更實踐了人之仁心仁性，發揮了人性之光輝。

第二節　道統與中山心物哲學

一、中山民生哲學與心物合一論

我們已說明了民生哲學乃以「民生」為本質，並已陳述其所以然之故。這就是說，我們是以民生當作「人」這個現象的本質，而這個現象之本質則與形上之本體，即我們所謂之「中」是一理貫通的，亦即「生」是本於「中」而顯現為人之存在的本質。照這樣說來，這個作為中山哲學或三民主義哲學基礎之民生哲學，它是以「中」一元論為其形上之基礎的，而「中」一元論則與道統是同義語。這是就道統的性命之學這一部份，亦即道統之最根本的這一部份而說的。

現在我們再擬加以說明的，即我們認為，這心物合一之「一」即是「中」，所以心物合一論即「中」一元論；同時，心物合一論亦即中山哲學或民生哲學的本體論。有人認為，民生哲學不應立足於「心物合一」的本體論上。這是一種誤解。我們在上一節中對「民生」一詞所作之較為深入的討論，使一般以經濟解釋民生者，應自知其固陋。民生哲學確是以民生爲本質，這已是無可置疑的。但是，這以民生爲本質之民生哲學何以是立足於心物合一的本體論上呢？

蔣總統曾說：「民生哲學最主要之點，是絕不同意古今哲學家把精神與物質分爲二，致使二者間的關係發生聚訟不決的難題。反之民生哲學，承認精神與物質均爲本體中的一部份，既不是對立的，也不是分離的。物質不能脫離精神而存在，精神也不能脫離物質而存在。宇宙的本體，應是心物合一的。宇宙與人生都必須從心物合一論上，才能得到正確的理解。」⑫這一段話是非常明確的表明了下列四點意義：

第一、宇宙的本體，應是心物合一的。

第二、精神與物質均爲本體中的一部份。

第三、精神與物質，既不是對立的，也不是分離的。物質不能脫離精神而存在，精神也不能脫離物質而存在。

第四、宇宙與人生都必須從心物合一論上，才能得到正確的理解。

蔣總統是以「心物合一論」當作「民生哲學」之「阿基米德支點」的。我們在上一節中討論生存或生活之涵義時已指出了唯物與唯心的錯誤。那祇是破斥而未建立。心物合一論則在於說明宇宙之本來如是，是思想上或認識上之重建；因此，我們應描述出心物是什麼？宇宙的本體究竟是什麼？

---

⑫「反並抗俄基本論」第五章。

首先說明心與物究竟是什麼？在本體界心物無嚴格之界限可說；因爲心物祇是現象界之現象。中山先生在「軍人精神教育」第一課中曾說：

然總括宇宙現象，要不外物質與精神二者。精神雖為物質之對，然實相輔為用也。考從前科學未發達時代，往往以精神與物質為絕對分離，而不知二者本合為一。在中國學者，亦恆言有體有用。何謂體？即物質；何謂用？即精神。譬如人之一身，五官百骸，皆為體，屬於物質；為能言語動作，即為用，由人之精神為之。二者相輔，不可分離。若猝然喪失精神，官骸雖具，不能言語，不能動作。用既失，而體亦即為死物矣。由是觀之，世界上僅有物質之體，而無精神之用者，必非人類。人類而喪失精神，則必非完全獨立之人。

許多人誤以爲中山先生這是講哲學的本體論。因爲這些人對於宇宙的本體與宇宙的現象並無清楚的認識。中山先生這是非常明白的指出了：宇宙現象卻可約化爲精神與物質二者。人這個現象是以物質爲體，以精神爲用。而且，此所謂體用，並非以體爲根本，以用爲次要，乃在於說明精神與物質之不可分。人若喪失精神，便已「必非人類」。這段話絕無意說明宇宙的本體是什麼？祇是說明精神與物質這兩個現象之不可分，且精神較物質爲重要而已。

通常所謂之物，是指由原子組成之物質與物體；通常所謂之心，是指人之精神作用。從原子而想像人或物，都祇是「有極其細微到不可想像的而幾近於無的一系列一系列的互相重疊的波動而已」⓭。人或物是由這種「波動」做成的，這真是不可思議的。再從精神作用而考察心，實無所謂心之存在。心與物本身都不是自存的，它們的存在都是功能的。我們說精神作用是一種功能，這是大家都無可否認的。現在說物質也是一種功能，當然有許多人不同意；但是，祇要有現代物理學的常識，我們便知這做成人或物的「波動」確是一種功能而並非什麼實體；所以我們推論人或物都祇是功能，實爲無可爭辯之事實。心與物的本身既都是功能，故無根本上的差異。蔣總統說：

> 我們總理民生哲學思想，是不偏於唯心，亦不偏於唯物，而以民生為歷史進化的重心，可說是綜和心與物二者的最高理想。這與近代哲學界「中立一元論」完全相合。……就是心與物二者並無嚴格劃分的界限，既無所謂物，亦無所謂心，一切惟「事」而已。⓮

二、心物合一論之主要涵義

我們認爲，心和物在究竟上是沒有嚴格的界限可劃分，而且是「無所謂物，亦無所謂心」。爲便於明白起見，特將心物合一論之要旨，以圖示之於左：

⓭ 詳見拙著「心物合一論」第四章，民國六十年版，頁五三。

⓮ 蔣總裁：「總理『知難行易』學說與王陽明『知行合一』哲學之綜合研究」民國三十九年七月。

（太極演化體系圖）

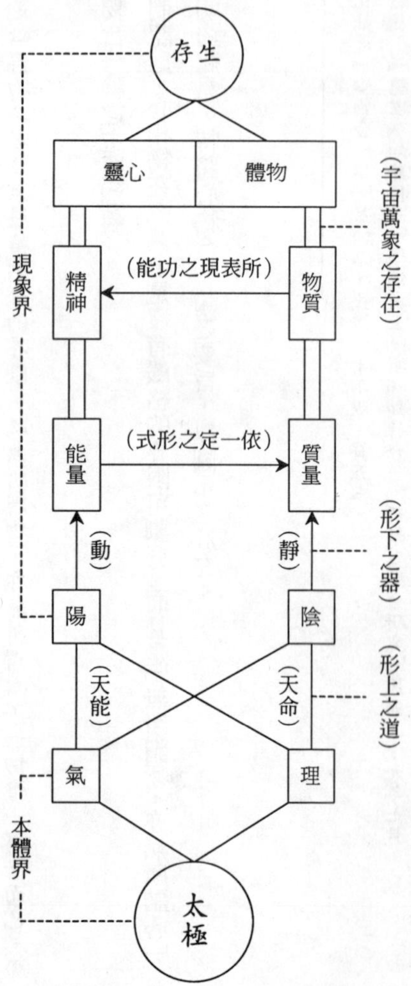

（圖例說明）

一、「—」表示「含有」之義。如太極含有理氣，理氣含有陰陽。因為是含有，所以太極、理氣、陰陽為不可分者，此稱之為本體界。

二、「↓」表示「就是」之義。如陽動就是能量，陰靜就是質量，能量依一定之形式就是質量，物質所表現之功能就是精神。因此，理（天命）氣（天能）、陰（靜）陽（動）、能量、質量、物質精神等等，皆祇是一事，亦皆是太極所顯現之形式與功能。

三、「‖」表示「演進」之義。如能量演進為精神，質量演進為物質，精神物質演進為物體心靈。物體心靈實祇是一事，所以是合一而不可分的。

上圖是說明了什麼呢？第一、我們姑將宇宙的本體叫作太極，也可以叫作無極或無。不過，它雖然是無，祇是無方所，無形相，無內涵而已。它的本性就是佛家所謂之無所住，我們所謂之「中」。它的內涵是零或無，它的外延當然是無限的。它就是黑格爾所謂之「純有」。照這個說法，無極而太極之爭是多餘的，因爲它是有與無之同一。有無在本體界是同一的。

第二、它既是「純有」，既是物之所以爲物，世界之所以爲世界者，它當然是真、是誠，也就是中。因爲它既是有無之同一，它就是不落有無兩邊，它當然就是中。從人來說，此心之中，誠或真，也就是仁。仁、誠、真、中等等，皆祇是一事，皆是本體之本性。在上章第五節中我們曾引薛敬軒之說，以說明「中」就是太極之本性，並發揮「其實一也」與「祇是一事」之深義：茲依上圖所示，我們自當更加明白而了無疑義。

第三，它既是物之所以爲物者，它當然有物之所以爲物的可能性。照聖多瑪斯「現無而能有，謂之潛能」的學說，則本體界應稱爲潛能界。我們中國哲學不作如是觀。我們認爲，本體是「自性具足」的。此「自性具足」或本來如是之本體，是含有此氣與理。此所謂理，是指其能依照的而言；此所謂氣，是指其能依據的而言。本體非他，乃能依照的與能依據的這二者之合一而已。何以是這二者之合一呢？因爲本體之本性既然是真與誠，它當然就是實有；實有必是能依據的。而且，這實有必是由無而有，由微而著的顯現爲宇宙萬象之存在，所以它也是能依照的；因爲若不是能依照的，則便是無形式與條理；若無形式與條理，則不僅無所依照，亦且不能成其爲能依據的，所以這二者必是合一的。此自性具足之本體，它雖是自性具足，萬能萬德，究其實，亦祇是能依據的與能依照的這二者而已。因爲本體是無，它是「無形跡」的，它「只是個淨潔空闊的世界」而已，它祇是有此事實的與應該的可能而已。

第四，我們將此能依據的或事實上的可能叫作氣，將此能依照的或應該的可能叫作理。為使此氣有別於形下的氣體之氣，我們特叫它作天能；為使此理有別於形下的邏輯之理，我們特叫它作天命。天命無可違，天能必然顯。此天能就是陽，就是動；此天命就是陰，就是靜。簡單的說來，此本體或太極，就是一陰一陽，或一動一靜而已。易曰：「是故易有太極，是生兩儀。」這就是說，太極就是一陰一陽而已。我們為什麼要巧立理氣、天能天命這些名目呢？乃在於說明這物之所以為物的本體，它是如何由無而有，亦即它是如何的表現而為宇宙萬象之存在。

第五、此物之所以為物的可能性，祇是一陰一陽或一動一靜而已。此一動一靜，就是自性具足，就是萬能萬德。此一動一靜，就是貫通形下形上的樞紐，亦即有無相生之理。黑格爾以有（being）、無（nothing）、生（becoming 亦譯為成或變成）三者作為純有之本質，我們中國哲學則以陰陽或動靜作為本體之功能。動靜本身就是生或變。生就是本體之德。易曰：「天地之大德曰生。」黑格爾哲學於此等處，很像我們中國哲學。

第六、照以上所說，中國哲學裡的理氣先後之爭，亦是多餘的；因為在本體界，理氣是彼此含攝而不可分的。而且，本體界既是無，故無時空可說，何有先後？這就是說，理氣二者不僅是互為其根，亦且是無先後可言的。我們中國哲學主張陰陽互為其根，此理至真確，亦至易曉。例如動靜，即是互為其根的。宇宙間沒有純然的動或靜，這是現代科學所能明證的。這個證明，也就是間接的證明了心物之合一。

以上是極為明白的描述了太極是什麼？也是更為具體的說明了「中」是什麼？太極與

「中」是什麼呢？它祇是有此事實的可能與應該的可能而已，它祇是天命天能、動靜、陰陽之合一而已，也祇是心與物之合一而已。心物何以是合一的？因爲照上圖所示，這生存的具有心靈之物體，乃太極所「演進」而成的，所以在本質上是合一而不可分的。

三、心物合一論與孫文學說

照前圖所示，我們與中山先生的學說是相合的。「孫文學說」第四章說：

太極（此用以譯西名伊太也）動而生電子，電子凝而成元素，元素合而成物質，物質聚而成地球，此世界進化之第一時期也。……由生元之始生而至於成人，則為第二期之進化。物種由微而顯，由簡而繁，本物競天擇之原則，經幾許優勝劣敗，生存淘汰，新陳代謝，千百萬年，而人類乃成。人類初出之時，亦與禽獸無異，再經幾許萬年之進化，而始長成人性，而人類之進化，於是乎起源。此期之進化原則，則與物種之進化原則不同；物種以競爭為原則，人類則以互助為原則。社會國家者，互助之體也；道德仁義者，互助之用也。……

又「孫文學說」第一章有曰：

據最近科學家所考得者，則造成人類及動物植者，乃生物之元子為之也。生物之元子，學者多譯之為「細胞」，而作者今特創名之曰：「生元」，蓋取生物原始之意也。生元者，何物也？曰：「其為物也，精矣、微矣、神矣、妙矣、不可思議者矣。」按今日科學所能窺者，則生元之為物也，乃有知覺靈明者也，乃有動作思維者也，乃有主意計劃者也。人身結構之精妙神奇者，生元為之也；人性之聰明知覺者，生元發之也；動植物之奇奇怪怪，不可思議者，生元之構造物也。生元之構造人類及萬物也，亦猶乎人類之構造屋子、舟車、城市、橋樑等物也。空中之飛鳥，即生元所造之飛行機也；水中之鱗介，即生元所造之潛航艇也。孟子所謂「良知良能」非他，即生元之知，生元之能而已。

孫文學說這是根據達爾文的進化學說以及現代的科學思想而說明了由太極至於成人之進化過程。屬於科學方面的，有些是不爭之事實，有些則常爲新學說所取代；因此，從純哲學的觀點來說，科學學說，祇是方便假用，「能近取譬」而已。吾人讀「孫文學說」，亦須先懂得這一點。若能先懂得這一點，則知「孫文學說」此所說的與「太極演化體系圖」（以下簡稱演化圖）所顯示的，實無本質上的區別；因爲這都是說明了由太極至於成人的由微而顯，由簡而繁的進化或「演化」之理。惟特須說明者，即「孫文學說」的分期進化之說，我們若認爲太極、生元、人性這三者是截然劃分的，這便是一種誤解。爲什麼是誤解呢？除以下將另從進化哲學，生命哲學，以及現代生物學的觀點加以說明外，在這裡特從「其實一也」與「祇是一事」之說而作較詳盡之說明：

第一、宋明理學的「體用一原，顯微無間」之說，意謂自宇宙的本體至宇宙的萬象，祇是一個原因；而且是由微而顯，由簡而繁的。這顯微繁簡之間是連續而無間斷。所謂「無間」，好像由白天到黑夜一樣。誰能在白天黑夜之間找出一個「間」嗎？這就是說，宇宙本體之自身，它是無間的；這本體所顯現之用或現象，則有階段可說。如通常所謂之早晨、中午、黃昏、午夜等等，是階段顯明的；因此，太極、生元、人性這三階段，在現象上雖是階段分明，在本體之自身，則祇是一事。照這樣說來，則所謂太極動而生電子，電子凝而成元素，元素合而成物質，物質聚而成地球，地球成而發生元，生元發而成人性等等，在現象上雖是階段分明，在本質上則祇是一事，亦即這各種現象乃「一氣貫串，一理貫通」，且「顯微無間」的演進而成的。前文所示之演化圖，乃描述此「一氣貫串，一理貫通」之義理者，亦即說明此本體是如何演進而爲此宇宙萬象之存在。這演化圖與孫文學說之進化觀，如能善加體會，則知這二者實無本質上的差異。

第二、爲使讀者於明白起見，茲再就水與波浪之喻以爲說明。熊十力先生在「新唯識論」一書中，喜歡以大海水與眾漚而喻體用，意謂本體如大海水，現象如波浪。這是體用一原之最恰當的比喻，亦是體用不一亦不二之最好說明。因爲從現象來說，水與波浪非一；究其實而言，水與波浪非二。就其是「非二」而言，由太極而生元，由生元而人性，皆祇是一事；就其是「不一」而言，本體與現象究有區別。本體雖是萬能萬德，而本體之德祇是誠、真、中、仁等等，亦祇「天地之大德曰生」而已，它並不就是宇宙萬象；所以從本體到現象，雖是顯微無間，而所顯現之現象則各有不同。

第三、演化圖所示者，亦與一般人所想像者有別。一般人以爲、心即理，氣就是物質。若究其實，則此形上之理，乃物之所以爲物者；此形上之氣，乃精神之所以爲精神者。我們曾說形上與形下是相互矛盾的。雖是矛盾的，卻是「一氣貫串，一理貫通」的。許多人祇見到本體與現象之矛盾，未能體認其串通者。如前文所述，演化圖實已將串通之義表示得很清楚；惟關於相互矛盾之義，仍有再加說明之必要。拙著「心物合一論」曾說：

> 從現象界言，「世界於時間為有始，而於空間亦為有限」；若從本體界言，則是無時空可說。佛教徒認為，吾人若能成佛，則與已往諸佛為同時同位。佛教徒是識得本體界無時空可說之真理的。因此，從本體界說：「世界於時間為無始，於空間為無限。」凡時間或空間，皆必是有限的；若是無限，則無時空可說。……再者，從現象界言，全體是由部份組成的；若從本體言，它自己就是「一」，沒有全體與部份之分。……其次，從現象界言，是有因緣可說的；若從本體界言，則一切「因果脫落」。再其次，從現象界言，宇宙萬象皆是實際存在的；若從本體界言，宇宙萬物皆祇是變化之跡。照這樣說來，本體界與現象界之矛盾，實已毫無疑義。不過，這矛盾並不是不可以化除的，這是以後所須詳說的。在這裡仍須陳述者，即此所謂之現象界，是類似康德所謂之二律背反中之正論（thesis），而本體界則類似反論（Antithesis）。吾嘗竊怪西方傳統獨斷主義之玄學竟主張正論，而經驗主義竟主張反論。吾人認為，照我們所主張的本體界與現象界之矛盾來說，此正反二論之說皆是能成立的。（同註十三，頁四五）

正反兩個觀念皆是正確的，前章已有較詳盡之討論，讀者當可以覆按，此不再贅。至於本體界與現象界，既矛盾而又貫通之義；於此，實已顯露無遺了。

第四、朱子「周易本義」一書，其篇首所載「圖說」，如「伏羲八卦次序」及「伏羲六十四卦次序」二圖，亦稱小横圖與大横圖，深能表示體用一原之義，茲特將小横圖錄之於左：

伏羲八卦次序圖

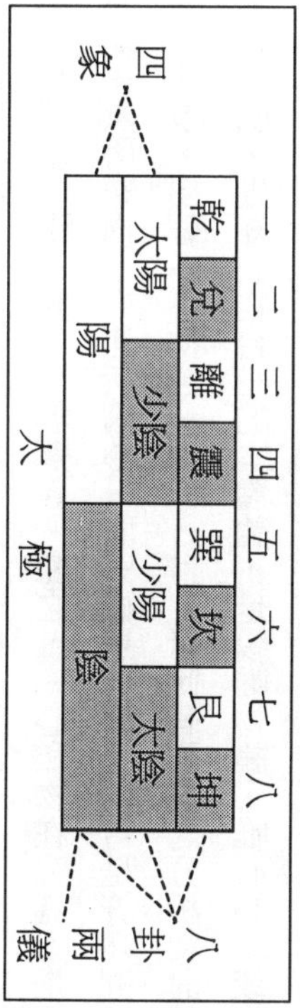

我們認爲，體似河床，用似不息之河流；而河床與河流又絕非二物。這就是說，固然現象是一過程，而這過程又就是本體它自己。這大小横圖頗能表現這個道理。讀易者，須熟玩此中奧義。我們的「太極演化體系圖」，與大小二横圖在本質上實無差異，我們是以現代的觀念，而顯示此「法象自然之妙」；而且，我們更能顯示「理一而分殊」與「一物一太極」之義。這就是說，演化圖是既可以代表任何個體的存在，亦可以表示此整個宇宙的存在；因爲，就宇宙之整個的存在而言，它無非是此形上之理與氣的合一，藉一陰一陽或一動一靜而表現爲能量質量以演化爲宇宙萬象之存在。任何個體之存在，其意義亦不外於是，亦即宇宙與人之生存的本質，結構或骨架，亦莫不如是。因此，我們所謂之「一氣貫串，一理貫通」，亦是在於說明「一物一太極」之義者。此理很明顯，此義亦很正確而無疑義。

第五、照我們以上所說，對於「其實一也」及「祇是一事」之理，實已說得很明白；因此，對於「一即一切，一切即一」之理，也應了無疑義。這就是說，從究竟而觀，無有不是一者；從現象來看，則就是多。一與多之同一，即本體與現象之同一。此在上一章中已有說明，現再就演化圖所示而加以體認，自更爲親切。本此旨趣，以體認演化圖所顯示之理氣合一，陰陽合一，動靜合一，質能合一，物質精神合一，物體心靈合一，並進而體認形上與形下合一；則知天與人，心與物，無不是合一的。照這個說法，則知上章所謂之心之已發與宇宙之已發實祇是一事，應已了無疑義。總之，「心和物在究竟上是沒有嚴格的界限可劃分」的，亦即「無所謂物，亦無所謂心」而「祇是一事」。這是許多囿於感官之知者所最不易弄清楚的一件事。拙著「心物合一論」一書，對此有詳盡之分析與討論。同時，就演化圖所示與以上之說明，則知心物合一的本體論，是較唯物論、唯心論、或突創唯物論，都要遠爲妥切而無可辯駁。心物合一論恰能顯示出宇宙的本來如是之理；也就是說，宇宙的本來如是之理，恰可以用心物合一論予以妥當的說明。

總之，從「太極演化體系圖」是可以很明白的體認到「祇是一事」與「其實一也」之奧義的。因爲從自然現象來說，電子、元素、物質、生元、人性等等，是階段分明的；若究其實，實「祇是一事」；因爲所謂電子、元素、物質、生元、人性等等，皆是這宇宙之本體，即我們所謂之太極，稱其所有的而顯現出它自己所有的理與氣，以表現爲天命天能，並顯微無間的而「一氣貫串，一理貫通」的顯現爲宇宙萬象之存在。這就是說，這宇宙萬象之存在，乃宇宙本體之自身的顯現；這宇宙萬象與宇宙本體，是類似波浪與水，在這個川流裡，雖沒有任何事情會在完全相同形貌裡重複出現，但絕非二物；而且，這流動的過程，亦「是構成一個整體，不能被分裂成個別的元素」。這個道理，以上應已說得非常明白。本於這個道理而體認「孫文學說」之進化階段說，才不致執著、才不致誤解，亦才能對「軍人精神教育」中物質爲體，精神爲用之說有正確的理解。這是講心物合一論最要緊之所在。因爲講心物合一論，我們一定要體認到本體的一元與現象的併存二元，而且要體認到這本體的一元與現象的併存二元是既矛盾而又統一的。讀者若能覆按前章對形上學有關範疇之討論，則知我們的此項主張，既非有邏輯上的困難，亦非語意不清。

四、心物合一論與現代生物學

本爾茲（J. T. Merz）在其所著「十九世紀歐洲思想史」中曾說：「比較其他博物學大家，貝爾（一七九二年至一八七六年間人）爲最能確見研究自然萬物者，必有三方之觀點：㈠某某項物形之似若一定或實在一定（形構觀）；㈡此項物形有其接連之有秩序之變（化育觀）；㈢在變化之手續中，似有或實有規畫（規畫觀）。」⓯本爾茲認爲：貝爾之研究雖盡力於化育觀，亦注重型構觀及原因觀（即規畫觀）；至於達爾文之物種由來論，則爲化育觀建立堅固基礎，於是

⓯ 伍光建譯「十九世紀歐洲思想史」第九章臺灣商務版第一編下冊，頁八〇八。

形構觀，及較早之系統學，以及分類學之研究自然物與自然手續者，皆失其根據。這就是說，十九世紀五十年代以後，是化育觀或進化論得勝的時代。

時至今日，達爾文的自然淘汰與生存競爭之說，已受到了現代生物學家的修正。法國生物學家賈克·莫諾（Jacques Monod 1910-1976）說：

> 直到最近，達爾文之後的進化論者之中，有一部份人士在議論自然淘汰時，常傾向於提出內容極為貧乏的，原始而無知而又殘忍的觀念，那就是單純的生存競爭的觀念。⓰

莫諾又說：

> 在他（指達爾文）的時代裡，大家都還不知道有推行不變性繁殖的化學機構存在，也不知道此機構所嘗受的擾亂之性質和其意義。所以我們不要因為在一切含意及其完全確實的精密性上，淘汰與進化之理論的真正確立，係最近不足二十年來的事，而就對達爾文的天才打了折扣。（同註十六，頁一三）

我無意對於近百年來生物學之演變或進化論之進展作歷史性的考察，這不是我這外行人

⓰ 劉鴻珠教授譯「偶然與必然——現代生物學之思想問題的探討」，民國六十六年，杏文醫學文庫，頁一三〇，莫諾教授原著係出版於一九七一年。

所能勝任的；因此，除了以後我仍將借用現代分子生物學的學說以說明我們的論點外，茲僅就柏格森（Henri Bergson 1859-1941）的生命哲學與摩根（C. Lloyd Morgan 1852-1936）的突創進化（emergent evolution）作必要的說明，以與我們的心物合一論作比較的研究。

達爾文進化論的勝利是機械觀進化理論的勝利。這個勝利，很可能引起「一種通俗哲學，以不知之物質原理，及不知而又較為不清楚之力之原理，以為根據，發表一種意想，謂科學已能驅除一切虛妄無形無體之事物，且能以純粹之機器原理，解說萬事萬物。至是而從前所謂之生命學說及精氣學說，皆一切掃除淨盡，祇餘機器學說及唯物學說（物質學說）。讀者宜注意，凡學界所賴以發展生物學知識之大名家，皆不主持此說。」（同註十五，頁九一三）這種通俗哲學，其在我國初年以及三十年代，亦至為盛行，不過改換為辯證唯物論之面目而已。其在歐洲，自本世紀以來，機械觀是不如十九世紀下半個世紀那樣的得勢與風行。柏格森的「創化論」（Creative Evolution）即是反對機械觀者。該書第一章對機械觀與目的觀作了非常詳盡的批評，不過，柏氏卻認為他的學說「與目的觀較近」⓱。賈克莫諾很不喜歡柏氏的哲學。他說：「在我的少年時代，若不讀好他（指柏格森氏）的『創化論』那本書的話，則休想得到大學的入學資格。縱然今天，這種哲學似乎完全失去了信用。」（同註十六，頁二五）我們與柏氏的哲學也有基本上的不同，容後再加評論；但柏氏的學說，有許多地方為我們所贊同，例如他說：

⓱ 張東蓀譯「創化論」先知叢書，頁六六。

心態者非他，變而已矣。（同註十七，頁二四）

心態……皆繫乎一流之中，不過為一流之諸波。故心態非孤立也，乃永為無盡之流耳。（同註十七，頁二五）

我心即變，變即自創不息，萬有之本體，詎不如是耶。（同註十七，頁二八）

苟泯此知覺，則物象遂消融於宇宙渾一之中，是謂本體。（同註十七，頁三一）

可知生物亦自綿延，常變不息，創新無已，積留其過去之全史，正與心之現象相同也。（同註十七，頁四二）

是則生物亦猶心之現象，時時自創新焉。（同註十七，頁四七）

柏氏此所描述之心態與萬有之本體，生物之現象等等，皆甚得體。賈克・莫諾又說：「我無意論駁柏格森這個哲學（這哲學本來就是不便於論駁的東西）。我認為自己是慣於封閉在理論中的人（對全盤性的直觀力貧弱）不夠具備有能力討論它。可是這並不是說，我認為柏格森的態度無意義（nonsense）。」（同註十六，頁二六）這就是說，柏氏哲學在今日雖失去信用，卻並不是沒有意義。

茲再略述摩根之學說，稍後再作綜合的比較研究。項退結編譯之「西洋哲學辭典」，將Emergent Evolution 譯為「逐漸顯示的進化」⑱。突創進化與逐漸顯示的進化意義可以很不相

---

⑱ 布魯格編著項退結編繹：「西洋哲學辭典」先知版，頁六四九。

同。施友忠所譯之突創進化論，其中凡譯為「突創」之字眼似皆可改譯為「逐漸顯示」。摩根之說，大致本於亞力山大（Samuel Alexander 1859-1938）之塔形圖而加以發揮，特將該圖示之於左：

塔形圖

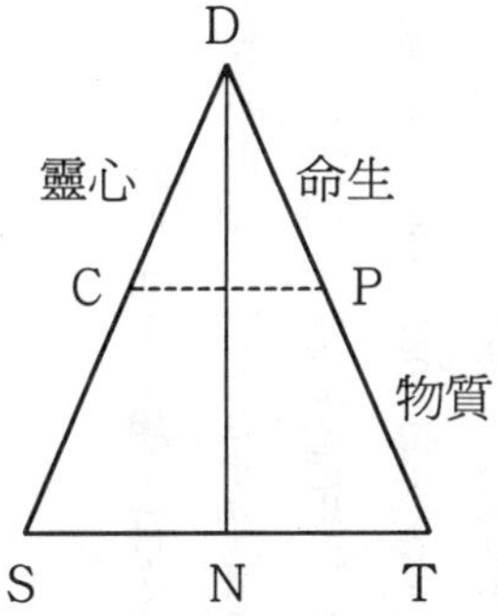

摩根對此圖加以解釋說：「圖之基線為空時（ST），於現存事物無所不參。圖之上端為神性（D），與空時同在塔形之內，係進化歷程上最後突現之最高性質，為少數人類緣進化中線而上所達到之境界。圖之上端逐漸尖小者，表示純粹物質事情之範圍較事情之兼有有機性質者之範圍為大，但以之與空時之範圍較，則又遠不如矣。此亞氏之說也。自N直向尖端之矢線代表亞氏所謂之奮力，亞氏稱之為傾向神性之奮力。」⑲摩根又曰：

⑲ 施有忠譯「突創進化論」臺灣商務人人文庫版，頁一一。

生機主義一詞如果含有隱德來希或生命力之意義，為強加在物理化學之進化上之一種外來力量，藉以解釋生命之現象者，則吾告讀者曰：含有此義之生機主義，實突創進化論所明白否認者。（同註十九，頁一三）

吾人作心靈、生命、物質三階段之區別。（同註十九，頁二三）

吾之哲學系統，遠不若亞力山大氏之廣博高深。蓋吾之識見有限，思辨不精，故難有宏大淵博之系統也。吾亦嘗盡心之力以求空時關係或結構之離乎物質事情而能獨立存在之證據矣，結果毫無所得。吾之思力止於事情，其原始之狀態，非獨具有空時且亦屬於物質。吾雖承認物質事情之流動不居，……流動固是事實，但係事情在吾人所思為空時架格中之流動也。（同註十九，頁二五—二六）

摩根認爲：「若就形而上學說，吾之學說固不足以與亞力山大氏淵博之學說比；然吾一生致力之所得已盡於此矣。」（同註十九，頁二六）我們對於亞力山大所著之「空、時、神」（Space, Time, Derty, 1920），「道德、次序與進步」（Moral, Order and Progress, 1889），及摩根之「生命、心靈、精神」（Life, Mind, Spirit, 1926）等大著，雖未能拜讀，然就以上所引述，他們學說的要旨，固已昭昭在目，茲作綜合的比較說明於左：

第一、摩根找不到空時獨立存在之證據，這是很對的。我們認爲，世界本身，原沒有空間或時間。空時是人之智慧所創立之範疇而用以說世界者，非世界本身所固有者。世界本身祇是一，祇是流動，祇是自創不息；而且祇是當下。誠然，有流動，則必有綿延，這是從現象界說的；若從本體界或世界之本身來說，它是渾一而不可分的。比如我們從楊子江來看長江，這長江是綿延不斷的，時空是可建立的；若洞觀宇宙本體，它是渾一而不可分的，既無大海之廣闊，亦無江河之綿延。此理頗不易明白。若能體認形而上的有無同一之理，則知時空並非先天範疇。拙著「心物合一論」，曾對於物與心加以分析，其目的在使讀者能從物不是物，心亦不是心，而體認心之本來面目與宇宙的本來樣子確是相同的，它們都可以名之爲「無」，它們是無空時可說的。再者，在上一章中，關於有與無何以是同一的，我們亦已有較爲詳盡之說明。摩根找不到空時獨立存在之證據，這是觸及了形而上之本體的。

第二、嘗讀笛卡爾（Descartes）的「沉思集」，他認爲：「可以明白理會的東西，只有體積（或長、寬、高三度廣袤），形相（是由廣袤之終點所形成的），位置（是由各種形相的物體互相所保持的），運動（或位置的變化），此外還有實體，綿延和數目。」（沉思第三）波亨斯基說：「笛卡爾公開承認他是形式邏輯之敵。實際上他不承認任何特殊的哲學方法，他想把（未經哲學分析的）數學的自然科學的步驟應用到所有的情況。」⑳這是自十七世紀以來的歐洲心靈的主要特徵。史賓格勒（Spengler）曾說：「有兩種途徑，以供我們認識知識的整體。知識的整體，包括了生成變化的過程，和已經生成的事物，包括了生命，也包括了生活。」㉑

---

⑳ 波亨斯基（I. M. Bochenski）著、郭博文譯：「當代歐洲哲學」（Contemporary European Philosophy）協志工業叢書，頁二。

㉑ 史賓格勒著・陳曉林譯：「西方的沒落」桂冠叢書・華新版，頁四八。

史氏認爲，注重生成變化過程者，是形成純粹有機的世界觀，這是經由直覺的洞照與內心的經歷而來的。注重已經生成之事物者，是形成純粹機械的世界觀，如牛頓（Newton）與康德（Kant）的世界，乃經過認知，而後歸納爲一體系的。史賓格勒說：

事實上，所有「已經生成的事物」，其真正的秘密，即在於：它們即是已經「展延」了的事物；無論其為空間的展延，或是性質的展延，其真正的秘密，皆可用「數學的數字」來具體表現，……數學的數字，其本質之中，即蘊含有「機械的區劃」這一意義。（同註廿一，頁五〇）

西歐文化，乃一種在「已經完成」狀態的文化，其表現或描畫生存的基本概念，是選擇數字（Number）作表徵。這是歐洲文化的真精神。自笛卡爾以來有成就的哲學家，大都是有成就的數學家。在這樣一種文化精神陶冶之下的學者，即令他看到了生成變化的過程，卻很難脫掉「已經生成」這個影響；所以摩根認爲：「其原始之狀態，非獨具有空時且亦屬於物質」。很顯然的，這是由於把世界當作「已經生成的事物」之一種錯覺。

第三、茲再討論柏格森的哲學。柏氏對斯賓塞（Spencer）學說有於下之批評：

於是斯賓塞之進化哲學乃起，以為物質逐漸進化，遂具有知覺，簡單之知覺逐漸進化，逐變為智慮。蓋宇宙之本體為轉化，一切事物悉自簡而繁，自微而著，由進化以成也。

其說之致影響於現代者，正在此點耳。

然而方斯氏之循此途程而進也，不幸竟逸於歧路，故其說雖名為進化論，而實無與於進化也。

蓋其所用之方法，可一言以蔽之，曰，採集進化上已成之零碎事象拼合之，而認為進化其物是已。猶如有畫之紙，裂為若干塊後，仍能拼成一紙，其畫依然……。（同註十七，頁四〇〇—四〇一）

柏氏此批評斯賓塞之學說非常中肯。毫無疑義的，摩根是發展了斯賓塞的學說。這即是說，我們亦可以借柏氏之說以批評摩根。柏氏確能把握「生成變化的過程」而超脫了「數學的自然科學的步驟」。他確能洞觀變化之全體大用與渾一而不可分者。這與我們的「體用一原，顯微無間」的「祇是一事」或「其實一也」之說很相接近，所不同者，乃柏氏認爲：

宇宙本體為不絕自新之流轉。（同註十七，頁六二）

由此另建立一新宇宙觀，以物理為心理之逆轉，以綿延為本體，以廣袤為本體之停滯也。（同上，頁二四二）

宇宙之本體者乃由綿延而逆轉，化為廣袤。（同上，頁二七二）

凡為本體者，必創新不息之轉化也。（同上，頁三〇四）

我們認爲，所謂「綿延」，所謂「不絕自新之流轉」等等，祇是本體之大用或稱本體之所有而顯現之現象。（此所謂「稱」應讀去聲。古語「稱家之有無」，意即衡量自家的力量；因此，「稱本體之所有……」，意即衡量本體之所有而可以表現出來的都表現出來而已。）但是，這並不就是本體。本體與現象，不二亦一。西方哲學家，除黑格爾外，都對於這不二亦不一之理，最難體會，這亦可能由於歐洲的心靈不同於東方的心靈。因此，柏格森認爲：

此先無後有之思想實為一切疑問之根底。（同註十七，頁三〇七）

以一切皆無之一辭等於四角之圓，乃一空語耳。（同上，頁三一一）

則所謂無者，乃自相矛盾之觀念。（同上，頁三一三）

殊不知所謂空與無者祇一似是而非之謬想，一自相矛盾之空語耳。（同上，頁三一八）

若以為本體自無而後有，則必為不動不變。（同上，頁三一九）

柏氏認爲「無」乃似是而非之謬想，乃自相矛盾之空語，殊不知，這「綿延」，這「不絕自新之流轉」，這「創新不息之轉化」，這一切現象之本身究竟是什麼呢？柏氏似認爲這就是自然之本性，可以名之爲「生源」。柏氏說：「惟生力亦然，自其生源之寶藏出發，四向分歧。……至於世界之創化，純爲生力之活動，雖貫徹乎物質之中，而仍有自由也。不如以人手爲喻，使下垂之手爲之揚起者，由於意志之作用也。此喻較前爲切矣。要之，物質之趨勢爲自行渙散之活動，生力之趨勢爲自行結構之創化。若以物質之作用爲逆，則生力者，逆流中之順流也，自行結構於自行渙散中者也。」（同註十七，頁二八〇—二八一）我的外文能力很差，尤完全不懂法文。這一段譯文是否有錯誤我不知道。如果不錯，則柏氏所謂之生源，其意義不明；且其所謂生力，似與物質乃不同之二物；而生力更爲逆流中之順流。這是與我們的哲學有根本上不同者。我們認爲：宇宙之全體大用確爲一種綿延不息之創新或生成變化；但宇宙本體之本身則就是無。此所謂無，乃無形相、無方位、無特性，無感官知識所習見的一切認識或意義，我們特名之爲太極。這太極之本性爲「中」，其特質爲「仁」，其功能爲「生」，其「純亦不已」之特性爲生存意志或流行之天理。名雖不同，其實一也，至於這自然界有心物之現象可說者，乃太極的形而上之理與氣，或天命與天能的形上之道，而顯現爲陰與陽，動與靜的形下之器，以化育萬物，表現出物質與心靈。照我們的看法，也就是照「太極演化體系圖」所示者，這心靈與物質，祇是這宇宙本體所顯現之兩種現象，而不是不同之二物。柏格森主張以直觀而遊神於物之內面，而達到絕對的境界㉒；但是，他既未能體認到無，則是很顯然的未見到絕對。絕對本身是不生不滅，不增不減；而絕對所生起之大用，則是創新不已，轉化不已；至於這本體何以能顯現爲大用，乃本體是有此應該的與事實的可能而已。柏格森的哲學如能與我們的哲學接上頭，則是更爲堅實而無可辯駁的。

第四、柏格森之所以未能見到絕對者本身，很可能受了「物質不滅」這個觀念的影響。

㉒ 柏格森著，瞿世英譯：「形而上學序論」正文書局版，頁一—頁四。

在他的晚年，量子論的哥本哈根說法㉓雖已出現；但微觀性體系的研究，他可能沒有接觸到。這都是廿世紀不同於十九世紀者，也可以說是現代之不同於自笛卡爾以來的這三百年者。柏氏生長在唯物論盛行的時代，而能獨標異幟，創立生命哲學，這是他的偉大處。假如柏格森能清楚的知道；巨觀性的現象是應該被視爲多方面的微觀性之相互作用而集積累積的結果，我相信他決不會說：「生力者，逆流中之順流也，自行結構於自行渙散中者也。」他這話究竟是什麼意義呢？這很可能以宇宙乃一不可逆系統這個觀念爲依據的。物理學家認爲：「世界上的現象不能掉過頭倒著運行。」㉔例如能源或熱源，它祇會消失，祇會由熱變冷，而不會自行由冷體流至熱體。稍微說得專門一點，這意義即是：「宇宙能量不變；宇宙的熵增加。」㉕這兩句話就是熱學第一及第二定律。熱學第一定律，是謂任何能量可以等値變換；熱學第二定律，亦稱熱熵定律（Entropy Law）；所謂熵，就是一種單向活動，即可資利用的能量永遠在減少，亦可以說是有秩序變成無秩序。巴尼特（Barnett）在其所著「宇宙與愛因斯坦」一書中，對於「熵」有很清楚的描述；他說：

這個宇宙正走向最後的「熱的死亡」的時代，或者用科學名詞說即「最大熵」（Maximun

㉓ 海堡著，周東川等合譯：「物理與哲學」協志工業叢書。

㉔ Richerd Fernman 著，林多樑譯：「物理定律的特性」臺灣中華局版，頁九二。

㉕ Bruce H. MaHan, Elementary Chemical Thermodynamics 第一章。

Entropy）的狀態。當宇宙在多少億萬年後達到了這個狀態時，自然的各種變化程序將屬停止。所有的空間在同樣的溫度，再沒有能量可用，因為所有的能量已平均分佈於大宇宙中。無光、無生命、無熱，是什麼全沒有，只有一永久不變的停滯。時間本身將到了一個終結。

照巴尼特的想像，宇宙在最後將成爲「能」之永久的停滯。能本身並沒有毀滅。這是「物質不滅」之另一個的較爲究竟之陳述。柏格森的哲學是否完全以這個構想爲基礎，固未便斷定；但，他認爲「生」是逆轉物質的「渙散」程序，則是很顯然的。柏格森爲什麼認爲「生」與「物」是不相同的呢？其理由即在於此。我不擬對柏氏的哲學作直接的批評，特將現代生物學的觀點引述於后：

……生物的三個特性。這就是：「合目的性」，「自律性形態發生」及「複製的不變性」。（同註十六，頁一二）

這三個特性互相有緊密的關聯，這的確是個真實的事情。譬如，惟有經過合目的性構造裝置產生的自律性形態發生，才能將遺傳的不變性在表面上顯露出來，而且才能向我們有所啟示。（同上，頁一五）

生物的巨觀構造不是受外力之指令而形成，它是經由內面發出的相互作用而自律性的形成。（同上，頁四八）

生物所呈現的巨觀性的驚人的多樣性，其實也是來源於微觀性的而根本上就是非常單一性。(同上，頁四九)

由其複雜性而言，或從它高效率實行預先擬定的計劃之點看來，生物確實是令人驚嘆的東西，令人難免要以為它是由某種具有認識機能的東西，主動的造化出來。這就是馬士威爾所想像的，所謂微觀性的精靈之屬性，就是指這種機能。(同上，頁六二)

……Allosteric 酵素之一個分子的重量，卻只不過是 10^{-17} 克而已(即一克的千萬分之一的又千萬分之一的再又千分之一的重量而已)。由這個天文學性的數字，我們不難覺察，內面裝備有這種千百種微視性存在的一個細胞，能將自由發揮的調節性情報場(即其合目的性)能力是多麼偉大得令人驚異。它遠比馬士威爾、席拉度以及布流安的精靈更為精靈。(同上，頁七三)

從巨觀構造看，生物在機能上和機械非常相似。相反的，生物和機械的誕生方式卻有根本上的不同。機械這個東西和一切其他人工產物一樣，是給予物質外力或是工具，使之具有形體而產生的巨觀構造。那是彫刻刀的鑿刀，從大理石創造出來了愛與美的女神的美妙姿態。但是這位女郎本身，則是從海浪(給烏拉諾斯的血腥腥的腸肚受了精的波浪)泡沫生出來的，以自己的內在力量開出了花的存在。(同上，頁八八)

以上是說明了什麼呢?第一、多樣性是來源於非常單純的單一性；第二、不是受外力之指令而是經由內在之力量形成的；第三、這內在的力量較馬士威爾的精靈(Max Wells, Demon)

爲更精靈。這三者說明了什麼呢？它說明了「生」與「物」不是兩回事，也說明了「中」一元論與「演化圖」可在現代生物學中獲得印證。這就是我們的哲學與柏格森哲學的根本上不同之所在，這似乎是物活論；但是，我們認爲不是的，因爲：

> 由多分子形成的複雜構造體之有機性的全體性，是潛伏在構成要素的構造之中，等到這些構造要素互相聚合時，才會開示出來，將其存在顯現。（同上，頁九三）

我們並沒有人說一粒種子是活的，也沒有人說它是死的。一粒種子通常不從死活來評價；因此，將「生」與「物」不視作兩回事，當不能說這就是「物活論」。我們仍須特別說明的，即莫諾認爲：「自古以來，前成論者與後成論者所互相攻擊的爭論，很明顯的，現在看起來則像小孩子吵架一樣無聊的事了。」（同上，頁九三）現代生物學所證明的是：

> 完成了的構造雛型，原先並不存在於任何地方（達按：這當然不是前成的），而構造的設計藍圖原先是偷偷的被寄托在構成要素分子之本身之中（達按：既是有計劃的，當然就是前成的）。所以，它不須要任何外來能源之添加（達按：這與「自性具足」之說完全相同），不須要任何新的情報之注入，而就可以自律自動的方式顯現其存在（達按：這是很明確的證明了是逐漸的顯現而不是「突創」）。某種構造之後成性的建立，原來並不是創造，而是一種開示的行為現象。（同上）

上面所引述的已經很明白了。這是駁斥了物活論、生機論（即生命哲學）、前成論、後成論、機械論、目的論，以及突創唯物論等等。很顯然的，破斥了後成論，也即是破斥了由物質突創的唯物論。不過，照這個說法而加以推論，也似乎是在說明前成論與後成論二者皆真亦皆妄。習慣於二者必居其一之思想方式者，這是要大吃一驚的。好在「在量子論中，這種二分法的邏輯定律是需要修正的」（請覆按上章第六節「中一元論與併成二元論」的哲學。）因此，這個說法並無邏輯上的困難。照這個說法，則我們的「太極演化體系圖」及由「體用一原，顯微無間」而推出「祇是一事」，「其實一也」之說，確是顛撲不破的真理。這真理說明了什麼呢？它是說明了這形下之器以及宇宙萬象之存在，皆是這形上之道，或我們所謂之未發之中，稱它自己之所有而逐漸顯現的，不是如突創唯物論者所謂之由物質突創的。

第五、我們仍須作進一步說明者，即我們的形而上的中一元論是破斥所有其他各種的一元論；而我們的形而下的併成二元論，則是承認各種各色的二元論，也就是承認各種矛盾的存在並非不合於真理。前成後成皆真，固是微觀性體系之研究所能證明的真理；而二者皆妄，亦是理所當然。「偶然與必然」一書譯者劉鴻珠教授，他尚未完成的大著「混沌與體系」，我雖不知其內容；但是，他很可能是說明偶然與必然皆真之理，即是自然之本性。朱子對於「伏羲六十四卦方位」圖之於無秩序中而有十二個卦是整然有序，他感到很困惑，這就是晦翁不明「混沌與體系」之理。劉鴻珠教授說：

這也許是因為問題來自「偶然」，而答案卻出自乎「必然」，而且供給這一切難能可

貴的「偶然」的又是這偉大的，宇宙的母體。（同註十六，頁一）

這既是必然而也是偶然之宇宙的母體，我們特名之爲太極。你說它是什麼，它卻不是什麼，你說它不是什麼，它道道地地的是所有的無限多的什麼之母。同時，說它是物質，它不是物質；說它是心靈，它不是心靈；但是，心靈與物質皆是它稱本身之所有而顯現的。這就它的本性，我們亦名之爲「中」。莫諾的學說，雖不能完全爲我們的哲學作註解；而且，莫諾是從生物學的觀點講哲學，我們則是從哲學的本身講哲學；但是，莫諾的學說，卻可以幫助我們澄清許多謬見。量子力學與分子生物學，是有助於達到真正的哲學之境的。什麼是真正的哲學之境，我們在第一章中已有較爲詳盡之說明。

布魯格編著，項退結編譯之「西洋哲學辭典」，說莫諾是偶然進化論者，這可能是衆所公認的，我不知劉鴻珠教授是否也同意？我認爲這就是二者擇一之過。假如我沒有錯，我算是真的認得莫諾；但是，無論如何，我這個持「自性具足」之說者，當然不是偶然論者，也不是目的論者。周易繫辭下傳第八章說：

> 易之為書也不可遠，為道也屢遷，變動不居，周流六虛，上下旡常，剛柔相易，不可為典要，唯變所適。

故鄉有句諺語，「草鞋無式樣，邊打邊像樣。」開始打草鞋時，並沒有一定的式樣，當草鞋打成了，卻穿得很合腳。「唯變所適」，可以作如此解釋，這能叫作偶然論嗎？「體用一原，顯微無間」，及「其實一也」，「祇是一事」，以及「變動不居」，「唯變所適」等等，這都是心物合一論的基本觀念，也皆可以用現代生物學加以滿意的解釋。這些觀念，確是「百世以俟聖人而不惑」的。

五、心物合一論與近代西洋哲學

上章我們曾從中一元論的觀點，與西方的形上學作了比較的說明，茲更從心物合一的觀點，與近代西方哲學中有關心物之問題，作比較的研究，使我們討論的主旨，能更加明白。

我們從西洋近代哲學之父笛卡爾談起。他說：「我這個實體之全部本質，只是思想。我雖會有或者確有一個身體，與我緊相聯合，不過我在一面既然有一個明白清晰的自我觀念，知道自己是一個有思想無廣袤的事物，而且另一面又有一個清晰的身體觀念，知道它是一個有廣袤無思想的事物。因此，我亦就是所以成爲我所依的那個心，確乎是和身體不同的，而且離了身體亦是可以獨立的。」（沉思第六）他又說：「我之居於身體不止如舵工之居於船上，而且我和它密切的聯合在一塊或混雜在一塊，使身和心組成一個統一體。」（同上）笛卡爾這所說的，是非常明白的說明了心與物的二元。

自笛卡爾以後，近三個世紀以來，前兩個世紀的重要哲學家，其生存年代於左：

斯賓諾薩（Baruch Spinoza），一六三二—一六七七。

萊布尼茲（C. W. Leibniz），一六四六—一七一七。

洛克（John Locke），一六三二—一七〇四。

柏克萊（George Berkeley），一六八五—一七五三。

休謨（David Hume），一七一一—一七七六。

康德（Immanuel Kant），一七二四—一八〇四。

費希特（Johemn Gottlieb Fichte），一七六二—一八一四。

黑格爾（Georg Wilhelm Friedrich Hegel），一七七〇—一八三一。

謝林（Friedrich Wilhelm Joseph Schelling），一七七五—一八五四。

以上是笛卡爾逝世後兩百年內的較負盛名的哲學家。我們的目的不在於檢討哲學史，所以有許多生存在這個時期的哲學家都略而不談。

通常將笛卡爾、斯賓諾薩、萊布尼茲稱爲理性主義的三位大師，洛克、柏克萊、休謨，則是經驗主義的三大鉅子，康德、費希特、謝林、黑格爾則是德國的觀念論者。

斯賓諾薩的哲學，我祇讀過他的「論知性之改進」（On The Improvement of The Understanding）的中譯本，該書譯者劉榮焌說：

> 斯賓諾薩的哲學，大體自笛卡爾的哲學系統發展出來，而又獨自成立一個比笛卡爾更周密謹嚴的系統。他曾著「笛卡爾哲學原理」二卷，由友人 L. Meyer 作序，序文中特說明斯氏並不完全滿意笛卡爾的學說，而自有其獨立的思想。他不滿意笛卡爾的地方，是笛卡爾對於本體論的說法，在邏輯上不夠週密。例如，笛卡爾認神是唯一的本質（The

Only Substance），卻又認物與心也是本質。到底那一個算是唯一絕對的本質（即本體）呢？笛卡爾沒有嚴格分清楚。所以笛卡爾的哲學是一元之下的兩元論。斯氏修正了笛卡爾的說法，認為物與心是屬性（Attributes），衹有「神」才是唯一絕對的本質，神似外別無本質。因為如別有本質，神就是有限的；凡是有限的，便不是唯一絕對的，便不是絕對的本體。所以，斯氏的本體論，是一個純粹的一元論。又如，既然神是「唯一的本質」，「神」是否即自然界全體呢？笛卡爾也沒有說明。這一點不交代清楚，則「神」是「唯一的本質」（即本體）之說，便脫離不了「有神論」（Theism）的色彩，斯氏則直接了當的說出「神即自然」（Deus Sive Natuir）。神與宇宙，同為一物，也即是自然。這三個同義異名的東西，可以說是萬有之根源，也可以說是萬有之效能的總彙。因此，斯氏的神即自然之說，便被人稱為汎神論（Pantheism）。但是，斯氏的汎神論，並非以萬有還元於神的無宇宙論，而是以神還元於萬有的普遍的汎神論，頗近於希臘埃里亞學派的巴門尼底斯（Parmenides）的邏輯的一元論（Logical Monism），認神為「有」，而「有」即是「實」（Plenum）。以神、有、實三者作同解，便是認定神等於宇宙，宇宙以外別無神，當然亦沒有宗教家所謂之有人格的上帝。斯氏對於這一點說得很明白徹底。他將自然分為「能產的自然」（Natura Naturans）與「所產的自然」（Natnra Naturata）。就神為萬有的根源來說，此根源即是「能產的自然」；就萬有為神的結果來說，此結果即是「所產的自然」。「即能即所」，不在宇宙萬有之外再立一個本體。斯氏亦有無神論的傾向。

斯賓諾薩既認為祇有一個唯一絕對的本體（即本質），而這個本體又不在宇宙萬有之外，則這個本體必是根據邏輯的推論，從宇宙萬事萬物上推論出來的；必是推到無可再推，而最後碰著的那個東西，才能是唯一絕對的。反過來說，必有一物「其本質是由其自身而成，由其自身而可構想，不必藉助於他物而始被知的」（此爲斯氏對本質所下之定義），更明白的說，宇宙萬物都是有其前因的；一切既皆有因，則此無物可更為之因的東西必是自因的（Self-Caused）。再者，宇宙萬事萬物既一一皆有其前因，則一一必是對待的；既一一皆對待，則甲必有待於乙，乙又有待於甲，而最後總有一個是沒有對待的。這個沒有對待的，自因的，「由其自身而成的」，唯一絕對，而是推到無可再推的東西，即斯氏所謂之本體。很顯然的，這個本體是邏輯上的限極概念（Limit Concept），而決非一有人格的神，因而也就無理智、無意志，也不必有目的。因一有目的，神就要依外物行事，與神之定義便不合了。總之，本體（即本質）唯一絕對，無所依傍，而宇宙萬事萬物無一不依賴於本體。本體即神，「神為宇宙之因」，不過此因非普通意義之因，而是所謂宇宙的內在因（Immanent Cause），如牛乳為其白之因，而非父親為兒子之因。

斯氏對於本體與宇宙萬事萬物之關係所持的看法，不像柏拉圖把它們分成兩段，而認定宇宙萬事萬物祇是本體的表現。他稱本體的表現為「形態」，照他的定義：「形態是本質的變化，或存在於其自身以外的他物內，可經由他物而被構想的東西」。一切具體的事物（Concrets Thing）皆可謂之為形態；一切屬性必須附麗於具體事物之中，亦即須附麗於形態而不能獨立自存。本體含有無窮的屬性，不過人類所能窺見的屬性，只有兩種，即笛卡爾所謂之廣袤與思維（Extention and Thought），亦即物與心。但此兩屬性不像在笛卡爾的系統內似的，處於相反的地位，而是同為唯一絕對的本體之表現。本質（本體）因係獨立自存，故為絕對無限。屬性就其自身言之，雖為無限，但對於其他屬性的限制而言，仍是有限，故僅為相對的無限。本質可包括宇宙間的萬事萬物萬思萬感，統攝精神與物質。廣袤與思維則各自成一系列，各自構成一個世界，各在其自身的系列中為無限，各對其相對的系統為有限。故對於思維而處於有限地位之廣袤，不能包括思維；對於廣袤而處於有限地位之思維，不能包括廣袤。但是，兩者雖則不互相包括，卻互相對應。無相對的物體（物），則無觀念（心），無相對的觀念，亦無物體。由此看來，斯氏的本體論，既非唯物論，亦非唯心論，而類似一種所謂內在的二元論（即謂本體唯一，而內含兩不互相包括之物心界），或身心並行論（Parallelism）。

斯氏又以為有限者的形態（亦即具體事物）彼此互相間的關係是嚴密限定的。因此廣袤與思維兩大系列，為有限定的形態所構成之兩大無限的因果系統。在廣袤的因果系統內，物體必與物體相聯接，相延續，相限制；在思維的因果系統內，觀念（心）必與觀念（心）相聯結，相延續，相限制。各系統中的形態（具體事物或觀念），儘管有變化，但這種變化，逃不脫早已安排好了的限制，決無偶然發生。所以斯氏的主張，又是一種極端的機械決定論（Determinism）。

最後，斯氏認為一切形態既然都是從本體顯現出來，則各個形態必傾向於自我保存，而為自我保存之努力（in Suo Esse Perseverare）。努力自我保存，乃各物之天性，亦是人生之目的。但人類欲達此目的，必須努力使其自身與本體合一，或真正自覺其與本體合一。這即是所謂「與天地參」了。㉖

我們之所以不惜篇幅引述上文：一方面，希望對斯賓諾薩的哲學有較明白的瞭解；一方面也希望讀者能將心物合一論的哲學與斯氏的哲學作一比較。我們與斯氏有許多相同者，亦有不同者。對於以上所引述者，我曾就羅素（B. Russell）的「西方哲學史」，威爾·杜蘭（Will Durant）的"The Story of Philosophy"加以參證，大致還信得過去；不過，爲慎重起見，假如我有所爭論；祇是對劉榮焌所述斯賓諾薩哲學之爭論。我們認爲：第一，這個沒有對待的，自因的，「由其自身而成的」，唯一絕對的本體，當然是邏輯上推到無可再推的；但是，要真的認識它，須要有一種超感性的直覺；因此，這不能就是邏輯的一元論。本體不是一般邏輯可以描述的。第二，它無理智、無意志，無目的；但是，它不是盲目的衝動，它是「純亦不已」，它不能用感性或理性之知識加以臆測。第三，照「太極演變體系」圖，它不是以廣袤與思維爲屬性，而是具有此理與此氣，或天命與天能而已；至於心與物，乃陰陽動靜之逐漸顯現而已。在表面上，心物似爲兩個系統，在本質上乃爲不可分。這就是說，從表面看來似爲身心平行；但決非內在的二元論。第四，至於偶然與必然，原因與目的等等，前文已有論列，茲

㉖ 劉榮焌譯：「論知性之改進」譯者序，人文書店，民國三二年，頁五—一〇。

毋須再述。

關於萊布尼茲的哲學，羅素曾說：「正和笛卡爾及斯賓諾薩一樣，萊布尼茲是將其哲學植基於實體概念（Notion of Substance）之上的，但關於心與物的關係，和實體的數目，則根本不同了。笛卡爾有三個實體，即上帝、心、和物；斯賓諾薩則承認上帝。在笛卡爾看來，廣袤（extension）是物的本質；在斯賓諾薩看來，廣袤和思維，都是上帝的屬性。萊布尼茲則主張，廣袤不能為實體之屬性。他的理由是這樣，廣袤包含著雜多，故祇能屬於若干實體的總積；每個單一的實體，一定是不能延長的。故此，實體的數目無限，他因而稱之為『單子』（Monads）。」❷❼嘗讀萊布尼茲的「單元學」、「形而上學序論」、及「關於形而上學之通信」等書❷❽，深覺萊氏所謂之「單元」，可概略的歸納為以下各點：

㈠單元是一簡單的本質；各種複合體乃單元構成。

㈡單元沒有佔有空間性，乃真正原子。

㈢各種複合體之發生與消滅，乃逐漸而成。

㈣單元沒有窗戶以使別的東西跑進來或跑出去，單元們所有之各種屬性（Attributes）並不能夠自己離開了本質，而跑到本質之外旅行去。

㈤每一個單元，都必定和每一個別的單元不同。

---

❷❼ 羅素著、鍾建閎譯「西方哲學史」中華文化事業委員會版，頁八〇四。

❷❽ 陳德榮譯臺灣商務人人文庫特一四。

㈥單元之自然的變動，是由於一種內在的原因而生，因爲外界的原因，不能夠影響於它之內部。

㈦在一個單元之中，必定還有一種在變動中之多樣性，這種多樣性，就是構成各種簡單的本質之特殊的性質及繁複性的。

㈧那種在變動中的狀況，並不是別的東西，祇是被稱爲知覺的那種東西而已。

㈨使變動發生出來之內部原因，或使這一種知覺跟另外一種知覺而發生之內部的原因，我們可以稱之爲欲望。

㈩在一個簡單的本質之中，是有一種多種性存在的。

(十一)知覺及依賴於知覺的東西，是不能夠用機械學上的原因以說明之。

(十二)知覺之處，乃在於簡單的本質之中，而不是在於複合物之中，也不是在於一個機械之中。

(十三)簡單的本質，既不是能夠毀壞的，在另一方面，它也是不能夠沒有某種感動（Affection）而存在的；而所謂感動，並不是別的東西，祇是它的知覺而已。

(十四)只有上帝，是最終的單一體，或最原始之簡單的本質；一切種種被創造的或轉得的單元，都是由這種單一體或本質所生的產物；而且這一切種種被創造的或轉得的單元，乃由於神性（Divinity）繼續不停的閃耀所生出來的。

(十五)知覺的能力，及欲望的能力，這類的屬性，在上帝中是絕對無限的或絕對完全的。

(十六)每一個簡單的本質，都具有一些足以表現一切別的本質之關係，也都成爲一個永遠活著之反照著宇宙的鏡子。

(十七)單元在本性上是要表現的。

(十八)一切種種東西都是一致的。

(十九)單元是身體之「穩得來稀」或靈魂，屬於一個單元的身體，和「穩得來稀」合在一塊，便構成我們可以稱之爲有生命的存在物。那種東西，又和靈魂合在一塊，便構成爲我們稱之爲動物的那種東西。

(二十)依照著我的預定和諧說，身體們之發生動作，好像沒有靈魂一樣，而靈魂之動作，也好像並沒有身體存在一樣，可是身體與靈魂兩者之動作，又好像是這個在影響那一個。

以上廿點，皆摘錄自「單元學」一書，大致能表達出萊布尼茲所謂之「單元」。照以上所引述：第一、萊氏所謂之「單元」，頗類似現代的「原子」；此所謂類似，乃此二者不盡相同；或者說，萊氏單子並不一定比現代原子爲優越。第二、單元亦頗類似生物分子之微觀性的精密機械。這個機械，是一「微觀性的情報場」，既具「化學上的不變性」，也發生「微觀性的擾亂」；這種擾亂，乃生物圈中一切新異的，一切創造性的起源；因此，所謂變異、進化等等，乃「複製的不變性」，由於偶然性的錯誤或混亂所形成的。這就是說，這個機械很可能已出乎萊氏的意外。第三、很顯然的，現代的原子學說與分子生物學是頗爲支持萊氏的「單元學」。例如賈克、莫諾的「生物……是經由內面發生的相互作用而自律性的形成」，「多樣性……就是非常單純的單一性」，確頗能支持萊氏的理論。假如我們更認定：陰電子之所以繞陽電子運動，不是機械學上的原因，而是它自己會如此；那麼，假如我們以原子當作物質，則無異以萊布尼茲的「單子」當作物質；因此，突創唯物論的觀點確是值得修正，這在前文討論摩根的學說時已有辯明。第四、照我們對於近代西洋哲學的討論，我們當可發現，自十七世紀初年以來，心物問題，實爲哲學上討論的熱門問題，到十九世紀中葉以後，科學的唯物主義似已得勢，但本世紀以來，哲學界卻已不大熱衷於唯物論的哲學。除蘇聯的御用學者，及少數馬克思主義者外，較有成就的哲學家，都不是唯物論者；而且有超越心物問題的趨勢。其在我國，暫撇開受了西方影響之現代不談，自十二世紀宋學倡明以後，宋明理學諸君子，他們都很少談心物這類的實際問題；因爲所謂心性之學者，完全以個人的體驗爲主，頗類似西方的「直覺主義」。在我國民間，對於靈魂與身體，其說不一；但在學術界，則絕口不談，這可能是遵守孔子的「子不語、怪力亂神」的精神。有一次聽鄔昆如教授談及，我國在漢以後才有宗教。他可能指的是道教。魏晉玄學，絕少宗教的氣息；而禪宗則是以佛學反佛教者。由於這個原因，中國人談學術，祇要不涉及時政，便無思想上的顧慮，而可以言所欲言。我讀笛卡爾「沉思集」，發現他論證上帝之存在，便像揹了一個包袱一樣。假如笛氏沒有思想上的顧慮，而可以不談信仰上帝，他的大作，便會少掉些無謂的議論了。我之所以如此說，並不是說，十七世紀的西方哲學家，他們喜談心物，乃不得不談上帝的原故；我的意思是說，假如不談上帝，他們的哲學將更爲完備。因此，我很佩服斯賓諾薩和萊布尼茲，他們的上帝，在本質上已遠離宗教的上帝了。第五、我們之所以說出以上的一大段似乎不相干的議論，其目的是在於說明科學的唯物論哲學，很顯然的是要丟掉理性主義者所揹的包袱，同時，也希望讀者從中國的文化精神與中國哲學的歷史，以體會我們的心物合一論哲學的特質，而與歐洲大陸理性主義三位大師的哲學作比較的研究，並評判我們的「太極演化體系圖」之哲學價值。

現在我們再來看看經驗主義諸大師的哲學。茲先從洛克談起。他的最大貢獻是在知識論。羅素說：「洛克是鄙夷形而上學的。剛好碰到他談及萊布尼茲的思辨時，他寫信給朋友說：『像這種無謂的喧囂，你我已經夠了。』當其時，實體（Substance）的概念，正稱雄於形而上學中，而洛克則認其為浮泛無用，但他亦不完全拒而不納。」（同註廿七，頁八三九）他是怎樣說的呢？他說：

> 像他們那樣應用實體於無限而不可思議的神，於有限的精神，於物體，它是否是同一意味；並且當三種迥不相同的存在中之任何一種都可稱為實體時，它是否代表同一的觀念呢？……如果他們能這樣的造出三個不同的實體觀念，有甚麼可以阻止他人為甚麼不可以造出第四個呢？㉙

他認為「廣袤和物體不是同一的」（Essay 第二卷第十三章），「心靈不常常思維」（第二卷第一章）。他是反笛卡爾的。他認為空間和時間都是有限的，祇有神是無窮盡的。他說：

㉙ 洛克（John Locke）著，鄧均吾譯：「人類悟性論」（An Essay Concerning Human Understanding）第二卷第十三章，辛墾書店版，頁一七八。

因為神是無限的超越我們狹隘的能量所及的範圍。神之所有屬性無疑的都包含可能的圓滿；但是，我們僅能如此想像它們，而這些便是我們之關於它們的無限的觀念。（第二卷第十七章）

從形上學來說，他雖然「不完全拒而不論」，但很顯然的持反對的意見。至於他所謂之「悟性」（Understanding），其意義即通常所謂之「了悟」或「懂得」。他說：「悟性使人超越一切有感覺之物，予人以制御它們的一切權利。……然悟性獨如人目，它能使我們見知身外的一切事物，卻不注意其自身。」（第二卷第一章）我們認爲，「懂得」是一個很不確定的名稱。我的小孫兒他懂得要人抱，和禪宗的祖師們證悟了本來面目，這都是「懂得」。這程度是何等不同啊！但其中亦並非沒有相通之處。洛克他沒有見到這一點。他的「懂得」是向外的，他不明白懂得可以懂得自己，所以他對於禪宗所謂之「向上一路」完全不通，他當然會遠離形上學的。

至於柏克萊呢？在「人類知識原理」（A Treaties Concerning the Principles of haman Knowledge）一書中，他反對洛克與笛卡爾派的學說。洛克逝世時，他是一個廿歲不到的青年，萊布尼茲則是「原理」出版後六年才逝世。當時的英國哲學特質，在萊布尼茲給英國皇太子的一封信中可以知其概要。萊氏說：

一、甚至自然神教自身在英國也似乎很衰落了。許多人都願意承認，人類的心靈是物質的。有的人甚至於說上帝自身也是一個有形體的實存。

二、洛克先生和其信徒至少也是懷疑：靈魂是否是物質的，是否是由自然途徑可消滅的。

三、牛頓爵士說，空間是上帝用以知覺事物的一種器官。但是上帝如果需要任何器官來知覺事物，則我們可以說，那些器官不是完全依靠於他的，也不是由他所產生的。

四、牛頓爵士和其信徒對於上帝的作品似乎有一個古怪的意見。按照他們的學說說來，全能的上帝要一時一刻開足他的裱，要不然它就會停住。……㉚

柏克萊是反對這種唯物論的。他說：「靈魂是不可分的，無形體的，無廣袤的，因此，亦是不能毀滅的。我們分明看到，自然物體時時所發生的運動、變化、敗壞、解體（這些作用就是自然的進程），都不能絲毫影響了自動的，簡單的，不雜的實體。因此，這個實體並不能以自然的力量來分散了，那就是說，人的靈魂在自然方面是不滅的。」（同註卅，頁九七）又說：「上帝或大精神的存在是最明顯不過的。祇有他可以親切的呈現於我們的心中，可以在我們心中不斷的生起無數的觀念或感覺來，而且我們是絕對的，完全的依靠他的，而『在他以內，我們才能生活、運動、和存在的』（保羅的話）。」（同上，頁一〇一）他的哲學當然是唯心論或

㉚ 關琪桐譯：「人類知識原理」臺灣商務人人文庫版，頁三。

觀念論。

不過，以上所引柏氏在「人類知識原理」第一四一節與第一四九節所說的這兩段話，如果將他所說的靈魂或上帝更改爲本體，將自然或自然物體更改爲現象，讀者不妨試試看，我相信唯心論或觀念論的影子必會消逝了。因爲這已和自然主義的世界觀沒有本質上的不同。自然主義者認爲：

> 自覺的理性不是世界上特有的不變的事實。人類所有的心靈也是過渡的，自下級動物演化而生，根本上是從無生命的東西來的，最後亦回成無生命的東西。根本不變的實在無思想亦無計劃。宇宙全體無理性亦無目的。㉛

我們試將柏克萊所說的無形體、無廣袤，與自然主義者所認爲的無思想、無計劃、無理性、無目的等等加以比較，它們有什麼不同呢？這似乎是：唯心論者認爲雖無形體、無廣袤，但仍可有思想有理性；因爲思想本身就是無形體的。若唯心論果是如此，則其謬誤是很顯然的。爲什麼呢？因爲思想本身雖是無形體的，但任何一個思想必有思想者；若思想者是無形體的，在現象界是沒有的。分子生物學所發現之「微觀性的情報場」，其形體雖小至不可思議，卻仍是有形體的。柏克萊在「人類知識原理」第一三五節中說：「要說這個能知覺，能

㉛ 霍金（W. E. Hocking）著，瞿菊農譯：「哲學大綱」。

支撐各種觀念的實體，本身亦是一個觀念或類似一個觀念，那就荒謬萬分了。」可見柏克萊認為能知覺的本身與知覺是不能混為一談的，亦即思想者與思想雖相同亦必有不相同。那麼，柏克萊究竟是什麼意思呢？我認為我可以代他作答：這就是柏克萊認為有一個不可分的、無形體的、無廣袤的，亦是不能毀滅的，卻又是自動的、簡單的、不雜的實體。這個實體，因是簡單而不雜的，所以是純一的；因是純一的，所以是無思想、無計劃、無理性、無目的，而什麼全無。但是，宇宙萬有卻是它顯現的。為什麼呢？它是事實上顯現了宇宙萬有（我們說這是事實的可能）；而且，宇宙萬有之顯現，既是混沌的而又萬象森然，體系完整。這可以說是偶然與必然的統一，秩序與自由的統一。它是不講邏輯而又遵守邏輯規律的（我們說這是應該的可能），它似乎認為，應該如何便如何（唯變所適，不可為典要）。照這樣說來，這個實體，「它祇是有此事實的與應該的可能而已」。假如有人是柏克萊的信徒，我相信他不會反對我以上的答案。這個答案，自然主義者亦是沒有什麼好說的。因為這個實體雖是無理性的，亦即是它沒有人類這樣的理性；但是人類的理性，卻是由它顯現的，這可將它比擬之為種子，而理性則是它的花朵。禪宗祖師們畢生的努力，全在於證得這個無理性、無計度的未發是什麼？拙著「心物合一論」第七章分析心之本來面目時，對此曾作了較為詳盡的探討。我所作的這個說明，是可以答覆自然主義者之駁難的。我認為我的答案，必可為兩造所接受；而這個答案，卻正好說明了這心物合一之本體是什麼。它就是我們所謂之太極，它與誠、真、中、仁等等，皆「祇是一事」而「其實一也」。我們的「中」一元論的哲學，經以上的從心物合一的觀點所作之比較研究，其義蘊是更加易於使人明白而無疑義了。

茲再談休謨的哲學。他說：「我今要請教如是之哲學家，究竟本體觀念，是從感覺之印象得來的？抑或是從反省得來的？若由吾人之感官得來，我則請問是由某一感官得來的？或是如何得來的？若是吾人之眼所見者，則必然是顏色；若是從耳聽來的，則必是聲音；若是從舌得來的，則必然是味。其他感覺，皆可類推。惟我則相信無人斷言，本體或是色，或是聲，或是味；然則本質（若有本質）觀念，必是從反省之印象得來。惟反省之多數印象，則化分其自身，爲吾人之多數激情，及多數情緒，並無能代表一本質者。是以除一堆多數之特別屬性之外，並無本質觀念。且當吾人說及本質，或關於本質之推理時，除此多數屬性之外，吾人並無其他意義。」㉜他在討論「關於悟性工作之懷疑」時，他說：「人類推理所及之全數事物或研究，可以自然分作兩種：其一是觀念之關係；其二是事實。」（同註卅二，頁二三）他以幾何，代數及數學是屬於觀念之關係；「太陽明日將出」或「明日太陽將不出」則屬於事實，若「嘗試證明其不真是徒勞無功」；因此，他認定「因果只能由閱歷而揭露，不能由推理而揭露」（同上，頁二六）。

鄔昆如教授認爲休謨的因果學說，是「對後世影響最大的一種學說，也就成爲我們今日甚至二十世紀的許多英美學派反對形上學的最主要根據。」㉝茲先論休謨的本質學說。在上

㉜ David Hume An Enquiry Concerning Human Underastanding 一書，伍光建譯為「人之悟性論」並採入「人性論」（Treatise of Humn Natum）若干篇作為補篇，所引為人性論第一卷第一部第六章之內容，見補編，頁四五。民國廿二年上海商務版。

㉝ 鄔昆如著：「近代哲學談趣」滄海叢刊，東大圖書公司版，頁一三五。

一章中，對於本體或本質的問題，我們已有很清楚的說明。照我們的看法，對於心之本體之體認，是要將「多數印象」、「多數情緒」、「多數激情」、「多數屬性」等等完全破除後才能體認得真的。這是休謨所未夢見的。再者我們對於本體之體認，確屬於事實；但不屬於明天太陽出不出來那一類的對未來的事實加以推想；因為對於心之本體之體認是當下即是的；至於對宇宙本體之體認，雖是推理的，卻是推之無可再推所必有的結論。這不是屬於因與果的問題，而是體認之深淺或會不會的問題。所謂會，有時一點即破，一提就會；但許多豪傑之士，窮畢生之力而不會者比比皆是，休謨就是這類不會之人。

伍光建說：「休謨之哲學，辨析精微，實開康德批判主義之先河，此是近日哲學界之公論也。」（同註卅二，頁二）康德較之休謨是體認得略為深入的。康德的學說，在上章中已有所引述。康德是不是有一種「睿智的直觀」，我因對他缺乏深入的研究，未敢斷定；不過，我總覺得，一般人稱康德為「不可知論」者，是不太審慎的；因為康德祇是肯定我們的認識機能不能認識本體，並沒有說「睿智的直觀」也不能認識本體。休謨他沒有得到「睿智的直觀」，這是毫無可疑的；所謂「睿智的直觀」，即上章中我們所謂之「另具隻眼」。前文討論柏克萊哲學時，我們曾對宇宙的本體作了較為完滿的描述。這個描述，當可以為一般形而上學者所公認；若能「另具隻眼」，則知這個描述是完全真實的。

再談費希特的哲學，他說：「由於這些特質之存在並非自足自滿的，——它們是另一樣東西的屬性，它是一個能具屬性者之屬性，是能具形式者之形式；我們要能設想這些性質其必要條件便必須假定有某一種東西支持著這些性質，這東西用述語來說，——便是這些性質的『本體』。」㉞說一切屬性或性質是本體表現的，這是我們完全同意的。至於費希特因疑慮而驚詫恐懼，由於他是以思辨的方法而去思辨本體，故未能超越感官的認識機能，而局限於形而下的知識領域。我們從他的「知識論」及「人的天職」諸著作，可以見其大要。費希特是不如黑格爾那樣的能超越範疇而直入本體。我們認爲黑格爾是另具隻眼的。黑格爾的學說，在上一章中已所有引述，茲不再贅。

我們之所以要談談謝林，因爲鄔昆如教授曾對謝林的哲學有一段很明白的介紹，他說：「同一哲學的最主要概念是『絕對中立』（Absolute indiffernz），這『絕對中立』是沒有邏輯的真假對錯，甚至沒有倫理的是非善惡，而是高於所有的知識與倫理層次的神秘境界，這種神秘的境界是延續了柏拉圖與普羅丁的哲學，把所有分殊的東西，都能夠以更高的概念把它統一起來，『絕對中立』的方式聯結所有的矛盾與對立。」（同註卅三，頁二一八）我們的「中」一元論除了不是神秘境界（容下文再作說明），不是聯結所有的矛盾，而是化除了所有的矛盾外，謝林的觀點很與我們的哲學相近。據說，詹姆士（William James 1842-1910）也曾有「一個有名的學說，是他的精神物理學的『中立』一元論，認爲心理和物理現象之間，並沒有本質的差異」㉟。詹姆士的學說，其主旨很和我們的哲學相近，可惜我的語文能力太差，不能讀他們的著

㉞ 費希特著、樊星南譯：「人的天職」頁七，臺灣商務漢譯世界名著甲編。

㉟ 波亨斯基（I. M. Bochenski, 1903-）著、郭博文譯：「當代歐洲哲學」（Conlemporary European Philosophy）協志叢書，頁八八。

作，以求有助於我，誠爲憾事。

以上是就十七世紀以至十九世紀上半世紀的歐洲的重要哲學家，作了鳥瞰式的考察。從這個考察，使我們體會到，這些哲學中，除休謨以外，大致都有本體論的思想；不過，各人使用的名稱不盡相同，或將最後原因歸之於神而已。同時，他們也談心與物的問題，他們都談得很精緻；但是，在本質上，卻與我國村野鄙夫談身體與靈魂的想像並無本質上的不同。這在我國，不祇是十二世紀宋學興起以後，學術界不談這個問題，就是隋唐時代的禪宗諸大師，他們亦不談這個問題。這可以說，自秦漢以來的學術界，對於身體與靈魂，或心與物的問題是不感興趣的。在我國喜討論靈魂問題的，這好像祇是方士們的專業，以惑人炫世而已。當然，歐洲的近代諸哲學大師，與方士絕非同類；但是，他們卻以物質或心靈爲實體，則與方士的思想並無不同。因爲靈魂是實體，長生不老之說才有立足的餘地。很顯然的，禪宗諸大師是不以靈魂爲實體；所以正統的禪宗既反對唯識宗種子之說，亦反對淨土宗的往生之說。至於歐洲的哲學界，直至本世紀初年，以物質爲實體之說，仍牢未可破，如摩根，亞力山大的學說，即可爲證。他們似乎以爲宇宙實在的層次是這樣的：

物質——能力……生命……心靈

柏格森亦未能超脫這個影響。近幾十年的學術上的變化，不僅物理與化學這兩種學問早已結合在一起，而生物學與化學之間的差距也早已溝通了。前文我們曾說：「假如我們更認定：陰電子之所以繞陽電子運動，不是機械學上的原因，而是它自己會如此；那麼，假如我們以原子當作物質，則無異以萊布尼茲的『單子』當作物質。」這就是說，十九世紀的以物質當作實體的觀念；或者，認爲宇宙實在的層次是「物質——能力……生命……心靈」的觀念，與現代量子力學及分子生物學的微觀性的精密機械之理論，是不相符合的。這個現代的理論，是與我們心物合一論的哲學符合的。我國以往有人將能力當作精神，以質量當作物質，這是對於物理學的門外人的想法；因爲從物理學看來，能質祇是形式不同而已。現在我們說原子會運動，乃它自己會如此，這是以內在的原因來說明運動之所以爲運動。這就是說，原子之所以是心物合一的，乃因爲原子自己會運動。原子很可能是現象之最後現象；若真是如此，則原子之所以會運動，乃本體之德或本體之屬性是如此而已。我們更認爲，原子之會運動與原子這個物質之存在是同一原因而不可分的。我們的「太極演化體系圖」之所以巧立理氣，陰陽等名目，亦祇是爲了言說的方便而已，我們認爲理氣是不可分的。理氣不可分，即爲原子之會運動與原子這個物質之存在是同一原因而不可分。這一方面破除了物質是實體的觀念，一方面也是極爲正確的說明了心物合一的觀念。照我們這個說法，自笛卡爾以來的西方哲學界的唯心唯物之爭，實亦是小孩子的吵架了。

六、心物合一論與「中」一元論

我們仍須作進一步說明的，即：心物合一論就是「中」一元論。

第一、照前文所說，此宇宙之本體，我們是名之爲太極，它是無方所、無形相、無內涵；

而且是無計劃、無理性，而什麼全無；但是，它是一切存在之原因，它卻是自存的，亦是自因的（Self-Caused）。我們試略作反省，此自在自爲之存在，因爲是自因的，除了我們所謂之太極外，在西方哲學中，惟有神或上帝的觀念，才能作如是之理解；而且，若神是擬人而有位格的，則便不是我們所謂之太極了。

第二、我們所謂之太極，其本性即我們所謂之「中」。「中」、就其是此心之本體言，它是「未發」；就其是一種存在言，它不落有無兩邊，而是「非無非有，亦無亦有」。我們試略作反省，此「非無非有，亦無亦有」之存在，實與太極之「義蘊」（Essence）完全相同。

第三、有持反對意見者說：此「未發」之中與「不落有無兩邊」之中，不能混爲一談；因爲前者是指人之一種心理狀態，而後者則是所設想的一種存在狀態。我們認爲，這是很好的一種反對意見，茲特作答覆於下：首先要說明的，即：照我們以上所研究的，我們說宇宙的本體——太極，它是「不落有無兩邊」的，這應該可以爲大家所公認；其次，太極雖是無，或者說，雖是無計劃，無理性的；但是，人類的理性，則是它的花朵。前文我們已從現代生物學而證明了一項假設，此即宇宙萬象之形成，不是受外力之指令，乃經由內面發出的相互作用而自律性的形成（請覆按前文所引賈克、莫諾的學說）。這就是說，人之理性乃本體之本性所逐漸顯現的結果。「太極演化體系圖」，即是描述本體之本性而顯現爲宇宙萬象之過程。上章第六節我們曾對多瑪斯的「潛能與現實」之說加以檢討，以明其謬誤，此亦證明西方思想家自中世紀以來，他們對於物質的觀念，似完全是根據身體與靈魂的觀念而加以懸想的結果；而我國自先秦以來，學術界則皆以易繫辭「是故易有太極，是生兩儀」這一段爲宇宙論的綱領。再其次，此未發之中，即禪宗之「本來面目」，它是不思善，不思惡的，它是無計度的；但是，若稱（讀去聲）此未發之中而顯現爲已發，則便是「發而皆中節」，亦即是仁性動於內，義行現諸外，而達成「聖人成能」之目的。這面一方是說，這未發之中實與太極同其「義蘊」，亦即是太極之本性；一方面也是說，此心之已發，如能不失其本心之初，亦即能保持其本來面目，而「發而皆中節」的「和氣致祥」，它是可以成就人之偉大的事業。

第四、當我們說，中是未發，此未發究竟是什麼意義呢？這就是說，中是此能思之本體而已。當我們說心是能思的這個時候，應該是指此心尚未思想的時候；若心已思想，便是所思。例如我想到筆，這想到筆就是所思的內容。我們通常所說某人的思想，皆是指其所思者而言；至於能思，則是指尚未思想的時候，這就是思想本身，亦即我們所謂心之本體。心之本體，它是能思的。能思與所思很顯然的不是一件事。我們的意思是說，所思是一套觀念，能思則是觀念者；因此，我們說中是能思之本體，其意義是說，中是觀念者之本體。這一方面是說，中一元論不是觀念論；一方面也是說，「中」是指此心物合一者而言；因爲所謂觀念者，必是指此具有觀念之一主體，而不是指一套觀念，所以觀念者是一心物合一之主體。

第五、我們說中是能思之本體，我們也說中是太極之本性；因此，我們當然可以說，太極是能思之本體，而且，祇有這個能思之本體是能思與所思合一的。前文我們曾說到「原子之會運動與原子這個物質之存在是同一原因而不可分的」，這是透露了能思與所思的合一。在現象界，唯有原子的運動，是顯示了會運動與是運動的合一。當然，原子的運動與原子的會運動仍不能算是一件事；但是，在現象界沒有比這更爲單純的事例。我們認爲，生物分子接受情報而立即加以翻譯，這也是能思與所思合一的一種實例；但是，實不如原子的會運動與是運動而勉強可以說是一件事。所以，真正是能思與所思合一的，實祇有「中」或太極。我們知道，「中」或太極是思想或心之本體。我們也知道，太極是「無」，中是「未發」。這思想之本體，既是「未發」，則就是沒有「所思」；但是，能思就是「思想」。此即能思雖沒有所思，卻必是在思想。這就是說，當能思而沒有所思時，他就是單純的思想，它就是思想它自己。思想（此當作主詞）思想（當作動詞）他自己（賓詞），這是能思與所思的真正合一，也就是思想者與思想之合一。這祇有本體界才是可能的，這就是我們所謂之「中」。我們所謂之「中」，之所以是絕對者，之所以是「一切存在之根本」，須從此等處體會，才能認識得真切。每讀禪宗語錄，深覺禪宗大師們，他們畢生的努力，是求得能思與所思的真正合一。欲求得能所的真正合一，必須摒除一切感官之知，而得到一種「睿智的直覺」。柏格森似有一種「超於智慧之直覺」；然其「內省」所得，祇「自知其綿延」（創化論第四章），可見他並未識得此心之本體。在中國哲學的傳統來說，識得心之本體，這是一種很高深的境界，是知難的。

第六、這境界雖然高深而難知，但並非不能證得。當我們獲得了一種超範疇的直覺時，便是證得了此心之本體。這不是一神秘境界，而是疑情盡釋的一種心靈狀態。超感官的直覺之獲得，當然是從懷疑開始的；但必須到疑之無可再疑；而且對於這個疑難，有一種「蚊子叮鐵牛」，或「狗咬熱油鐺」的既不能捨棄，又無從下手的感覺。當有一天，這個疑團突然打破了。這個時候便會證得心之本體。這個時候必是感官之知皆已泯滅，而惟有良知獨耀。

這個時候，必是真正的毋我，而有一種大無畏精神或浩然之氣。這個時候，你真會體認到有無之同一，而空間已泯，時間已停，祇有當下。這個獲得了一種超範疇的直覺時之心境，也就是一種豁然貫通的心境。這時候的心境才是一種真正至誠的心境，一種沒有受欺騙，沒有被人蠱惑的至純的心境。這至純的心境就是仁。孟子說：「我善養吾浩然之氣」。孟子道性善，言必稱堯舜，此為孟子證得心之本體後的表現。三代以後，在儒家來說，惟陸象山王陽明有此氣象，程朱祇是狷者。我們認為，中山先生的平人類之不平的革命是本此至誠至純之心的。辛亥革命時代的先賢先烈，大都具有此至誠至純之心，故能視死如歸。蔣總統繼承中山先生遺志，以完成國民革命，宏揚道統為務，他是認得此心之本體的。我們讀他的自勉四箴，讀他的許多講詞，可見他的憂思之深與對於此心體認之切。此心之本體確是可以證得的。至於此宇宙之本體的本性，我們說他是中、誠、仁等等，乃證得此心後的一種推理的結果。當然，此心之本體，是人類所同然的；至於此所同然者，是否即宇宙意識，仍然是一個理論上的問題。禪宗是肯定此所同然者即宇宙意識。此種肯定之對錯可姑置勿論，但極易墮入神秘主義。有些人以為證得心之本體便是一種神秘境界，可能就是這個原故。

第七、這就是儒家所謂的「性與天道」。性是指心之本體言，天道是指宇宙之本體言。這似乎是「不可得而聞」的。但是，我們從四書五經中可窺見其端倪。尤以中庸一書，確是講性與天道者，孟子一書，對於收放心及養浩然之氣等等，有非常詳盡之說明，這就是在講性與天道，而周易禮記諸書，對於性與天道，在理論方面，亦皆有所闡述。蔣總統以讀養氣一章為他每日的晚課，這就是他的養性的工夫。許多人以為性與天道或修身養性之學這與宇宙哲學有什麼關聯呢？殊不知，養性工夫如真能到家，必是疑團盡釋；亦即洞徹了此心之本體。照前文所述，若識得此心之本體，而加以類推，（此所謂類推，我們中國人亦叫作體會。）則便是識得了宇宙之本體。我們認爲，若真能識得宇宙之本體而又能內自省，則心體便突然顯現。我們中國人所體會到的宇宙本體，就以上所作之比較研究，確較西方哲學家所理解的爲完滿。我國古人認爲這「性與天道」二者完全是相同的事。周易說卦傳第一章有曰：「窮理盡性以至於命」。窮理即哲學之事，盡性乃正德修身之事，至命則爲安身立命的事業，這三者，中國哲學認爲是一貫的。這可能是中國哲學與西方哲學不同的地方。

第八、中國哲學既認爲「性與天道」是一件事，亦即認爲心之未發與宇宙本體之未發是一件事。這就是說，「中」一元論即心物合一論。我們認爲，此心物合一之一即是中。可能有人認爲，中國哲學既認爲心之未發與宇宙本體之未發是一件事，則中國哲學實有唯心論之傾向。持此種見解者，對於中國哲學可謂完全缺乏理解。第一，我們說太極是心之本體，這意思是說，太極是具有此能思之心的主體，而不是說太極是一套觀念或爲一思想系統；因此，太極必是心物之合一。前文我們對此已有辨明，我們認爲「中一元論不是觀念觀」。第二、我們中國哲學，已往並無唯心唯物之爭；因爲已往的哲人，他們都超脫了身體與靈魂的世俗之見，而遊心於物外。先秦儒家與道家，儘管他們的主張頗有不同；但祇要是第一流的思想家，而不是神棍之類的方士，他們在認識上大都有相同之造詣。例如莊子應帝篇所謂之「太沖莫勝」或「衡氣機」，與喜怒哀樂未發之中，其精神境界便是相同的。這就是說，這種遊心物外，物我雙忘之精神境界，或者亦祇是一種意識型態而已；但是這種意識型態，卻成爲中國人的修養有素之士的一種共通的精神，而成爲中國文化或中國哲學的一大特色。這個特色之另一名稱就是道統。這是凡能本於一片至誠之心的豪傑之士，他們於經驗閱歷稍深後而午夜捫心自問時，常可以發現的一種精神狀態，若再能有一種較深之理論修養，便會有一種超範疇之直觀，而超越通常所謂之心與物的範疇，不落入唯心唯物之爭的糾纏不清之窠臼。

第九、有人認爲，照現代量子力學及現代分子生物學所證明之事實，西方哲學家以物質爲實體的機器科學觀，以及達爾文，斯賓塞之進化說，摩根，亞力山大等之突創唯物論，皆已失其依據；因此，心物合一之中一元論，可算得一種比較立得住腳的形而上學，前文所示之「太極演化體系圖」，亦頗能顯示心物合一之義蘊（Essence）；不過，從現象界來說，我們能說石頭是心物合一的嗎？這是一個很容易回答的問題。因爲石頭必是由原子組成的，原子則是會運動（知）與是運動（行）的合一，亦即可依照的（即應該的）與可依據的（即事實上的）合一；至於石頭這個現象，由於結構的關係，不能使物質現象「所表現之功能」，即精神現象顯露出來，所以在表面上我們不能說他有精神。再者，我們所說之心物合一，當然是就「人」這個現象來說的；但是，這個心物合一之理，卻是最普遍化的，就我們的「太極演化體系圖」所顯示的，祇要能真知其意而不生誤解，他可以用之說明一切自然現象而毫無疑義。這亦可以說，是從自然形上學的觀點，對於我們的「中」一元論作了更進一步的說明。因爲有這個說明，使上章所謂之「中是絕對者」，「中是存在之本性」，其含義亦更爲明白。當我們真的見到了這個「中」，見到了心物合一之時，我們便知堯何以命舜，「舜亦以命禹」之深義。必須至此，我們才真的見到了中山思想，也才真知這個至淺顯的「平人類之不平」的革命哲學，確含有至高深的道理。

第三節　道統與中山民生史觀

一、中山民生哲學與中山民生史觀

茲再進而說明中山民生史觀。

有人認為民生史觀就是民生哲學，或說民生史觀就是民生哲學的歷史觀，這固然未嘗不對；但是我們將民生哲學當作中山哲學的本質論，將中一元論與心物合一論當作中山哲學的本體論。這是非常深入的透視了中山哲學的根本，也使我們更為明白的見到了中山思想的淵源。現更就民生史觀亦即中山哲學的歷史觀，以進一步說明中山先生之思想。

二、周易序卦傳的歷史觀

常讀黑格爾的歷史哲學，以及桑馬威爾（D. C. Someruell）就湯因比（A. J. Toynbee）「歷史之研究」原著加以節錄之節本，與史賓格勒（Oswald Spengler）之「西方的沒落」（The decline of the west）諸書，以及其他有關歷史哲學的書籍，感慨良多。我非常欽佩這些學者，尤其是欽佩史氏的才華，我對於德國人的哲學是既崇敬而又不表贊同，即：史氏的春夏秋冬之說，實未能脫離機械論的影響。德國人喜歡講歷史精神，而其結果卻似乎物化了。歷史程序與自然程序同樣是不可逆還的；但，大自然的歷史與人類的歷史都在不斷的推陳出新。熱力學熵（entropy）律的觀念當然是正確的；但歷史或文化的生命，在尚未進入大自然的完全無秩序之前，歷史與文化仍將散而復聚。湯因比的「散—聚—散—聚—散—聚—散」三拍子半的旋律，很有點像我國所說的一治一亂。此一治一亂之理，以周易序卦傳說得較爲透徹。序卦傳說：

> 有天地，然後萬物生焉。盈天地之間者唯萬物，故受之以屯。屯者、盈也。屯者、物之始生也。物生必蒙，故受之以蒙。蒙者、蒙也，物之穉也，物穉不可不養也，故受之以需。需者，飲食之道也，飲食必有訟，故受之以訟。訟必有眾起，故受之以師。師者、眾也，眾必有所比，故受之以比。比者比也，比必有所畜，故受之以小畜。物畜然後有禮，故受之以履。履然後安，故受之以泰。泰者、通也，物不可以終通，故受之以否。物不可以終否，故受之以同人。與人同者，物必歸焉，故受之以大有。有大者不可以盈，故受之以謙。有大而能謙必豫，故受之以豫。豫必有隨，故受之以隨。以喜隨人者必有事，故受之以蠱。蠱者事也，有事而後可大，故受之以臨。臨者大也，物大然後可觀，故受之以觀。可觀而後有所合，故受之以噬嗑。嗑者，合也，物不可苟合而已，故受之以賁。賁者、飾也，致飾然後亨，則盡矣，故受之以剝。剝者剝也，物不可以終盡，剝窮上反下，故受之以復，復則不妄矣，故受之以旡妄。有旡妄，然後可畜，故受之以大畜。物畜然後可養，故受之以頤。頤者，養也，不養則不可動，故受之以大過。物不可以終過，故受之以坎。坎者，陷也，陷必有所麗，故受之以離。離者、麗也。

這是序卦上傳，亦即將周易上經的卦序作哲學性的說明，這個說明，頗似歷史哲學。為什麼呢？

周易是以乾（䷀讀如：乾，以下所註，皆將讀如二字省去）坤（䷁坤）為首的。乾坤代表天地，亦即代表世界。有了這個世界，於是就會有宇宙萬物。乾坤之後，繼以屯卦（䷂水雷屯）。屯既是代表盈滿，亦代表物之始生。始生之物，必是蒙昧無知，屯卦之後，故繼之以蒙卦（䷃山水蒙）。屯（䷂水雷屯）蒙（䷃山水蒙）都是二陽四陰之卦，結構與形式完全相同，祇是蒙卦，乃將屯卦倒轉過來看而已；同樣的，屯卦亦是將蒙卦倒過來看而已。周易稱這種情形為綜。另有所謂錯者，如乾坤即是相錯，容後再作解釋。蒙是屯之綜卦。蒙代表物之幼稺，幼稺之物，需要啓蒙之教養與飲食之需養，所以蒙之後，繼之以需（䷄水天需）。需者，飲食之道，為了飲食，必有爭訟，所以需卦之後，繼以訟卦（䷅天水訟，為需之綜卦）。爭訟勢必引起眾多人的爭訟，其結果為軍隊的興起，所以訟之後，繼之以師（䷆地水師）。師是代表眾多人聚合在一起，這聚合在一起的眾多之人，必有所比較，所以師卦之後，繼以比卦（䷇水地比，比是師之綜卦）。比是有所比較，有所比較，便有了秩序，也必有所積蓄，所以比卦之後，繼以小畜（䷈風天小畜）。照這所說的，人類最早的團體，是為了飲食之爭所形成的軍隊。由於軍隊的興起，既形成了階級，也形成了個人的積蓄，有了積蓄，然後有禮，所以小畜之後，繼以履卦（䷉天澤履，為小畜之綜卦）履者，禮也，有了禮，則社會安寧而彼此往來無礙，所以履卦之後，繼以泰卦（䷊地天泰）泰者，通也。履泰可以說是最早的文明，也可以說是由人之蒙昧無知而達到了有團體、有秩序、有積蓄、有禮節的較為安和的社會。但是，泰之義既爲通，事物不可能永遠通暢而無阻礙。這就是說，社會安泰的結果，終必發生變化，而且必是由好變壞，所以泰卦之後，繼以否卦（䷋天地否，為泰之綜卦）。否就是不通；然而事物不會永遠不通，所以否卦之後，繼以同人（䷌天火同人）。同人可分爲小同與大同，若臻大同，則天下歸心，而成爲大有（䷍火天大有，為同人之綜卦）。大有乃火在天上，光明四照之象。大有乃繼早期文明以後之更進步的文明。大有，即所有之大；「有大者不可以盈」，所以大有之後，繼之以謙（䷎地山謙）。山本來應該在地上，現竟然藏在地下，這就是謙。所有既大而又能謙，心必和樂而豫悅，所以謙之後，繼之以豫（䷏雷地豫，乃謙之綜卦）。豫是和樂，亦是順以動。以順而動，則刑罰清而民服，文明之盛世也；若動而悅，則就是隨（䷐澤雷隨）。隨頗似二次世界大戰以前的美國，惟「以喜隨人者必有事」，所以隨之後，繼之以蠱（䷑山風蠱，乃隨之綜卦）。蠱就是受蠱惑，美國今日正受蠱惑，乃文明之病象，如能因病而治病，則能「以教思无窮，容保民无疆」，而光大前人之事業，這就是臨（䷒地澤臨）。「臨者大也，物大然後可觀」；所以臨卦之後繼以觀卦（䷓風地觀，乃臨之綜卦）。觀是自大有以來，文明本身能克服蠱惑而有之成就的極限。同時，「可觀而後有所合」，所以觀卦之後，繼以噬嗑（䷔火雷噬嗑）。噬嗑乃三陰三陽之卦，其中一陽橫亘於衆陰之中，亦即象徵反對勢力之強大，而須以嚴刑竣法予以鎮壓，其結果在好的方面是文明受到保護，而壞的方面，則是文明的僵化。噬嗑以後的賁卦（䷕山火賁，乃噬嗑之綜卦），正有此好壞兩方面的意義。若向好的方面發展，則仍繼續臨觀之義，而繼續大有之文明；若向壞的方面發展，則必至於剝（䷖山地剝）。否與剝，一為不通，一為剝落，皆不是好現象。但剝極必復（䷗地雷復，乃剝之綜卦）。這個復是真實无妄的（䷘天雷无妄）。「有无妄然後可畜」，所以无妄之後，繼之以大畜（䷙山天大畜，乃无妄之縱卦）。大畜確比小畜爲大。小畜（䷈）是風行天上之無所滯礙而已，也或者說，是五陰畜一陰而已；至於大畜（䷙），乃天在山中，山中竟然畜養了天，這當然是所畜者大。大畜較之大有，是更上一層樓，是文明之極致。吾人不妨略作反省；人類由小畜而履泰，由大有而謙豫隨蠱，而臨觀，而剝復，而至於大畜，這一段的歷史與這一段的變遷過程，是頗爲正確的，而一治一亂，是在這樣的模式之中演化的。這較之湯因比的三拍子半的旋律，似乎較爲適切。我們不贊成史賓格勒的春夏秋冬之說，因爲我們的旋律，確更爲合乎歷史演化的事實。史氏的學說，仍是歷史決定論之一種，茲暫且不作進一步的討論，特再繼續說明大畜以後者。因爲「物畜然後可養」，所以大畜繼之以頤（䷚山雷頤）。頤是最富足而最有享受的現象；至於頤之反面呢？則就是大過（䷛澤風大過，乃頤之錯卦）。大過爲四陽二陰之卦，與四陰二陽之頤卦正好相反，且結構與形式正好相反，這兩種卦的情形，亦類似乾與坤的情形，不能相綜，祇能相錯，故稱爲錯卦。因爲這兩卦，頤（䷚）與大過（䷛），無論順看倒看都是一樣的，故兩卦皆無互綜之卦，但卻能互錯，即：此卦之陽，錯爲彼卦之陰，彼卦之陰，錯爲此卦之陽，兩卦相錯，完全吻合。大過是澤滅木之象。木是應該浮在水面的。水淹滅了木，這真是不合理的現象。今日的蘇俄以及我中國大陸，其反常而不合理，很像大過之世。「達按：本書初版，成於七七年，此是指當時之情勢言」。這一方面是說，大過之世，乃文明之反面，乃文明世界墮落的結果；一方面也是說，大過之世，乃「嘗試錯誤」的結果，此點俟以後再作較詳之說明。這裡祇須說明者，文明愈進步，它可能墮落愈深，大過之世，一切反常得很厲害而愈陷愈深，所以大過之後繼之以坎（☵坎為水），坎代表陷溺，而陷溺的結果若能脫出陷溺，則可以重新創造文明。坎之後則繼以離（☲離為火，乃坎之錯卦）。離、麗也。離卦象曰：「明兩作離，大人以繼明照於四方」，所以離就是文明。周易上經終於離。其意若謂：人類由蒙昧而進入文明，是一起一伏而起伏不定的。這起伏不定，似可用統計的曲線表示之。茲假定小畜為這根曲線之一定的水平面，而歷史演化，有時在水平面上作升降的演進，有時則降到水平面以下。例如否、剝、與大過，則皆在水平面以下，而大過則較否與剝更為降低。至於泰、大有、謙豫隨、臨觀、噬嗑、復、无妄、大畜等等，都是在水平面以上的，以大畜為文明之最高峰。文明達到了最高峰，它又必降落，而其降落點亦必最低下；但是，它因為是起伏不定的，所以下落之後又必上升，其真正的結論，則祇能說，人類是日進於文明而永無止息的。周易上經終之以離，它是顯示了歷史哲學的結論，下經終之以未濟，它是說人之修養的工夫，人生之責任亦是無止境的。我們不論序卦傳是什麼人作的。我們深覺得周易上下經的卦序以及序卦傳，是具有深意的，是可當作哲學的歷史觀與人生觀來讀的。又太史公「史記高祖本紀」有曰：「夏之政忠，忠之敝，小人以野，故殷人承之以敬。敬之敝，小人以鬼，故周人承之以文。文之敝，小人以僿，故救僿若若忠。三王之道，若循環，終而復始。周秦之間，可謂文蔽矣。秦政不改，反酷刑法，豈不謬乎？故漢興，承敝易變，使人不倦，得天統矣。」太史公此說大體上是本於孔子因革損益之說而可以為序卦傳之歷史哲學作進一步的解釋。

三、民生史觀的歷史分期

當我們說明了序卦傳的歷史演化的旋律，並引證了司馬遷「承敝易變」的學說之後，深覺我國古代的歷史哲學是合乎民生史觀的。中山先生認爲：「人類奮鬥，可分作幾個時期。第一時期，是太古洪荒沒有歷史以前的時期。」㊱人類世界是由這個洪荒時代，逐漸進化，才成今日的世界。中山先生說：「現在是甚麼世界呢？就是民權世界。」（同註卅六）他說：

民權之萌芽，雖在二千年以前的希臘羅馬時代，但是確立不搖，只有一百五十年，前此仍是君權時代。君權之前便是神權時代，而神權之前，便是洪荒時代，是人和獸相鬥爭的時代。在那個時候，人類要圖生存，獸類也要圖生存。人類保全生存的方法，一面方是覓食，一方面是自衛。在太古時代，人食獸，獸亦食人，彼此相競爭。（同註卅六）

又說：

古時人同獸鬥，只有用個人的體力，在那個時候，只有同類相助。比方在這個地方有

㊱「民權主義」第一講。

幾十個人同幾十個猛獸奮鬥，在別的地方也有幾十個人同幾十個猛獸奮鬥，這兩個地方的人類，見得彼此都是同類的，和猛獸是不同類的，於是同類的就互相集合起來，和不同類的去奮鬥，決沒有和不同類的動物集合，共同來食人的，來殘害同類的。當時同類的集合，不約而同去打那些毒蛇猛獸，那種集合是天然的，不是人為的。把毒蛇猛獸都是打完了，各人才是自然散去。因為當時民權沒有發生，人類去打那些毒蛇猛獸，各人都是各用氣力，不是用權力。所以在那個時代，人同獸爭，是用氣力的時代。（註同上）

中山先生接著並說明了人和天爭的神權時代，及人和人爭的君權時代與民權時代的情形。「民權主義」第一講中又說：「第一個時期，是人同獸爭，不是用權，是用氣力。第二個時期，是人同天爭，是用神權。第三個時期，是人同人爭，國同國爭，這個民族同那個民族爭，是用君權。到了現在第四個時期，國內相爭，人民同君主相爭，在這個時代之中，可以說是善人同惡人爭，公理同強權爭。到這個時代，民權漸漸發達，所以叫做民權時代。」張益弘先生特就民權主義第一講這所說的而加以評估，他說：

我們可知保與養二者，是解決民生問題最基本的方法。由保出發，經過氣力、神權、君權、民權四個時期，發展了人類自衛的能力，造成政治的進步；由養出發，經過漁獵、畜牧、農業、工商業等幾個階段，增進了覓食的方法，達到經濟的繁榮。這保與養就是政治和經濟的中心，而他們本身，又是以民生為重心。[37]

益弘兄這是一種非常正確的評估，他並將這個評估以圖示之於次：

保養分期相互關係圖

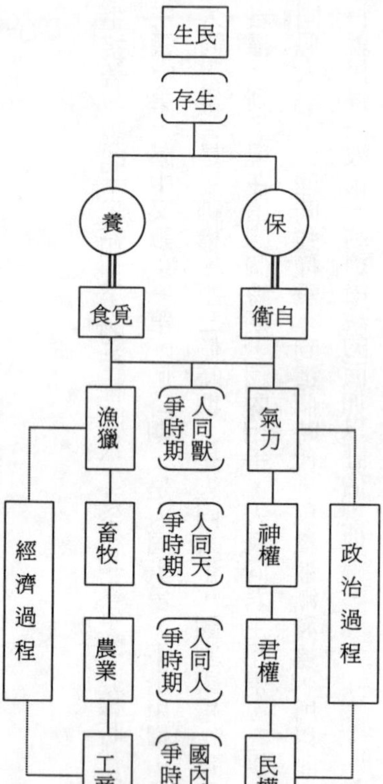

益弘兄並就此圖而加以解釋說：「關於政治與經濟的分期，學術界有許多不同的意見，其立說的標準互異，是非尚無一定。右表所列孫中山先生的意見，爲一般學者所常用，其政治與經濟的階段，兩相對照，只是大體不同，並非截然劃分，不可踰越。例如在神權時代，

[37] 張益弘著：「孫學體系新論」，民國五十四年恬然書舍版上冊，頁一三八。

固然有畜牧，亦有農業或漁獵；君權時代，雖以農業爲主，工商業亦已開端，而在某些地區，漁獵、畜牧仍然存在。且神權、君權、民權亦有同時併存者，其歷史先例彰彰可考。」（同註卅七，頁一三九）這就是說，從人類歷史演化的事實而言，由保出發，是可分爲氣力、神權、君權、民權四個時期；由養出發，亦可分爲漁獵、畜牧、農業、工商業四個時期。這保與養的四個時期，若將其相互對照，便成爲上圖。但對於上圖，我們既不必過分機械的來看它的相互對照，亦不宜認爲這保與養的分期是截然劃分的。這亦不是說，上圖是沒有意義的；因爲上圖卻能描述保與養的歷史演進的事實。就事實言，歷史的演進，在保與養方面，各可分爲這四時期；就理論言，則不能將這四個時期視爲純然抽象的概念，而認定這四時期是截然劃分的。這也是我們研究民生史觀最宜注意之所在。因爲中山先生治學，是認爲「宇宙間的道理，都是先有事實，然後才發生言論，並不是先有言論，然後才發生事實。」（同註卅六）所以這保與養的四時期說，是根據事實而加以歸納的結果，只是大體如此。所謂大體如此，只是傾向如此，亦只是一種主導作用所顯示的一種「狀態」而已。歷史的事實，不能與科學的事實相提並論。科學的事實是從嚴格的意味而言的；但從量子力學來說，科學的事實亦不是合乎「排中律」的；至於歷史的事實，它只是一種「狀態」，它不會是「決定論」的，它只是大體如此。在這裡仍須說明的，即張鐵君先生亦曾就「生存的鬥爭對象，生存的生產方法，生存的保障權力，生存的各級慾望，生存的交換方式等」㊳而列一分期表於下：

㊳ 張鐵君著：「國父民生史觀疏義」民國五十四年三月幼獅版，頁四三。

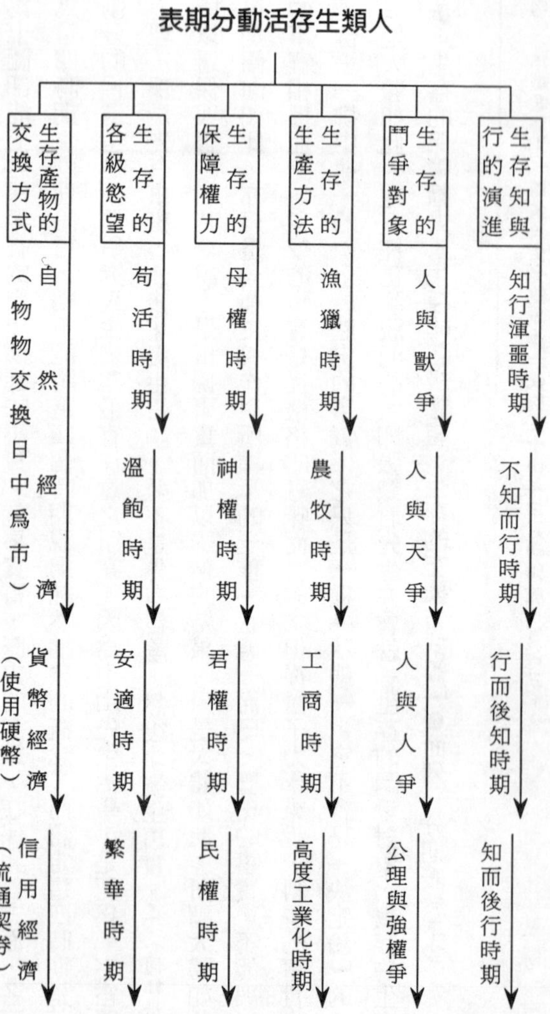

這個「人類生存活動分期表」與「保養分期相互關係圖」可以說並無本質上的差異。這兩書是同一年出版的。益弘兄大著之出版時間稍後。據我所知，這兩位張先生對這個問題沒有交換過意見。我之所以如此說，是謂研究中山先生思想的學者，對中山先生的歷史進化分期說，都是把握得很準確的。這兩個圖表都是就中山先生關於人類求生存鬥爭的思想而研究出來的。

四、人類求生存的內在驅動

至於人類求生存的動機，亦即人類求生存有那些最基本的需求？除保養兩件大事外，還有別的沒有？張鐵君先生曾將「求生存」加以分析而列表於左：

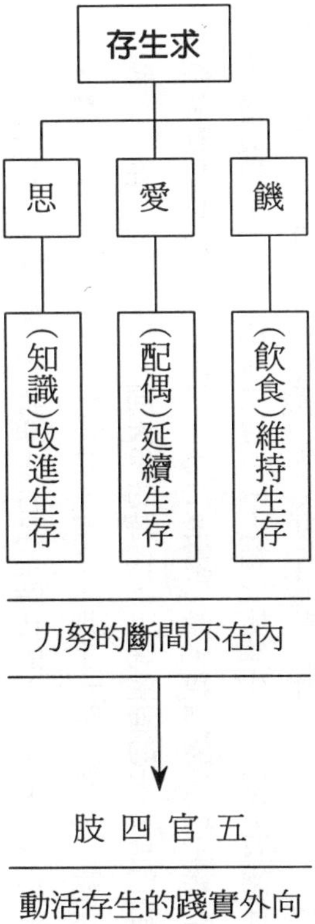

鐵君先生認爲，所謂「求生存」分析起來，祇有「饑愛思」三字。人類由於饑餓，故需要飲食以維持生存；由於愛情，故需要配偶以延續生存；由於思維，故需要知識以改進生存。鐵君先生將求生存的需要分析爲「饑—愛—思」，是歷史中「一種永不停止而發自內在的原動力（Factor）」（同註卅八，頁一八）。這是非常正確的。現代管理科學，對於人之需求的動機，近年來已有漸趨一致的研究所得；而一些有關需求動機的基本觀念，亦漸受到共同的承認。道格拉斯・麥理格（Douglas Mcgregor）說：

人是一種不斷需求的動物，在一種需求獲得滿足之後，另一種需求隨即出現。這種過程是持續不斷永無止盡的。人不斷的用盡心機可名之曰「工作」——以滿足其需求。㊴

麥理格又說：「人的需求是按照一連串程度不同的階段所構成，形成一套重要程度不同的系列。最初的一個階段就是生理上的需求。這些需求雖然是最起碼的，但是當其受到挫折時，卻是最重要不過的需求。人在沒有麵包的時候，便只爲麵包而生。除非情況非常特殊，否則他對於愛情、地位、聲譽的需求，於其饑腸轆轆之時，便沒有什麼作用之可言。」（同註卅九）這一段描述，我們亦可以推想太古洪荒時代的人類生活狀況與心理情境，因此，由漁獵時期進入農業時期，那便是由「人類的安全，幾乎一時一刻都不能保」的時代而進入了面對天災的時代。在人同獸爭與人同天爭的時代，人之生理的與安全的需求，是最易遭受挫折的，而這兩個動機也是最強烈的。在第二章第二節，我們講三民主義之本質時，曾指出這兩個需求動機是最根本的。中山先生說：「人類要能夠生存，就須有兩件最大的事：第一件是保，第二件是養。保和養兩件大事，是人類天天要做的。」（同註卅六）在太古洪荒時代，這確是人類天天要做的。研究中山思想的學者，大家對於中山先生的保養說非常重視，這確是不錯的。這與序卦傳的由屯蒙而需訟師之義亦是完全相通的。

㊴ Deuglas Mcgregor, The Human Side of Enterpise. 引見林錦勝譯：「企業的人性面」協志版，頁二六。

關於保的需求，麥理格亦有於下之說明。他說：

> 當其生理上的需求獲得合理的滿足時，下一個較高階段的需求便操縱人的行為——而引起動機。那就是對於安全保障的需求，免於危險、威脅和掠奪的保障。有些人誤以為是對於安全感的需要。但是除非處於有被肆意掠奪的依存關係中，人是沒有對於安全感之需求的。其需求在於有「絕對公平的機會」。在他深信有此機會時，他便不惜犯風險。而當其感到蒙受威脅，或者有所依賴時，他至大的需求是求取保障，獲得安全感。（同註卅九，頁二七）

依麥理格此說，保的需求，是可分爲兩種：一是獲得安全感；一是在於有「絕對公平的機會」。我們認爲，「保」這個需求，確是民權的根源。很顯然的，由於生理上的饑餓而具有的飲食需求，是民生的根源；由於生理上之愛的需求而發生配偶的現象，則是民族的根源。愛可能是在飲食與安全的需求獲得滿足之後的需求，誠如麥理格所說的：「在生理的需求獲得滿足，而不再有身體髮膚蒙受毀壞之虞時，人的社會需求便成爲重要的行爲動機因素。那種需求就是對於購置產業，參與社團，名聲地位，接交朋友與相互關愛的需求。」（同註卅九，頁二七）這是從「愛」的廣義意義來說的，這種愛在太古洪荒時代就不一定能獲得充分的發展；但屬於夫妻父子兄弟之情愛，在原始社會仍是存在的，它在養與保方面可能是造成煩惱或糾紛的根源，也可能有助於保與養之需求的達成。這就是說，養、保、愛這三項需求，應都是人之最原始的需求；不過，愛這個需求較之養與保，其強烈的程度似乎稍差而已；但是，愛這個需求卻常常成爲較高階的需求。因此，人類社會之所以形成四個時期的進化分期，愛這個需求確是「一種永不停止而發自內在的原動力」。因爲如果祇有養與保的需求，人不會成爲「一種不斷需求的動物」。

麥理格說：「在社會的需求上，或則甚至連安全的需求上，都遭受挫折之際，人的行爲表現趨向於破壞組織目標，可以變得反抗不拘，敵對而不合作。但是這種行爲是其結果，而不是其原因。」（同註卅九，頁二八）基於此說，則知一般人民「變得反抗不拘，敵對而不合作」，必是其生存的最基本的需求遭受了挫折。歷史上的治亂，其原因實不外此。

人之較低階段的需求獲得滿足之後，其較高階段的需求才成爲動機因素。猶如歷史進化之分期，是一個階段的一個階段的向前演進的。人之生存需求理論不是純經濟的需求理論，確有助於歷史分期進化論之說明。麥理格認爲，在生理需求、安全需求、社會需求之上，還有一個「自我需求」，其種類有二：

㈠關於個人尊嚴的：那是個人自尊自信，自治自律，成家立業與充實進修的需求。

㈡關於個人聲望的：身份地位，讚頌景仰的需求。

這種需求不像較低階段的需求那麼容易滿足。人們一旦感受到這種需求的重要性，便毫無止境的追求這種需求的滿足。但是這種需求非等到生理、安全和社會方面的需求獲得滿足以後，不能顯出其重要性。因爲大部份的人，祇經驗到較低階段的需求爲人所剝奪，而將其全部精力用之於滿足這些需求的奮鬥，以致這自我實現的需求滯留於意識階段之下。但亦有少數人並不重視低階段需求的滿足，而強烈的謀求滿足自我實現的需求。所謂「詩窮而後工」，似乎是其他較低的需求愈遭受挫折，而自我實現的需求愈能獲得成功。自我實現的需求，有如一個體系裡有其頂峰一般。這個頂峰是發揮個人的潛力，不斷的自我充實的場所。就最廣泛的意義而言，這就是創造的境界。麥理格說「政治上的革命，往往導因於生理、社會和自我需求的遭受挫折。」（同註卅九，頁二八）人之生存的各種需求動機，乃人之內在的不斷活動的驅力或原動力。它驅動人由低階段而高階段的逐步的獲得滿足，並逐步的開拓新的需要。此爲人類歷史進化的原動力。需求的各個階段與歷史的各個分期，雖不是如機械般的一一扣合；但在本質上是若合符節。人類自我實現的需求，若從周易上經的卦序來說，那是「大有」以後的階段。在神權或君權的時代，只有少數人能滿足自我實現的需求，在民權時代，人多能發揮個人之生存意志的潛力，以成人之能；因此，人類由神權而君權而民權，這是合乎人類自然的群體性。人類社會的群體，必須各種需求的動機因素能獲得適當的滿足，才能相安無事；若一旦遭遇挫折，即表現爲反抗與敵對的行爲，或甚至引發各種心理的與生理的疾病。只有當那些需求不存在時，人類社會的群體，才能恢復常態。所謂需求不存在，即是人類的需求沒有被剝奪。試以我們對於空氣的需求爲例，除非我們被剝奪了空氣的供應，否則空氣對於我們的行爲並沒有任何可觀的動機效果。茲特將人類生存之各種需求動機，以圖示之於次：

（人類生存需求之各階段圖）

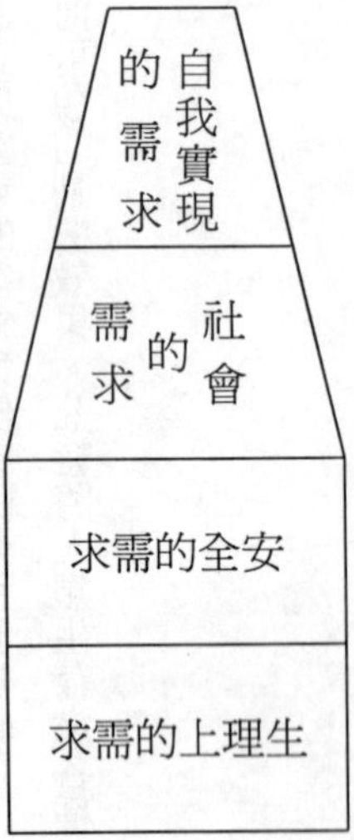

茲更就張鐵君先生所列之「求生存」表，加以增補而另列一圖於次：

人類生存需求演化圖

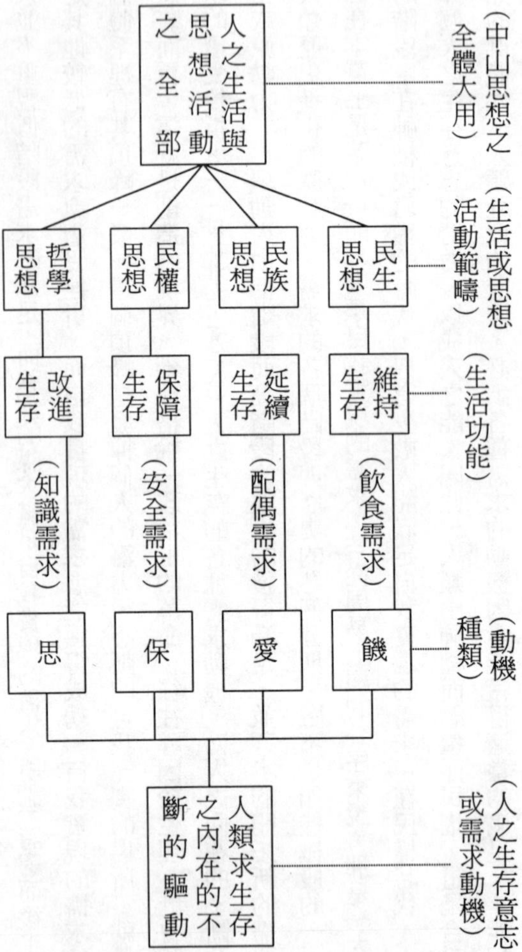

照上圖所示，則知人之生活與思想活動之全部，亦即人之整個的象徵系統，或生活系統，這是人類求生存之內在的不斷的驅動，如：饑、愛、保、思等四種需求動機所演化而成的；而這四種需求動機，乃生存意志的表現；亦即上節中之「演化圖」，稱體所有，由「生存」而繼續演化的結果。所以這內在的不斷的驅動，即此未發之中，當已發時而「純亦不已」的顯現它自己，形成爲人之種種的需求。這需求動機之各個階段，它與上文所謂之人類生存活動之分期有著內在的關聯；而且，這整個的需求動機因素，則是演化爲人之生活與思想活動，形成人之象徵系統。這個需求動機的學說，不僅與本章第一節討論民生哲學的本質時，我們對於生活這個概念所作的闡釋，有本質上的相同；而且，因爲我們現在將生活的需求，作了更進一步而又更具體的分析，使我們更明白的體認到：中山哲學以民生爲本質，確是堅實而無可辯駁。很顯然的，民生或人類求生存之內在的不斷的驅動（亦可寫作：「民生＝人類求生存之內在的不斷的需求活動。」），其表現於生活或思想活動範疇的，常可歸納爲民生、民族、民權、與哲學四大範疇。這四大範疇，是可概括人所從事之種種的求生存的活動；而這四個範疇之綜合，則就是中山思想之全體大用。再者，人之需求動機，因是由低階段的走向高階段的不斷的需求活動，所以與民生史觀之分期進化說亦頗相符合。這是對於中西哲學之偉大的整合的結果。這個整合工作的目的，就是要建立史的民生論而代替史的唯物論。中山先生講民生主義或民生哲學，完全是針對馬克思的學說理論而立論的，在民生主義第一講中，有許多極透徹的批評。中山先生認爲馬克思「從前的主義便是大錯特錯」的。中山先生說：「在馬克思當時，自以爲是料到了的，後來都是不相符合，令馬克思自己也說所料不中。」[40]中山先生又說：「馬克思研究社會問題所有的心得，只見得社會進化的毛病，沒有見到社會進化的原理；所以馬克思可說是一個社會病理家，不能說是一個社會生理家。」（註同上）馬克思對於許多事情「所料不中」而「大錯特錯」，可見他的「社會病理」也必是「所料不中」的。這就是說，馬克思只是看到了社會的病態，亦只是看病而不能對症的病理家。他如果對社會病理有對症之正確診斷，他必然的會成爲社會生理家了。中山先生在講演民生主義的當時，面對著許多馬克思的信徒，他說馬克思是社會病理家，不是社會生理家，這個話是說得非常含蓄。因爲馬克思「所料不中」，乃診斷的錯誤，亦即把問題看錯了，當然不是個好的病理家。有人竟堅持馬克思的觀點，說「民生……不能外於經濟」，而「以經濟生活，解釋民生」（請覆按第二章第一節），這確是不知民生（即人之生存）是涵蓋人之生活與思想活動之全部，這當然不懂得中山思想之全體大用。

五、唯物史觀的公式及其謬誤

馬克思的錯誤，除中山先生在民生主義中已有討論者外，其對於社會問題診斷最錯誤者，也就他的主要的學說。馬克思一八五九年在其所著「政治經濟學批判」序言中曾說：

---

[40] 民生主義第一講。

人類在它生活上之社會的生產一項，加入於離它的意志而獨立之必然的一定關係，此即適應於它的物質生產力的一定發展階段之生產關係。這種生產關係的總體，形成社會的經濟的構造，為法制的政治的上層構造所依以樹立及一定的社會意識形態所由以適應之現實的基礎。物質生活的生產方法，為限定一般社會的政治的及精神的生活過程之條件。人類的意識，不足決定它的存在；反之，人類社會的存在，轉足以決定它的意識。

這是所謂「唯物史觀公式」的第一段。這第一段及以下各段皆是根據余精一的譯文。曾見過幾種譯本，後兩句有人譯爲：「不是人類的思想支配其生活，而是社會的生活支配其思想。」我們覺得余精一所譯者爲佳。這一段以鄧初民的解釋比較清楚，他說：

人類要生活，不能不取得生活資料。要取得生活資料，不能不參與於社會的生產。即不能不走入一定的生產關係。並且他們只有在一定的生產關係內，才能生產。這一定的生產關係，是與當時一定的物質的生產力相適應的東西。這一定的生產關係的總和，形成社會的真實基礎；國家形態及法律制度，是建立在這個基礎上面的第一層上層建築；一定的社會的意識形態，是適應於這個基礎的第二層上層建築，生產力與生產關係，是根本的東西；國家形態與法律制度以及一定的意識形態，是依存於根本的東西而成立的東西。所以物質生活的生產方法，決定著社會的、政治的、精神的生活一般。

不是人類的意識規定他們的存在，反而是人類之社會的存在規定他們的意識——這是社會的構造之簡單的說明。[41]

鄧初民這一段解釋已頗爲清楚，茲再將余精一的「唯物史觀公式圖解」[42]引述於下，使讀者能有更清楚之認識。

意識形態 ｛精神的——宗教哲學藝術／政治的——法律政治｝上層構造 ｝
↑↓
經濟構造（生產關係總體） ｝
↑↓
生產方法 ｝社會的——下層構造 ｝社會
↑↓
生產諸力 ｝

[41] 鄧初民著：「新政治學大綱」，民國二十八年生活書店版，頁八六。

[42] 余精一著：「中西社會經濟發展史論」第一冊，一九四四年，東西文化社版，頁二九，又據余氏自註：「唯物史觀公式」各段譯文，係直接從德文本翻譯者。

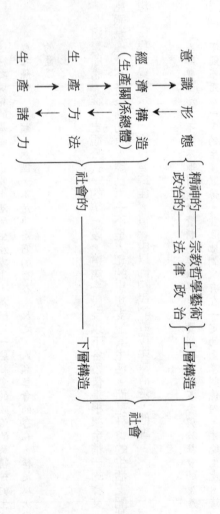

唯物史觀公式第二段接著說：

社會的物質的生產力，發展到一定階段，就和它從來所藉以活動之現存的生產關係，或只表現於法律上之所有關係相衝突。這種關係，就由生產力的發展形式，反而變為它（生產力的發展）的桎梏。於是，社會革命的時期到了，龐大的上層構造之全部，隨伴經濟的基礎之變動，或快或慢，終歸變革。

這是說，社會永遠在變動中，正如川流一般，沒有片刻停息。這變動的原動力馬克思認爲是生產力。生產力的變動，必引起經濟構造，亦即下層構造的變動，並或快或慢的引起全部上層構造的變動，而終歸變革。其公式第三段接著說：

當觀察這種變革的時候，對於得以自然科學實證的經濟的生產條件上之物質的變革，和人類因意識這種衝突而相與決鬥之法律上、政治上、宗教上、藝術上、或哲學上等等意識形態，應嚴為區別。對於這種變革時期，決不能依照它的時代意識，加以判斷，正和不能以其人所自信的判斷其人一樣；因為這種意識，反須依照物質生活之矛盾，即社會的生產力和生產關係間之現存的衝突以說明之。

馬克思這段話的意思，是謂客觀的存在，雖因生產力發展至某一階段，必會衝破現存的生產關係，有所變革；然而社會進化的墮性，在社會改革的過程中，必然發揮它的抵抗力，從而隱蔽了客觀存在的變動之真相，所以須從「物質生活之矛盾」說明之。其第四段接著說：

一種社會組織，非到一切生產力在它組織內已無發展的餘地以後，決不顛覆；新的較高級的生產關係，在它物質的存立條件完全孕育於舊社會胎內以前，決不實現。所以人類常惟以自己所能解決的問題為問題。若再精密觀察，則一切問題，必它解決所必須之物質的條件，早已存在，至少亦必在它成立過程中，才會發生。

馬克思這段話的意思是說，社會革命，不會突然發生，它的形勢的形成，以迄於爆發，必為革命所必須的客觀的條件之成熟，亦即：必是生產力的發展到了極度，不復能與現成的生產關係相容的時候；否則，妄想憑空創造革命，那只是烏托邦的革命空想。其公式第五段接著說：

大概說來，可依亞細亞的、古代的、封建的、和現代資本家的生產方法，列成經濟的社會構造之演進諸階段。而資本家的生產關係，實為社會的生產方法最後之敵對形態。——所謂敵對，不是個人的敵對，乃由各個人之社會的生活條件所生之敵對——同時，在資本家的社會胎內已經發展之生產力，實為造成解決這種敵對所必須之物質的條件。因此，人類社會的前史，就和這種社會的構造，同時終結。

這一段是表明過去階級社會歷史之發展的諸階段與另一無階級社會之必然到來。我們特先檢討這所謂公式的第二、三、四這三段。照第四段所說，英美應該發生社會革命，而一九一七年的俄國則不應該。今日中國大陸，社會上充滿矛盾，而且必將發生變革（達按：這是指七七年以前而言），亦不能依「物質生活之矛盾」說明之。同時，蘇俄與中共政權的形態，亦即所謂「龐大的上層構造之全部」，既不是伴隨經濟的基礎而樹立，亦不是爲了適應實現的基礎。假如將來有變革，亦決不是完全由於生產力與生產關係衝突的結果。馬克思是完完全全「所料不中」的。

再就其所謂之「社會的構造」來加以檢討，其所謂生產諸力決定生產方法；生產方法，決定生產關係總體，其意是謂：生產力的發展是由於生產工具的改良；生產工具的改良，則引起整個社會的變化；所以社會變化的動因，是生產工具的進步。馬克思說：「用手推的磨子創造了封建領主社會，用蒸汽機的磨子創造了產業資本主義社會。」㊸誠然，蒸汽機的發明，帶動工業革命；但是，人類決不是先發明犁鋤然後進入農業社會，必是先有種植，然後再發明與逐漸改進農具，則較爲合乎歷史的事實。馬克思說：「人們一經獲得了新的生產力，就改變他們的生產方式；一經改變了生產方式，改變了他們維持生活的樣式，也就改變了他們全部的社會關係。」（同註四三）此說並非全無理由。問題是：㈠這個原則的普遍妥當性的程度問題。即：針對工業革命時的社會情形，這原則是適用的；若以爲適用於任何社會，則

㊸ 馬克思著：「哲學之貧困」，許德珩譯，轉引自張益弘著：「孫學體系新論」第十五章，頁一四五。

是「大錯特錯」。㈡這「新的生產力」究竟從何而來呢？我們的人類求生存之內在的不斷的需求動機學說，確可以解答這個問題，而馬克思的唯物史觀則是無法解答的。例如蒸汽機的發明，即是人類爲改進生存的需求動機而所表現的創造活動。我們的祖先發明耕田之犁的當時，那種需求犁的動機比瓦特（James Watt 1736-1819）發明蒸汽機的動機可能強烈得多了。這種重視需求動機與創造活動的學說，與哲學的唯心論無關；因爲創造活動固然就是心靈活動或思想活動；但不能說所有的思想活動都是唯心的。例如哲學，它必是一種心靈活動或思想活動；但不能說所有哲學都是唯心的。學術在尋求事實的真相。馬克思的錯誤，可能由於過份的側重純理論的抽象方法而加以演繹的結果，所以不能完全適用於具體的歷史事實。馬克思雖然「對待黑格爾，把他看作一條『死狗』。」[44]但他「公開宣佈，我是這位偉大思想家的信徒」，「隨處借用黑格爾特有的語調來自炫。」馬克思卻認爲辯證法在黑格爾的手上「是顛倒的。如果我們想發現神祕的外殼所包藏之合理的果核，就必得重新把它順轉過來。」（同註四四）可見馬克思只是顛倒了黑格爾的辯證法，從唯物論的觀點而應用於歷史與社會之研究的。黑格爾的辯證法是不能顛倒過來的，在形上學裡適用的學說，在歷史學與經濟學裡只能有限度的適用。馬克思把學自黑格爾的那些東西，不審慎的在歷史與經濟方面加以演繹，無

[44] K. Marx, Capital, Vol. I, Author's Prefaces，頁二五，轉引自余精一著：「中西社會經濟發展史論」第一冊，頁二七，余氏認為唯物史觀學說，有：純理論的抽象方法之誤，單純客觀決定主觀之誤，單純產業決定商業之誤，此三項批判，頗為中肯。

怪其會「大錯特錯」而且是「所料不中」的。

照我們以上的檢討，再仔細的研讀中山先生的民生主義，在民生主義第一講中，中山先生舉出事例，說馬克思的判斷「是和事實不對」，接著並說：「可見我的學說，知難行易，是的確不能磨滅的。」在民生主義第一講中，有三次提到知難行易的學說。這是中山先生的一番苦心，希望喚醒許多人的迷誤。因爲共產主義在當時是極時髦而最易令人信服的東西，他知道有些人被馬克思的非常精緻而又非常新穎的理論所惑，所以他一再提醒大家，不要輕易的相信空洞的學說，應該注重事實。可是言者諄諄，聽者藐藐，而終於造成中國之大悲劇。中山先生說：

要解決民生問題，應該用甚麼方法呢？這個方法，不是一個玄妙理想，不是一種空洞學問，是一種事實。這種事實，不是外國所獨有的，就是中國也是有的。我們要拿事實做材料，才能夠定出方法；如果單拿學理來定方法，這個方法是靠不住的。這個理由，就是因為學理有真有假，要經過試驗才曉得對與不對。好像科學上發明一種學理，究竟是對與不對，一定要做成事實，能夠實行，才可以說是真學理。科學上最初發明的許多學理，一百種之中，有九十九種是不能夠實行的，能夠實行的學理，不過是百分之一。如果通通照學理去定辦法，一定是不行的。所以我們解決社會問題，一定是要根據事實，不能單憑學理，……[45]

[45] 民生主義第二講。

這是在苦口婆心勸告大家，不要相信馬克思的靠不住的純理論性的東西，而應該認識擺在面前的事實，可是那些被迷惑的人，誰能知道「純理論的抽象方法之誤」呢？而且，那些被迷惑的人，很可能是執迷不悟的。永田廣志在「歷史上主觀條件之意義」一文中曾說：「烏里雅諾夫（列甯）已經指出了：唯物論者，不僅是指示『某一過程之現存』，而且要考察『那時候什麼階級被形成了，什麼階級成了過程之承擔者』，在這一點上和客觀主義不同。客觀主義者論到『堅固的歷史的傾向』過程之必然性，但『唯物論者不僅指示過程之必然性而已……他要闡明什麼階級規定這個必然性』，即：他要指出階級的矛盾，『由這來規定自己之見地』。換句話說：『唯物論者，含有黨派性，當評價一切事故的時候，有公然而率直的站在一定的社會集團之見地上的義務』。史的唯物論者，不是像『客觀的史家』一樣，僅僅解釋歷史的事件，而且非從『一定的社會的集團』之見地給它以評價不可。……」㊻永田廣志這是根據列甯的唯物史觀新說。這是反對蒲列哈諾夫之「觀照的客觀主義的唯物論」，而特別強調主觀的意識對於客觀的存在之積極的功用。這是一種主張黨派性的唯物論。一種作爲經世之用的學說，不僅是純理論性的，而且是黨派性的，當然是不會與事實相合的。永田廣志在其所著「唯物史觀講話」中曾說：

㊻ 永田廣志：「歷史上主觀條件之意義」時事類編第三卷第三期五八—五九頁，轉引自余精一：「中西社會經濟發展史論」第一冊，頁五九。

辯證法一面依據著關於自然和社會的各種科學，由總括這些科學之成果和發展史而形成，而同時一面又作為方法來運用於這些各個科學之上，使自己內容更進一步精密化，並指導這些各種科學的發展。㊼

這一段話是很動聽的。但是，主張黨派性的唯物論，能夠是合乎科學的嗎？這段話中的「辯證法」三字，換上民生史觀四字是不是更合適些？唯物論或唯物辯證法與科學方法之間有什麼必然的關係呢？何況還是「主張黨派性」的。永田廣志又說：

社會的存在，規定社會的意識；因此，應從社會的存在去說明社會的意識。人類之意志，即被意識過了的動機，決不會是歷史的最後原因。人類之意志，行為之動機，接受外界、社會的環境之一定刺激而發生；而且，就是人類行為的手段，也不是能自由選擇的，它也要受環境的規定。人類之社會環境，社會存在，才是最後的原因。（同註四七，頁一一五）

唯物論者一口咬定社會環境、社會存在，是離人的意志而獨立的。例如我所住的房子之存在，與我的意志無關；我生下來時的社會存在，也與我的意志無關。這是不錯的。許多人

㊼ 永田廣志：「唯物史觀講話（科學的歷史觀）」阮均石譯，新知書店版，頁一〇九。

因爲這是不錯的，便肯定了唯物論。假如我們肯作深一層研究，這未被我意識過的社會存在，它究竟是什麼呢？列寧說：「所謂意識型態的社會關係在其成立以前，是通過人類之意識（亦即社會的關係之意識）而來的關係；而物質的社會關係，則是不通過人類意識（嚴密的說，關於社會的意識）而形成的社會的生產關係。這即是說，政治的、法制的關係是由人類有意識的設定起來的關係，而生產關係則是物質的。」㊽列寧把社會分爲意識型態的與物質的兩種。所謂物質的，即是不通過人類意識而形成的。我們試略作反省、生產關係或生產力不通過人類意識，它能形成嗎？因此，所謂「社會存在，才是最後的原因」，這與唯物論並無必然之關聯。讀者若能對我們以上所討論的詳加審察，則知我們所講的最後原因，確是顛撲不破的。而且，我們的「中一元論」也不是折衷主義的。永田廣志說：

折衷主義的一個主要特徵，就是不理解在統一上來把握對立物；也就是不知道對立物的抗爭，把互相對立的東西硬裝在抽象的同一性模型裡便算完事；也就是把對立物弄成無差別的東西了。（同註四七，頁一〇八）

六、來臨論與優越論的迷惑

我們的「中一元論」認爲只有在本體界，對立物才是無差別的。關於這點，我們已經有

㊽ 見列寧：「何謂人民之友」，轉引自永田廣志「唯物史觀講話」，新知版，頁一九三。

較詳盡而明確的討論；而且，有關辯證法的一些範疇，我們也已有所說明。讀者若能仔細的加以比較研究，則知我們的哲學確具有至理。當然，唯物論的這些論點，在幾十年以前，都是很動聽的。現今的學術界早已棄之若敝屣了。自民國初年以來，唯物論在我國廣爲流行，除了上文所引述的這些似是而非，卻頗爲動聽的論點在迷惑人外，最使人受迷惑的則爲其所謂唯物史觀公式第五段之來臨論。崔垂言先生說：

> 十九世紀末，二十世紀初，共產主義在世界上形成一種狂熱的流行病。狂熱的來源，不是馬克思經濟理論，而是馬克思非經濟理論的唯物史觀。馬克思與其信徒，用這魔術性的史觀，散播一套宿命論，就是資本主義必然崩潰，社會主義必然來臨——社會主義即將取資本主義而代之。這套宿命論散播開以後，使資本家自慚形穢，使資本主義國家也感覺晚景淒涼，共產主義的流行病便從此蔓延起來。㊾

崔先生又說：

> 有一件很奇怪的事，也可以說很不正常的事，就是在我們這一代中國人中，一提到經濟發展階段，便有些人不自覺的聯想到馬克思所謂原始共產社會、奴隸佔有社會、封

㊾ 崔垂言著：「國父思想申論」民國五四年幼獅出版，頁二七—二八。

建制度社會、資本主義社會，社會主義社會——這一套公式。（同註四九，頁五二）

崔先生這所說的「狂熱的流行病」，與「很奇怪」、「很不正常的事」，米塞斯（Ludwig von Mises）對其原因曾有很透徹之說明。米塞斯認爲、「馬克思對於資本主義生產方式的批評是完全錯誤的」㊿。所以馬克思認爲資本主義發展的結果是使工資勞動者進一步貧窮化的這項論據，就是最正統的馬克思主義者也沒有充分的勇氣來加以支持；但是，一般人對於他所提出的另外二個論據則很少敢加以推翻的：這就是社會主義之必然來臨論與社會主義之比資本主義優越論。馬克思之所以能夠作此預言實由於他自認已找到決定歷史的神秘力量。馬克思與黑格爾一樣，他們之成爲預言家，乃由於他們能以其內在的靈感，傳遞給一般大眾。米塞斯又說：

> 馬克思所生長的是一個人類逐漸進化理論幾為大家普遍接受的時代。當時，大家認為上蒼所佈設的那隻不可目見的手是會引導人們不自覺的從低級的階段步上高級的階段，從不很完善的時期走到比較完善的時期。在人類歷史中就存在著一種必然的趨勢，

㊿ Ludwig von Misee: "Human Action"。William Hodge nd Company Limited,London, 1949.引見施康平譯：「米塞斯論社會主義」一文，新思潮第二十七期，頁九八。該文係譯自原第五卷「沒有市場的社會合作」part five: Socil Cooperation without a market.）

可以使其漸臻於進步與改良。人類歷史發展愈到以後就愈見進步。在人類社會中除了這種朝向進步的慾念以外就沒有其他事物是永遠存在的了。黑格爾早在馬克思成名以前的幾年就逝世了，但他就曾在其歷史哲學中提出了這一理論。後來尼采於馬克思消逝後而出現了，但他亦以此作為其論著的中心。這種理論實已成過去二百年間眾所信服的神話。

馬克思所做的就是將社會主義的教條摻入這種進化理論之中。社會主義的來臨是必然的，而這樣也就無異證明社會主義是人類社會發展上一個比其前身資本主義更為高級更為完美的制度。既然如此，則一切對於社會主義贊成與否的討論都是多餘的，都是沒有意義的。因為不管你贊成與否，社會主義是注定要來臨的，這是自然法則發展的必然，是絕對不能改變的。只有白痴才會如此愚蠢而竟懷疑此一必然來臨的新制度是否會比其前身更好！只有被貪婪的剝削者收買了的御用學者才會如此昏庸而竟說社會主義會有些微的弊病。（同註五〇）

米塞斯已說得夠透徹的了。馬克思的信徒們，在抗戰初期，他們以真理擁有者自居的那幅神態，那幅自信的樣子，從米塞斯筆下也應該可以想像得出的。馬克思列寧的思想再度在中國大陸泛濫時（第一度應為聯俄容共時期），我是一個二十歲的青年，因爲幼年所受教育的關係，也因爲不趨時髦的關係，所以比較有自己的主見，肯作獨立的思考，與左派朋友們多少有點扞格不入。到民國廿九年開始從事反共鬥爭時，還是感情與道義的成份居多，理論上只是與共產主義不合而已，可見馬列思想在當時勢力之大。老一輩子的人，當知吾言不謬，我也是在爲歷史作見證。在此要特別說明兩點：第一、孫中山先生對於「來臨論」與「優越論」確是很勇敢的加以推翻的。他的人類奮鬥分期說，是針對「來臨論」的；他在民生主義中主張用改進的方法以達成經濟進化之目的，是針對「優越論」的。可惜當時的人，未能真知他的苦心孤詣，未能真知他的主張之正確。他著作知難行易學說，確具有至深切之意義。他不否定人之進步的慾念，他祇希望這個慾念是在一種切實可行的方法之下來獲得合理的實現，所以他一再的強調：「一定要根據事實，不能單憑學理」，可是，在當時卻有許多人未能認清這一點。第二、自鴉片戰爭以來，我們中國人感覺最重要的一件事，就是如何能救亡圖存。社會主義之必然來臨論，恰好給予受帝國主義欺凌與壓迫的中國人以無窮的希望。抗戰勝利後，正是建設富強新國家之好時期；但因一般人陷溺於「來臨論」之窠臼而不能自拔，以致造成歷史上未曾有的大悲劇。這個大悲劇的造成，其原因當然不止一端；但是，由於「來臨論」之迷惑，以致成爲一種「錯誤的嘗試」，則是最主要的原因。湯因比（Toynbee）與杜威（John Dewey）有一項類似的看法，是說：「創造不是那麼容易的一回事，是要經歷一個『嘗試錯誤法』（trial and error）之過程，才可獲致最後的成功。」[51]我不敢說這是一項絕對的真理；不過，分子生物學已發現一項事實，即進化是由偶然的錯誤所形成的。我不擬就這個理論加以討論，

---

51 Arnold J. Toynbee: Civilization on Trial, Oxford University Press, New York,1948。轉引自幼獅版「危機時代的哲學」譯本，頁一〇。

我現在要指陳的，即：我們中國人的這個巨大而慘痛的共產主義的試驗，原是註定要失敗的，現在已證明確是失敗了，我們應如何從痛苦中獲得達到成功之機運的智慧呢？大陸上年青的一代，現已公開的提出了「中國往何處去」的問題（達按：此是本書初版時而言）。我認爲答覆這個問題的最先決條件，是應該有一種自痛苦中接受教訓的智慧。我國流傳至廣的小說西遊記，有一段記載孫悟空被太上老君放在八卦爐中燒了七七四十九天沒有被燒死，出來時卻煉成了火眼金睛，凡僞裝人形的怪妖，牠一眼便能看得很清楚。今日中國大陸的八億同胞，無異被中共放在八卦爐內熬鍊，我相信他們應該已養成火眼金睛了，我們中國人應該會自失敗中學得成功的故訓，而重新認識「中國之命運」。

艾克登（Acton）說：「歷史應該是我們的救命恩人，不獨從其他時代的不當壓力下救出我們，而且從我們自己時代的不當壓力下以及從我們所生活的低氣壓和暴政環境下救出我們。」[52]卡耳博士（Edward H. Carr）對這所說的曾作於下之評述。他說：

> 對歷史所負作用的這種估價似乎有點太樂觀。但我可以大膽的說：一個對自己環境有更多意識的歷史家，也更能不受自己環境的約束，而且也更能識別自己的社會和觀點跟其他時代或其他地區的社會和觀點究竟有什麼基本的不同；反之，那班只認得自己

52 Acton, Lectures on Modern History. 頁三三，轉引自 Edward H. Carr, what is history.王任光譯：「歷史論集」幼獅版，頁三六。

是個人，而不認得自己是社會現象的歷史家，卻不能這樣做了。一個人之是否能超出自己的社會和歷史環境，要看他是否能覺到所受環境的牽連。（同註五二）

中山先生在民權主義的演講中，一再的指出，不要拘守某種學術的理論，而應依據事實做材料以定出方法，看起來是很平凡的，不像馬列主義那樣艱深而新穎的，經過半個世紀以來的事實印證，這很平凡的，確是至真確的。因爲中山先生的「要拿事實做材料」的主旨，也就是要真能以歷史作「我們救命恩人」，能如此，便真能有一種「自痛苦中接受教訓的智慧」。以人之求生存爲立論依據的民生史觀，其主要之點，不是「單就學理來講」的，而是「專拿辦法來講」的；不是以單純的「決定論」的觀點來看歷史進化，而是從歷史事實演變來看歷史的進化。我們中國人認爲，歷史的興衰治亂，完全在於能否真的有所因革損益。司馬遷曰：「故漢興，承敝易變，使人不倦，得天統矣。」承敝易變，全在於能根據事實而改弦更張，亦在於能體會歷史的變通之道。易繫辭曰：「化而裁之謂之變，推而行之謂之通。」承敝易變，推而行通，這就是得天統，也就是真的把握了歷史的變通精神。馬克思本於決定論而倡導來臨論，對於資本主義，既缺乏真實的認識，也當然不會理解此中的變通之理，所以共產主義實行時，就成爲「秦政不改，反酷刑法，豈不謬乎」。太史公的循環之說，雖似穿鑿，亦頗能識透因革損益之至理。這至理究竟是什麼呢？即：人類求生存之內在的不斷的驅動，確是表現爲「朝向進步的慾念」。所以應該承前代之敝，作合理的變更，亦即要根據事實，講求方法，以求進步。「在人類歷史中就存在著一種必然的趨勢，可以使其漸臻於進步與改良。人類歷史發展愈到以後就愈見進步。」（同註五〇）這在基本上是不錯的。如將這個理論與序卦傳兩相對照，亦可得到印證。馬克思的歷史觀在根本上亦可以說是如此的。問題是：人類社會發展到了「知而後行時期」，「公理與強權爭」的「民權時期」，或「信用經濟」、「高度工業化」的「繁華時期」。這就是說，人類歷史發展到了這樣的時期，這是事實，這不能以勞動者與資本家之階級對立的狹窄的觀念來涵蓋一切的。馬克思說：「人類常惟以自己所能解決的問題爲問題。」這句話是不錯的。馬克思的錯誤，是把問題弄錯了。很簡單的說，就是看病未能對症。例如發燒這個病癥，它的原因是很多的，而馬克思不加細察，一方面一律用他從黑格爾那裡學來的辯證法，治正以反；一方面硬派定共產主義爲資本主義之反而提倡共產主義。學術殺天下後世。數千萬人因共產主義之故而無辜的死亡；十億以上的人因共產主義之故而遭受災難，造成人類歷史上空前未有的浩劫。馬克思死而有知，當是後悔莫及的。

從純科學的觀點來說，凡是把問題弄錯的，必永遠得不到正確的答案。同時，科學上的假設，必須經過實驗予以證實方能成立。中山先生講演民生主義的當時，說馬克思是病理家不是生理家，說馬克思「大錯特錯」，「所料不中」，這就是說，馬克思把問題弄錯了。中山先生一再的強調，要拿事實做材料，不要單就學理來講，要專拿辦法來講；於今，我們讀這些至平凡的遺教，發現他確是至偉大的真理。因爲社會科學不能像自然科學那樣可以實驗的，所以應該就辦法是否可以行得通來加以研究，不應該只根據學理而不顧事實的以共產主義否定資本主義。中山先生的思想以及他所講的三民主義，初看起來似是很平凡，很淺顯；

若細加研究，確是至高深而又至偉大的。

記得在三四十年代，有一項很普遍的觀念，即：大家都認爲共產主義與三民主義只有方法上的不同，並無目的上之不同。亦即大家都認爲共產主義是共現在，三民主義是共將來。這當然也是依據民生主義而如此概括的說明的。但，當時的人並未深究，所謂目的相同，只是民生史觀也像馬克思一樣的肯定了人類「朝向進步的慾念」這一理論而已，卻沒有贊同其決定論式的來臨論。所以三民主義亦不是主張共將來，而是主張「均富」。至於所謂方法，中山先生則是極端主張精密的考察當時的事實以發現問題的本質，而堅決反對以空洞的機械觀的方式處理問題。大家要知道、辯證法的正反合，就是未能超脫機械觀的。這也是說明了方法之真正不同的所在。

七、道統與中山民生史觀

我們以上就民生史觀與唯物史觀加以比較，使我們對民生史觀得能有更明確之認識，亦進一步的認識了民生哲學之真義。我們自亦可以就三民主義在臺灣之實踐與共產主義在大陸實行之結果而加以比較研究，以事實證明學理之對錯。但，此非本書所欲討論者，茲不贅述。惟特須說明者：第一、照堯曰篇所謂「四海困窮，天祿永終」。這就是說，社會現象之所以發生歷史性的變化，乃人民物質方面的生活受到威脅的結果；因此民生史觀認定歷史變遷的事實，是人類求生存的鬥爭方式與人類的生產方法所交織而成之社會現象的變遷過程；這個過程，其具體的事實，即前文所述之民生史觀的歷史分期；其主要的變遷，乃保與養，或政治與經濟現象的變遷，而不是馬克思所說的只是生產力的變遷。

第二、馬克思曾說：「用手推的磨子創造了封建領主社會，用蒸汽機的磨子創造了產業資本社會。」這是說，這兩種磨子都發生了決定性的效果。可是，馬克思並沒有想到這兩種磨子都是「人」造的。人爲什麼會創造出這兩種磨子呢？這兩種磨子之決定性的效果是否永不改變呢？馬克思似乎只看到蒸汽機的磨子之無窮效力，而沒有想到終必因時移勢異將失去其最初的效力？他是缺乏歷史性之反省的人物。照我們的中一元論的哲學，照周易序卦傳的歷史觀，照民生史觀之歷史的分期的事實，社會歷史是在生成變化之中，而不是已完成的事實。這就是說，生產諸力必是會變遷的。馬克思並非不知道生產諸力會變遷，只是他看輕了上下層的相互影響作用，同時，也忽視了人之求生存的內在不斷的驅力。我們認爲，社會變遷的最主要的動力，乃「人類求生存之內在的不斷的驅動」；這個驅動，在人之心理與生理兩方面，都形成爲一種勢力，以強迫人類爲求生存而奮鬥。這個驅動或勢力，在本質上即是人之生存意志，其種類大致可分爲饑、愛、保、思這四方面；這四種需求，是表現爲人類生活之四種功能，如前文「人類生存需求演化圖」所示者。很顯然的，人類社會之變遷，乃人類生存需求遭受威脅或獲得進步時，而在生活功能與社會範疇方面所表現的一種變化；至於政治或經濟的變化，乃社會變化時最主要的現象，其結果便成爲人類文化之歷史性的遷變。

第三、一般說來，人類文化乃人類生活的沉澱物，亦即人類創造的成果；不僅馬克思所謂之生產力，是人類創造的成果之一，即人類社會之存在，亦全是人類創造的成果。但是，人類自己所創造的東西，它是會回過頭來影響人類或甚至控制人類的生存，這是不爭的事實，所以我們認定社會之所以變遷，乃人類求生存之內在的驅力與外在的社會存在相互影響的結果。至於是如何相互影響呢？我們認為，是這內在的驅力之不斷的活動，在偶然的機會下，產生新的事實，而帶來新的騷動與變化，例如瓦特發明蒸汽機等等。人類之發明蒸汽機或其他的種種發明，都是必然的。這好像玩遊戲一樣，所有的遊戲項目必會一一玩到，這是必然的；但某人在某時候碰上某個機會而玩到某個項目，則常常是偶然的。例如擲骰子，骰子上的每一個點子都會被擲到，這是必然的；但張三擲六點，李四擲四點，則多少有些偶然。因此，蒸汽機之發明，一方面是西方文化之產物，一方面是具備了時代性的許多催生條件；但從瓦特本身來說，仍多少有些偶然。這就是說，社會現象之歷史性的變動，既是偶然的，亦是必然的。我們似乎成了賈克、莫諾的信徒了。其實，我們的中一元論與心物合一論的哲學，是認為宇宙本身，乃由未發而已發的變動過程，如「太極演化體系圖」所顯示者；在人的哲學或社會哲學方面，它顯現為歷史的變遷，如民生史觀之歷史的分期，或序卦傳所示之波浪式的變化；若從當下的現實來說，人是生活於他自己所創造的「象徵系統」裡，而這個「象徵系統」，也就是一個「變化系統」。至於這個「變化系統」是如何的變化呢？我們曾依潘乃德的學說，將變化列成於下的公式：

〔變遷＝（文化變動可能率＋時代變動可能率）×X（偶然機會可能率）
＝新的（生活系統）〕

照這個公式所示，文化與時代為變遷之可能性的因素，若與某種偶然的機會結合，則會發生某種變遷。變遷無一定之規律，惟偶然機會爲零時，必無變遷。史賓格勒的春夏秋冬之說，乃將此種可能性視爲必然。這是忽略了偶然的因素，這是犯了一元論的過失。從現象界來說，它必是二元的，亦即偶然與必然都是對的。上章中我們討論形上學有關的幾個範疇時，對現象界的二元性已有較詳盡說明。

第四、我們的中一元論與心物合一論是一種講變通的哲學。一切現象皆在生成變化之中。我們認爲，凡屬存在，皆爲過程；至於這變遷過程中之不變者，惟此「續而不墜」之中，誠與仁等等而已。我們的道統，亦即我們中國哲學的傳統或正統，是欲在社會現象之變遷中，能把握此不變者，而主導社會歷史的變化。這不變者是什麼呢？它就是「中」或太極。它既是生存之根本，它當然是生命之根本，它也是一切哲學之根本。因此我們認爲，豪傑之士，若能本此至中至誠之仁心仁性，而發爲經國濟民之行爲，則社會之變遷，將日益進於和諧安定，而成人之能。當然，此所謂豪傑之士，是受當時的社會文化之制約的；但是，在必然之情形下，仍將發生偶然的結果。這就是說，我們是認定人在社會歷史之變遷中，常製造一些偶然性的變化，而這種偶然性的變化，亦常對變遷發生決定性的作用。我們的哲學與馬克思的機械的唯物史觀是不相同的。我們認爲，社會歷史的變遷，是在社會既定的範疇中的變遷，而這種變遷對於政治經濟等現象所產生之變化，既屬必然，亦常出乎人之意外；例如「文革」，即是出乎意外。因此，我們的歷史觀不是一種宿命論的歷史觀，乃主張奮鬥創造的以實現生存意志，而成人之能，創造人之盛德大益。這就是說，我們應本乎民生史觀，熟知人之生活與思想活動之全部，就其需求改進者，發揮人之仁心仁性與理性功能，因勢利導，減少意外，主導變遷，而完成人之日新又新的事業。

第四節　道統與中山知行哲學

一、道統與中山知行哲學

我們已說明了：中一元論或心物合一論是中山哲學的本體論，民生哲學是中山哲學的本質論，民生史觀是中山哲學的歷史觀，其認識論爲知行哲學，其方法論爲革命哲學；於是，便構成了中山哲學的整個體系；這整個體系是以道統，亦即以中國哲學的正統或傳統爲基礎而建立起來的。

中山先生自己，並沒有建立如是之哲學體系，亦沒有如是有系統的講他的哲學，他祇「是集合古今中外的學說，順應世界的潮流，在政治上所得的一個結晶品」，講他的三民主義，講他的革命哲學，講他的「孫文學說」。不過，我們若對他的思想，作融會貫通的體認後，爲他建立如是之哲學體系，卻是很適當的。因爲：第一、這個體系不僅與他的思想不相違背，且能發揮他所講三民主義之奧義，證明三民主義理論之正確，也與他的其他的言論思想完全吻合；第二、這個體系，更與中山先生的繼承者　蔣總統之思想完全相合，中國哲學之現代化，亦應循此理路而建立其新的體系。這就是說，這個體系的建立，一方面是宏揚了中山先生思想，一方面也宏揚了道統。

就這個體系的本身來說，它完全是一認知系統。前文我們曾指出，對於心之本體的認識，許多豪傑之士，窮畢生之力，不得其門而入者，比比皆是；但有許多人能當下即是者而頓悟本來面目。這就是說，對這個認知系統之徹悟是比較困難的事；若從實踐入手，卻常能比較容易的突破這一困難；因此，這個體系，實是一知比行難的體系。

知難行易，是中山先生知行哲學的基本觀點。中山先生蓋認爲，一件事祇要肯去做，雖有困難，終必有成功之一日；至於要徹底的知道這件事，則是很困難的。這是中山先生他自己的畢生經驗之結晶品；因此，這個學說，亦有一先決的條件，即必須是本於救國救民之赤忱。於是，所謂知難行易，是謂一本至誠的去做一件事，要比去知道一件事爲容易。傳說所謂之「知之匪艱，行之惟艱」，乃因爲缺乏至誠之心，所以不能去行，此即明知道做某件事，是應該做的，他卻不會去做，此所以是行難。因爲此兩說沒有根本上的不同，所以此兩說雖相反而皆真。照我們的併存二元論的哲學，這並無邏輯上的困難；從經驗上來說，這兩說亦是皆可以成立。這是我們對於孫先生知行學說所應有的最基本的認識。

二、知行哲學之認識起源論

茲進而研究知行哲學之認識起源論。

中山先生說：「智何自生，有其來源。約言之，厥有三種：一由於天生者，二由於力學者，三由於經驗者，中國古時學者亦有生而知之，學而知之，困而知之之說，與此略同。凡人之聰明，雖各因其得天之厚薄不同，稍生差別，得多者爲大聰明，得少者爲小聰明，其爲智則一，此由於天生也。若由學問上致力，則能集合多數人之聰明以爲聰明，不特取法現代，抑且尙友古人，有時較天生之智爲勝……此則由於力學也。此外亦有不由天生，不由力學，而由經驗所得之智者，諺云：『不經一事，不長一智』，故所歷之事既多，智識遂亦增長，所謂增益其所不能者，此由於經驗也。要而言之，智之來源，不外三者而已。」㊾這三者，與所謂理性論、經驗論、批評論三者，是大致相當的。因爲「生而知之」，是接近於理性論；「學而知之」，接近於批判論；「困而知之」或由經驗所得者，是接近於經驗論。

在我們中國哲學裡，對於認識之起源，並無爭議；因爲我們中國哲學家，既都同意以實踐哲學當作認識哲學；所以都認爲認識上之差異，乃實踐之功夫上的程度差異，並不像西方哲學史上一樣的，關於理性論與經驗論之爭論，很是熱鬧。

乍看起來，中國哲學似是停留於素樸的階段，而中國人亦流行「歸真返璞」「樸實無華」的觀念。實質上，中國人或中國哲學家所公認的爲以下四點：第一、離我們而獨立存在的實在世界是真的，且此世界爲人類所共有；第二、此實在世界之存在及其性質，我們能以知覺認識之；第三、這能認識實在的知覺，其本體即喜怒哀樂未發之中；第四、學問這個事業是在擴大人之視野，精密人之認識，達成「聖人成能」之目的；爲達成這個目的，人之素樸的知覺乃是不可或缺的起點，但必須能分辨真僞；成爲制約的法庭，而至於「知之至」。很顯然的，有了這四點的認識，那當然已不是素樸的實在論了。茲更以朱晦翁所說的一段話以說明中國哲學所公認的是什麼？朱子曰：

㊾「軍人精神教育」第二課。

所謂致知在格物者，言欲致吾之知，在即物而窮其理也；蓋人心之靈，莫不有知，而天下之物，莫不有理；惟於理有未窮，故其知有不盡也。是以大學始教，必使學者凡即天下之物，莫不因其已知之理而益窮之，以求至乎其極，至於用力之久，而一旦豁然貫通焉，則眾物之表裡精粗無不到，而吾心之全體大用無不明矣，此謂物格，此謂知之至也。54

晦翁此說，以意爲之，實未必全是，但與上述之四點，卻無本質上的不同；而且他提出了「豁然貫通」之說。茲再將朱晦翁這一段話與中山先生所說的加以比較研究，則知中山先生所謂「知之來源，不外三者」之說，與朱子此說實無不同。他們都認爲，人可以有自己的知識，經驗與學問都可以增長知識。在此仍須作進一步說明的，即中山先生他自己雖沒有談過「豁然貫通」，他的「知難行易」之說，必爲「豁然貫通」後的一種認識；因爲當一個人真正知道「知難」時，他必是經過了一番寒澈骨，才能聞得梅花的香味。「不是一番寒澈骨，那得梅花撲鼻香」；若非「豁然貫通」，決不會有「知難行易」之體認，這是很顯然的。再者，朱晦翁此所謂之「豁然貫通」，就是一種「直覺」，柏格森說直覺是一種「超脫利害與能內自省之本能」55。柏格森又說：「蓋有二種直覺焉。一曰超於智慧之直覺，二曰存於感

---

54 朱熹「四書集註」大學第六章。

55 柏克森著、張東蓀譯：「創化論」先知版，頁二〇三。

覺之直覺。後者乃逆乎前者之方向而進，與智慧同其方向，致二者無甚大差。」（同註上）柏氏並批評康德「不承有內省，不承有超於智慧以上之直覺」（同上，頁三九七）。知難行易之說，毫無疑義的，是經過了一種內省工夫的。凡真的具有內省之知識者，他們都能超越於經驗與理性之爭，他們亦都能深入於現象之中而認識問題的本質。我們的中一元論的哲學，是能深入於現象之中而認識這個「中」的。我們認證這個「中」時，是與「中」同在。所謂與「中」同在，即：當我們認識這個「中」時，乃「中」對於它自己的認識；而且，只有「中」才能認識它自己。此即凡稍有過與不及者，皆不能認識「中」，此所以「中」是至公至正至誠；當它施之於對象時，它就是至仁。我們曾從本體學的觀點而說明中、仁、誠等等「只是一事」；茲從認識論的觀點，而說明中、誠、仁等等，亦「只是一事」。凡真能有「豁然貫通」之徹悟者，便知吾言不謬。我們認爲，「中」是本體之本質，「生」是現象之本質。「生」是以「中」爲本體，「中」是以「生」爲大用。因此，我們可從現象以體認「生」；若體認「中」時，則須深入現象之中，通過內省的工夫才能識得，這是非常困難的一件事；但聖賢之士，常能本於一念之誠，而於實踐篤行中有一種「當下即是」的豁然貫通的認識。這種認識，必能透入現象之中，而識得此心之本體。知難行易之說，因是「豁然貫通」後對於認知過程的一種認識，所以它能把握問題的本質，亦能超越理性與經驗之爭，而對於理性論、經濟論、批評論等等，皆無爭議。

理性與經驗之爭，在西方哲學史上雖是熱鬧的，但亦不是說，所有經驗論者或理性論者都是從極端的立場而堅持其自己的論點。洛克（John Locke）在其所著「人間悟性論」（Essay

Concerning Human Understanding）中曾說：

感受官能，最初容納了許多特殊的觀念，並以之充實到那時仍空空洞洞的學術陳列室，而心靈則逐漸的與他們當中的一些熟悉，那些便停留在記憶當中，並且獲得了名稱……在這種情形之下，心靈獲得各種觀念和文字的供應，對於那些資料，他運用了他的推理天賦。理性的應用，至此日益明顯，因為這些資料使它運用理性的機會增加。㊺

他又進一步說：

現在讓我們假定這個心智，如我們所說的，是一張白紙，不具備任何性格，沒有任何觀念：——那麼，它要被怎樣去充實呢？人們以幾於無止境的變化，所塗繪在上面的匆忙的與不可限量的幻想，這一大量的儲存，是由何而至呢？它的那一切理性和知識的材料，又是從何處來呢？對於這個問題，我的答覆只有一個字，從經驗。從經驗當中，我們找到一切知識；從經驗那裡，最後引出它的本身。我們的觀察……就是以所有思想上的材料供給我們悟性的那個東西。（同註五六第二卷第一章第二節）

㊺ 見原書第一卷，第一章，第十五節。

很顯然的，洛克並不是一個極端的經驗主義者。他並不否認心智在獲得供給之後，可以積極的製造出許多觀念。他將下述之簡單的觀念，加以混合，即：心智運用感官於外在事物時所「接受」的，如：甜密、潔白、堅硬等等觀念；或者運用「內在」的感覺，即對於它自己各種運用的瞑想（Contemplation）所獲致的，如：感覺、懷疑、願意等等觀念。他認爲此二者，是我們獲得簡單觀念的唯一來源，而這些簡單的觀念，則是一切知識的資料（Materials of all Knowledge）。所有思想，最後可以分裂爲極微細的元素，而它們則是由官能感受（外在的或內在的）推想出來的。

茲再將洛克的見解與斯賓諾薩（Baruch Spinoza）加以比較。斯氏說：

> 智慧（intellect），由於其固有力量，能夠使它自己成為思想的工具（intellectual instruments），由此，它獲得力量，以進行其他思想上的工作（intellectual operations）；由這些工作，它又獲得新的工具，或推動他向前作更進一步研討的能力；這樣，它逐步前進，直到達到智慧的巔峰。[57]

很顯然的，大多數的理性主義者都承認，感官經驗（sense experience）是知識的出發點。理

---

[57] 見「增進悟性的方法」（on the improvement of the understanding），「斯克芮卜勒選集」（Scribnex Selection），韋爾德（Wild）編，原書第十一頁。

性主義者認爲，只有在我們開始運用我們的感官時，我們才開始有了自覺；不過，我們的感官，它只是充當了使思想機器發動的一個活力。他們又認爲，知識並不是如洛克所說的，是感覺（sensations）製造成功的，但感覺卻能給予它以創造性的刺激。

照以上所列舉的兩個較爲典型的說明，可見經驗論與理性論並非截然可以劃清楚的。當然，這亦不是說，所有經驗主義者或理性主義者，他們自己都沒有共同一致的看法。我們認爲，他們的爭論，實只是名詞詮釋而已。羅鴻詔說：「由經驗發生的知識與由思維發生的知識之間，要創出一條很明確的界線，到底是不可能的。蓋有些知識是由獨特的思索而得，而有些知識卻由知覺傳達而來故也。」㊳羅氏此說，與我們中國哲學的看法是大致相同的。

中山先生所主張的「智之來源，不外三者」之說，初看似是素樸的主張；經以上之探討，已知其義甚真。汪斯丹博根說：

> 完整實在論，……既不偏於經驗論也不偏於唯心論。經驗論減少知識，是由於忽略概念活動的角色和理智的超越能力；唯心論毀壞知識，是由於犧牲經驗。相反的，實在論重視我們人之意識的這兩個特殊的元素，人的意識既不是純粹的經驗，也不是純粹的觀念，它是經驗論和唯心論的一切自圓其說和可以接受之處的綜合：同經驗論，它承認人的知識主要是根據經驗，事實和與件；同唯心論，它聲明思想對感覺的超越性

㊳ 羅鴻詔著：「認識論入門」。民國五十五年，台灣商務版，頁三九。

和認識行為的內在性。多瑪斯派實在論，並不是這些相反的主要論題之並置的結果。它是它們的綜合，因為它強調認識行為的必然統一性：在客體方面，有被知覺的客體和被抱有的客體的實在同一性；在主體方面，有一個組合的行為的實在統一性，這是由於意識現存於認識活動的一切階層（知覺、想像力、概念力、肯定），意識賦與此一整個活動力並且加以統一化。59

從西方已往的系統哲學來說，相反的主要論題是不能並置的，這是違反排中律的。我們曾從量子力學的觀點，說明了排中律不是真理（請覆按第三章第六節），可見「智之來源，不外三者」之說，雖可能引起系統哲學家之異議；但是，這卻是至平凡而至正確之真理。我們中國哲學，認為知之來源是可以多元的，而所知者則可以有相同之認識。這就是說，「所入之塗雖異，而所至之域則同。」60這是以實踐哲學當作認識哲學之最大特色。這個本於「中一元論」的知行哲學，它承認本體的一元，現象的多元；所以它肯定：「殊途而同歸，一致而百慮」；也肯定：凡陳述現象界現象之相反的論題是可以並置的。我們必須有見及此，我們才真是認識了以道統為中心之知行哲學；也才真知「智之來源」的問題，實不必各執理性或經驗的一面之詞，而作些無謂的爭論。

59 李貴良譯：「知識與方法之批判」。民國五十六年，台灣商務版，頁二〇二。
60 朱熹「四書集註」中庸第二十章「或生而知之」這一節之註釋。

三、知之類型與知行之歷史演進

因爲認識的來源是殊途的，所以人之認知可區分爲各種不同之類型。中山先生說：「而以人言之，則有三系焉：其一先知先覺者，爲創造發明；其二後知後覺者，爲倣效推行；其三不知不覺者，爲竭力樂成。有此三系人相需爲用，則大禹之九河可疏，秦皇之長城能築也。」[61]又說：「其一、先知先覺者，即發明家也；其二、後知後覺者，即鼓吹家也；其三、不知不覺者，即實行家也。」（同註六一）在中國哲學上，首先提出先知先覺與後知後覺這個問題的，是伊尹。他說：「天之生此民也，使先知覺後知，使先覺覺後覺也。予天民之先覺者也，予將以斯道覺斯民也，非予覺之而誰也。」[62]照朱子的看法，伊尹此所謂知，是識其事之所當然；此所謂覺，是悟其理之所以然；此所謂「覺後知後覺，如呼寐者而使之寤也；言天使者、天理當然，若使之也。」（同註六二）朱晦翁並引程子之說而再加以解釋曰：

> 予天民之先覺，謂我乃天生此民中，盡得民道而先覺者也，既為先覺之民，豈可不覺其未覺者，及彼之覺，亦非分我所有以予之也，皆彼自有此理，我但能覺之而已。（同註六二）

---

[61] 「孫文學說」第五章。

[62] 朱熹：「四書集註」孟子萬章上。

茲更略作說明，即伊尹所謂「予天民之先覺者也，予將以斯道覺斯民也，非予覺之而誰也。」這一方面表示了認識不僅是一種覺，而且是「斯道」之覺；另一方面也表示了，此所謂覺，不只是自覺，而且是覺他。我們中國先哲認爲，自覺必須覺他。此即：認識必須是一種覺悟；而且必須通過實踐，才算是真的完成了認識。因此，在認識程度上或類型上雖有創造發明、倣效推行、竭力樂成，或發明家、鼓吹家、實行家之分；但從「斯道」來說，先知先覺者，應喚起後知後覺者之自覺，俾能「相需爲用」，以成人之能。這就是說，以道統爲基礎之知行哲學，它不僅超越於理性與經驗之爭；而且是超越於懷疑與獨斷之爭。那麼，它以什麼當作標準呢？這就是：「思天下之民，匹夫匹婦，有不被堯舜之澤者，若己推而內之溝中。」（同註六二）同時，決不是「枉己而正人」的。我們中國哲學，不是屬於懷疑論的；但亦不是由外在權威或信仰所建立起來的東西。它是一種內在的屬於經得起懷疑與批判的清清楚楚的反省知識。純從「覺」來說，它即是識得了心之本體或源頭活水，是一種同化作用，是當下現成的；若從實踐來說，它是一種經得起詢問的：不僅無愧於己，且能引起大家之共鳴。我們可綜括中山先生在「軍人精神教育」中所說的，而認識「知行哲學」所謂之知識究竟是什麼？

㈠就知識之特質來說，它就是人之聰明與卓越見識之表現；若究極言之，則是當下現成的。

㈡就知識之功能來說，它是以別是非、明利害、辨生死爲標準；它是以長技能、識時勢、知彼己爲內容；它是以救世、救人、救國爲範圍。它之有得於心，就是中庸所謂之智仁勇三達德。它表現在學術上的成就，一方面是「與人生整體緊接連在一起」；一方面也是一種具體的生活方式。由此，可見知行哲學所謂之知識，或所謂先知先覺者之知與覺，它確是人之聰明與卓越見識的表現，也就是性命之學與經世之學的和諧與統一。

茲進而說明知與行之歷史演進。中山先生曰：「夫以今人之眼光，以考世界人類之進化，當分爲三時：第一由草昧進文明，爲不知而行之時期。第二由文明再進文明，爲行而後知之時期。第三自科學發明以後，爲知而後行之時期。」（同註六一）又曰：「夫人群之進化，以時考之，則分爲三時期，如上所述：曰不知而行之時期，曰行而後知之時期，曰知而後行之時期。」（註同上）這就是「以時考之，則爲三時期」，「以人言之，則有三系」。這「三系」與「三時期」都是比較的說法，並不是截然劃分的。照這個說法，人類的知識是與時俱進的。有人認爲，承認人類智識之與時俱進，實無異承認存在決定思維之唯物論。此即，某個時代之認識，既不能脫離該時代之影響；那麼，人之認識，當然是被存在之時代所決定的。這可分兩方面而略加詮釋：第一、人與時代是相互影響的。這就是說，時代對於人之影響不是單向的。當然，某一特定的個人，他完完全全是該時代的產物；但另一特定的個人，他確是大大的影響了這個時代。我們說是相互影響的，應爲不爭之論。第二、時代這個概念，它不能是唯物論的。時代的內容，從現象學的觀點來說，它就是該時代的文物制度。文物制度是隨時代而變化的。它爲什麼會隨時代而變化呢？照馬克思的唯物史觀公式，是由於生產力的變化。生產力爲什麼會變動呢？馬克思並沒有說明。但是，這應該是一個問題，而不是一個無須說明的「自明公理」。馬克思只看到了蒸汽機發明後對社會所生之影響，而斷言生產工具爲社會構造之基礎，以認定社會之存在爲物質之存在。這是經不起詢問與批判的，在上一節中，我們對此有頗爲深入而詳盡的討論，所以我們不能依據馬克思的公式而認定時代是一種以物質爲基礎之存在。我們亦不能將社會之存在，化歸爲人之感覺。若社會之存在只是人之感覺，則社會便是夢幻泡影，一切社會變化，皆只是人之感覺的變化，人之認識，亦不會與時而俱進。我們討論民生哲學時，對此亦有頗爲詳盡的討論。因此，「以時考之，分爲三時期」之說，看似平凡，實極允當而無可置辯。

中山先生又曰：「曠觀中國有史以來，文明發達之跡，其事昭然若揭也。唐、虞、三代，甫由草昧而入文明；乃至成周，則文物至臻盛軌；其時之政治制度、道德文章、學術工藝、幾與近代之歐美並駕齊驅；其進步之速，大非秦漢以後所能望塵追跡也。中國由草昧初開之世以至於今，可分爲兩時期：周以前爲一進步時期，周以後爲一退步時期。夫人類之進化，當然踵事增華，變本加厲，而後來居上也。乃中國之歷史，適與此例相反者，其故何也？此實『知之非艱，行之惟艱』一說有以致之也。三代以前，人類混混噩噩，不識不知，行之而不知其道，是以日起有功，而卒底於成周之治化，此所謂不知而行之時期也。由周而後，人類之覺悟漸生，知識日長，於是漸進而入於欲知而後行之時期矣。適於此時也，『知之非艱，行之惟艱』之說漸中於人心，而中國人幾盡忘其遠祖所得之知識，皆從冒險猛進而來。其始則不知而行之，其繼則行之而後知之，其終則因已知而更進於行。古人之得其知也，初或費千百年之時間以行之，而後乃能知之，或費千萬人之苦心孤詣，經歷試驗而後知之，而後人之受之前人也，似於無意中得之。故有以知爲易，而以行爲難，此直不思而已矣。當此欲知而後行之時代，適中於『知易行難』之說，遂不復以行而求知，因知以進行。此三代而後，中國文化之所以有退無進也。」（同註六一）撰寫「孫文學說」之當時，正疑古之風最盛之時。中山先生既承認「周以前爲一進步時期」，「初或費千百年之時間以行之」，他自當沒有否定以往歷史之意。同時，我們研究孫先生這一大段所說的：第一、在三代以前之不知而行之時期，其「所得之知識，皆從冒險猛進而來」。人爲什麼會「冒險猛進」呢？這就是說，人有「冒險猛進」之天性；若稍加詮釋，則就是人之求生存的意志或需求動機，誘發人之冒險猛進的本性，不斷的活動，其結果，不僅成就了人之事業，也啓發了人之認識。這個詮釋，很足以說明中山先生與許多革命先烈之反清革命以至成功之這一段時期的心理狀態。第二、在「行之而後知之」以後，照說應能「因已知而更進於行」；但一般人卻中了「知之非艱，行之維艱」的毒素，對明明知道可以去做的事，因爲覺得行難，所以反而不肯去做了。中山先生認爲成周以後之所以退步，反清革命成功以後之所以失敗，其原因即在於此。他認爲這是非常嚴重的一個問題。「孫文學說」中對此有很詳盡的說明。這確是一個非常嚴重的問題。抗戰勝利後，我中國國民黨之所以失敗，其原因亦可以說即在於此。第三、中山先生因發覺了這個問題的嚴重，「幾費年月」，加以研究，深覺從常理來說，是不知而行，行而後知，知而後行，次等井然的；尤以科學上的知識，大抵上都是經過這個程序的。爲什麼人類社會之演進，到了行而後知之時，卻反而變得「不能知」呢？此即「非坐於不能行也，實坐於不能知也。及其既知之而又不行者，則誤於以知爲易，以行爲難也。」[63]因爲以知爲易，所以

---

[63] 「孫文學說」第一章。

成爲「不能知」；因爲以行爲難，所以成爲不能行。爲救此弊，所以發明「知難行易」之說，以期喚起後知後覺者之自覺，能本於救國救民之赤誠，而成人之能的完成救國救民之大業。孫先生之用心確是良苦，有些人卻未能體會到此一苦心。

照以上之研究，人類知識，固將與時俱進；但在事實上，則常有退步。退步乃反常之事，大過卦之卦象爲「澤滅木」（澤風大過），是表示一種最大的反常。這個反常，卻亦是文明創新之前夜。如能「知而後行」，必將開創新運，成就人類之偉大事業。

四、知行哲學之綜合研究

如所週知，知與行之相互關係，是分爲：㈠知易行難；㈡知行合一；㈢知難行易。茲特對這三種學說略作於下之說明：第一、知易行難之說是屬於常識層次的，是針對畏難苟安者而督促其力行實踐的。例如：一般人知道要用功讀書而懶得讀；知道要起早床而早晨懶得起來等等。因此，知易行難這個觀念確是很敷淺的；而且，祇認識了知與行的外在關聯，並沒有發現其內在的關係。傅說對武丁所說的「非知之艱，行之惟艱」64，雖是從政治的觀點來說的，但所謂「有其善，喪厥善；矜其能，喪厥功」，及「無啓寵納侮，無恥過作非」等等（同註六四），皆爲作人處事或從事政治工作之常識。這就是說，傅說確是從政治工作者之常識來勸說武丁的。不過，「非知之艱，行之惟艱」之說，若作深一層之研究，實亦不是否認

64 「尚書」說命中。

知難。例如「無啓寵納侮」，這話說來很容易明白；但很難做到。爲什麼很難做到呢？因爲人之所以啓寵，乃由於不知分辨忠奸。這就是說，在不矜能、不啓寵、不恥過等意義之下的行難，實質上就是知難。不過，一般人對這知易行難之說並不作進一步之研究，所以此說始終停滯在常識的階段。

第二、知行合一之說是屬於形上學層次的，是經過知難的過程後所得的一種認識。王陽明說：

> 凡謂之行者，只是著實去做這件事。若著實做學問思辨工夫，則學問思辨，亦便是行矣。……行之明覺精察處，便是知；知之真切篤實處，便是行。若行而不能明覺精察，便是冥行，便是學而不思則罔，所以必須說個知。知而不能真切篤實，便是妄想，便是思而不學則殆，所以必須說個行。原來只是一個工夫。凡古人說知行，皆是就一個工夫上，補偏救弊說，不似今人截然分作兩件事做。如今說知行合一，雖亦是就今時補偏救弊說，然知行體段，亦本來如是。[65]

王陽明又說：

---

[65] 黃宗羲：「明儒學案」姚江學案一。

知行原是兩個字，說一個工夫，這一個工夫須著此兩個字，方說得完全無弊病……處。則見得分明，見得原是一個頭腦，則雖把知行分作兩個說，畢竟將來做那一個工夫，則始或未便融會，終所謂百慮而一致矣。若頭腦見得不分明，原看做兩個了，則雖把知行合作一個說，亦恐終未有湊泊處。況又分作兩截去做，則是從頭至尾，更沒討下落處也（所謂頭腦，是良知二字）。（同註六五）

陽明此所謂「見得分明，見得原是一個頭腦」，乃從形上學觀點說的。因爲從形上學來說，知與行、心與物等等都只是一事，都是分不開的。陽明曾說：「良知之說，只說得個即心即理，即知即行，更無別法。」（同註六五）這亦是從形上學觀點說的；因爲從形而下之現象界來說，不知而行，行而後知，知而後行，乃爲不爭之事實。當然，「行之明覺精察處，便是知；知之真切篤實處，便是行。」但是，在現象界，亦即在事實上，「冥行」與「妄想」卻比比皆是。陽明「知行合一」之說，旨在教人破去「冥行」與「妄想」，這是不錯的。中山先生曰：

蓋「行之維艱」一說，吾心亦信而無疑，以為古人不我欺也。繼思有以打破此難關，以達吾建設之目的，於是以陽明「知行合一」之說，以勵同人。惟久而久之，終覺奮勉之氣，不勝畏難之心，舉國趨勢，皆如是也。予乃廢然而返，專從事於知易行難一問題，以研求其究竟。（同註六三）

這就是說，知行合一之說，固足以破除「冥行」與「妄想」；然其思想層次較高，不能醫治畏難不行之病，此所以中山先生特倡知難行易之說。

第三、知難行易之說是屬於科學層次的，是針對畏難不行者及輕視知識者而痛下針砭，卻亦是顛撲不破之真理。中山先生曰：「夫去一滿清之專制，轉生出無數強盜之專制，其爲毒之烈，較前尤甚，於是而民愈不聊生矣。溯夫吾黨革命之初心，本以救國救種爲志，救出斯民於水火之中，而登之衽席之上也。今乃反令之陷水益深，蹈火益熱，與革命初衷大相違背者，此固予之德薄無以化格同儕，予之能鮮不足駕馭群眾，有以致之也。然而吾黨之士，於革命宗旨，革命方略，亦難免有信仰不篤，奉行不力之咎也。而其所以然者，非盡關於功成利達而移心，實多以思想錯誤而懈志也。此思想之錯誤爲何？即『知之非難，行之維艱』之咎也。此說始於傅說對武丁之言，由是數千年來，深中於中國之人心，已成牢不可破矣。故予之建設計劃，一一皆爲此說所打消也。嗚呼！此說者，予生平之最大敵也，其威力當萬倍於滿清。夫滿清之威力，不過祇殺吾人之身耳，而不能奪吾人之志也。乃此敵之威力，則不惟能奪吾人之志，且足以迷億兆人之心也。是故當滿清之世，予之主張革命也，猶能日起有功，進行不已。惟自民國成立之日，則予之主張建設，反致半籌莫展，一敗塗地。吾三十年來精誠無間之心，幾爲之冰消瓦解；百折不回之志，幾爲之槁木死灰者，此也。可畏哉此敵，可恨哉此敵。」[66]這是中山先生至爲沉痛的指明了他之所以主張「知難行易」哲學的原

---

[66] 「孫文學說」自序。

因。

爲什麼是知難行易呢？我們認爲：第一、當一種錯誤的思想學說深入人心後，其勢力之大，誠如中山先生所謂之「可畏」、「可恨」；因其威力，不惟能奪吾人之志，且迷億兆人之心。其結果不僅流毒於當時，而且足以殺天下後世。若知易而行難，則人類決不會糊糊塗塗的發動文化大革命，而造成十年浩劫。蓋「文革」之初，必以爲這才是真正的革命，而不知會造成如此之大災難。由此可見，真理確是難明，而邪說易播，暴行易作，此所以知難而行易也。第二、當人類深受錯誤思想所造成之痛苦，乃能在痛苦中獲得智慧，而形成了優良的適於生存的文化模式。當此文化模式形成後，一般人安於故習。從好的方面說：是「行之而不著焉，習矣而不察焉，終身由之而不知其道者衆也。」（孟子盡心上）從不好的一方面說：「仁者見之謂之仁，知者見之謂之知，百姓日用而不知，故君子之道鮮矣。」（周易繫辭上傳）而形成非常紛岐錯雜的思想。由此可見，知確是很難的；不過一般人沒有發現「知難」而已。第三、中山先生從科學之知難及他自己的革命經驗，體會了「先聖之道」，發明了「知難行易」之說，一般人不重視他的學說，此亦可證明「知」確是很難的。同時，陽明「知行合一」之說，亦可解釋爲行之所以難，乃由於知之難。知較行爲難或知難而行易，此實爲無可爭議之真理；尤其是當我們從事建設性之工作或理論時，我們更可發現知難行易之說，確是顚撲不破。第四，照以上三點所說，當知中山先生知難行易之說，固在於補偏救弊，而其本身也確是一種至當不移之真理。我們更因此而非常清楚的認識了認識之特性，此即：認識與實踐，有其不可分的內在關聯。這個內在的關聯，就其「向上一路」而言，它是不可分的，它是表明知難行亦難的。當然，就禪宗某些祖師之證道過程來說，「知」或親證是比任何苦行爲難的；不過，親證之後的實踐與認識，或知與行，則必是合一的。再者，這個內在的關係，若就人類行爲所表現之現象來說，凡可以從理智而加以瞭解的行爲，知總比行難，而且亦常發生冥行與妄想現象；至於某些訴之於情感的行爲，則有不能以理智想像者。其知其行，如所謂知易行難，即爲例外。在這種例外的情況下，知與行的內在關聯，則是較爲不依常例。

我們從知易行難、知行合一、知難行易三說，而說明認識與實踐的關係。重視實踐與認識的關係，這是由中國傳統哲學發展而成的知行哲學之一大特色，這是與西方的認識哲學大不相同的；因爲西方的認識哲學所著重的只是知識而已，而我們中國哲學則是實踐與認識不分，且認爲唯有實踐才能獲得真知。知難行易的哲學，即是從實踐所獲得的真知。這個真知就是要大家一本至誠的去躬行實踐。

蔣總統曾說：「因爲我知道　總理提倡『知難行易』的學說，其目的在於鼓勵實行；而陽明的『知行合一』學說，其主旨也是在於提倡實行。」[67]實際上，傳說的「非知之艱，行之惟艱」的學說，亦何嘗不是在敦促實行。這就是說，我們中國的認識哲學，是著重在實踐；雖著重在實踐，卻是要在實踐中去得真知。蔣總統又說：

> 我還可以補充一句，要解決「知難」的問題，也唯有從力行中去求。　總理說：「能

---

[67]「總理『知難行易』學說與陽明『知行合一』哲學之綜合研究」，民國卅九年在革命實踐研究院講。

知必能行」。我還要續一句「不行不能知」。……因此我們一方面固然應當竭力求知，同時還應該從力行中去求真知，凡是我們學問經驗中認為已經獲得的知識，如果不是經過實行而證明為有效，就不能斷定所知者果為真知。[68]

真知或免於偏見的正確認識，是應該在實踐中求得，或應該在實踐中證驗的；而且，行之所以不能成功或失敗，實由於「就沒有真知，所以不能力行。」[69]這就是說，在實踐中而不能務求獲得真知，其結果也就是「不能力行」。我們中國先哲，都是非常重視知與行的關係，而對於無益於人生的知識，或不切近於人生的知識，亦即與人之行爲不相關的知識，都不大講求。例如：「子不語：怪、力、亂、神。」「夫子之言性與天道，不可得而聞也；。」等等，即可見孔子之教門弟子，對於與人生修養無關，或與人之行爲直接無關的知識，皆不大講求，而只是著重於躬行實踐。他們是如何去躬行實踐呢？他們最主要的一點，就是要「允執厥中」，也就是要能一本至誠的去躬行實踐。我國歷代先哲皆認爲，只要能一本至誠的去躬行實踐，久而久之，必會得到源頭活水而養成正確的認識，其行爲亦必然正當而成人之能。朱晦翁曰：「半畝方塘一鑑開，天光雲影共徘徊，問渠那得淸如許，爲有源頭活水來。」這源頭活水，即未發之中而顯現爲已發之當下的明覺。因其是「純亦不已」的，所以即是流行

[68]「行的道理（行的哲學）」，民國廿八年講。

[69]蔣總統：「實踐與組織」民國卅九年六月。

之天理；因其是活潑潑的，所以既是生命意志之源，亦即人之「聰明與卓越見識」之源。人之創造力，亦是以它爲根源的。若能一本至誠的去躬行實踐，我們便可以深造自得的而獲得它，它是行易而知難的。記得民初有些學者，說孔子的「民可使由之，不可使知之」是愚民政策，這完全是一種誤解。孔子之意是謂，教一般人去做一件事是可以的，教一般人知道一件事是不可能的，因爲百姓是「日用而不知」的。例如我們說，中是喜怒哀樂之未發。我們教人靜下心來，並放下一切念頭，以體認此未發之中，而得到這源頭活水，這是許多人都可以做得到的；但是，我們若向一般人講中一元論的形而上學，並教人如何通過內省的工夫，以獲得一種超感性之直覺，以認識此心之本體，不僅一般人不易知道，許多飽學之士，也不容易摸著頭腦呢？禪宗有名的「不可說」，這意義也是說，有些事是說不清楚的。既是說不清楚，當然是難知的。此所以禪宗的祖師們只教他們的徒弟如何去做，而不向徒弟們說明箇中道理。箇中道理，譬如飲水，冷暖自知。這是要從實踐中才能體驗得到的。知難行易的哲學實與此旨趣完全相符。所以它一方面肯定：知本於行而成於行，而主張以行致知；另一方面，也主張以知統行而反對「冥行」。從中國哲學的傳統來說，這是最能發揚中國哲學傳統的；從西方的認識哲學來說，這是一種新的知識哲學。這個哲學，它可以超越一切爭議；它是肯定人類知識與時以俱進。若依據這個哲學而加以實踐，則知：性理與經濟是可以兼通，性命之學與經世之學是可以和諧統一。這就是說，這個哲學的目的，雖只是教人去行，但其實踐的結果，必能豁然貫通的而體認此心之本體，故必能以至公至正至誠之中，發而爲平天下之不平的革命事業，以實現人之生存意志，滿足人之正當的需求動機。這個哲學，雖不若西方認識哲學之精緻而有系統，卻能補偏救弊，而且是有益於人世的一種最完滿的認識哲學。

第五節 道統與中山革命哲學

一、道統與中山革命哲學

我們知道，中山哲學的方法論是革命哲學。中山先生自己是稱之為「革命學」，是革命精神與「革命知識及能力」之總合，自可稱之為哲學。從實踐的觀點來說，欲真能做到性理與經濟兼通，性命之學與經世之學的和諧統一，非有一種豁然貫通的認識，亦非有一種革命精神，是不可能做到。我們認為，「而一旦豁然貫通」，應是一種革命性的變化；非有這種革命性的變化不足以變化人之氣質；所以知行哲學之著重實踐，其真正的意義，是在於發揚革命精神。這就是說，我們要識得中山先生的革命哲學，應有一種革命精神，從實踐入手，以獲得一種「豁然貫通」的認識；於是，才真能識得我們所謂之「中」。這個「中」就是心物合一之一。當識得這個「中」時，它本身就是一種革命精神。「中」就是革命精神之自覺。凡本乎至誠而從事偉大的平人類之不平的革命事業者，常能識得這個「中」。惟有能識得這個「中」者，才真能平人類之不平。因此，中山先生以道統為基礎的革命哲學，它與共產主義者所主張的革命理論是完全不同的。有些人因深惡痛絕共產主義者所主張的革命理論，當見到「革命」一詞時，便發生強烈的反感；所以，闡明中山先生的革命哲學，以澄清不正確的革命理論，使大家都有明白而正確的認識，這亦是研究中山先生思想所不可忽視的問題。

二、共產主義的革命理論

茲特說明共產主義的革命理論：

第一、共產主義者認爲，社會之物質的生產力，發展到一定的階段，必和原來的生產關係或表現於法律上之所有關係相衝突。他們認爲，到了這個階段，生產力的發展形式，反而變爲它（生產力的發展）的桎梏；他們認爲，這是社會革命的時期到了，應以暴力方式，在各處製造革命。不過，他們祇是憑藉「來臨論」與「優越論」之易於使人入迷，才造成了今日的世界局勢。這局勢爲人類帶來了無窮的災禍與莫大的恐懼、困惑，以及種種危機。因此，許多人談革命而色變，對革命一詞，也已到了深惡痛絕的程度。

第二、由於共產黨的革命，完全是根據來臨論與優越論的錯覺，所以完全不顧事實的而僅憑馬克思的學理，以製造無產階級的革命運動。例如我中華民族，在對日抗戰勝利，成爲全世界四強之一的時候，正是需要休養生息，建設國家的大好時機。假如共產主義者不趁這個時候發動內戰，假如能像我政府建設臺灣爲三民主義模範省一樣的以建設全中國大陸，則民生主義可以逐步實現，而大同之治必已在望。我們試稍作反省，像今日中共在我國大陸的所作所爲（達按：此是指「文革」時），使一般同胞，既無生活的保障，亦每日生活在恐懼之中，實無異從尊重人權的現代，而投入了與禽獸鬥爭的環境。於是，一般人當然會痛恨共產黨的革命了。鄧初民曾經有一段批評帝國主義的話，如果將這段話中的文字稍作更易，即可以用作對今日共產主義的批評，茲將該文錄之於左：

這樣，帝國主義便使大部分人類不能生活下去，造成極大的政治經濟危機，造成十二萬萬被壓迫民族的貧困，帝國主義的戰爭，更消滅了千百萬壯年的人，並使其他依壯丁為活的人走入黑暗地獄。這樣，帝國主義便令世界上兩個主要力量——最後決定一切的力量，逼迫起來為打倒帝國主義的壓迫與奴役而鬥爭了。這兩個力量：第一、就是帝國主義內革命的工人階級及其同盟者的勞動農民；第二、就是受資本主義壓迫的殖民地半殖民地民衆。⑩

聰明的讀者，爲了最恰當的描述今日共產主義者之所作所爲及其所面臨的政治情勢，你會知道應更改上文中的那些文字的。在民國三十年代，共產黨用以咒罵帝國主義者，現在恰好用來咒罵他們自己了；而且，在共產主義專政之下的各國人民，其所遭受的痛苦確是千百倍於帝國主義時代的。尤其在中國大陸，在毛澤東這個「馬克思列寧主義的不斷革命論者，又是馬克思列寧主義的革命階段發展論者。」⑪數十年來，以階級鬥爭爲綱，鬥來鬥去鬥個沒完，而美其名說是不斷的革命，是革命發展的階段，像這樣的革命，任何人都會堅決反對的（達按：此是指一九七七年以前而言，為存初版時之所見，故未更易）。

大家都知道，共產主義者革命的目的，在於不擇手段的以奪取政權。鄧初民曾說：「所

⑩ 鄧初民著：「新政治學大綱」。民國廿八年，生活書店初版，頁四〇一。
⑪ 「紅旗」半月刊，一九五九年，第一期社論，轉引自任卓宣著：「毛澤東思想批判」，帕米爾版，頁四一九。

以奪取政權，便成爲革命的一個主要的任務，因此說：『革命的根本問題，就是政權的問題』。這兩句話，也正就是針對著政治革命說的，就是政治革命的真實內容。」（同註七〇，頁三八一）政治革命的真實內容，既完全「就是政權的問題」，所以共產主義者視「奪權」與「革命」爲同義語，所以一方面要不斷的「整風」、「改造」，與「批鬥」；一方面要強化其人民民主專政或無產階級專政。在現代式的非常嚴密的，而完全是沒有法律保障的專制政體控制之下；在不斷的遭受清算鬥爭的迫害情形之下，許多人朝不保夕，而求生不得，求死不能。很顯然的，共產主義的革命，其有害的最主要的兩件事：其一、以奪權就是革命；其二、以專政保障革命。奪權與專政，爲不能化除之兩大矛盾，爲解不開之一個死結，亦爲共產主義者，尤其是中共的致命傷。中山先生在民生主義第二講中曾說：「照馬克思派的辦法，主張解決社會問題，要平民和生產即農工專制，用革命手段來解決一切政治經濟問題，這種是激烈派。」中山先生在當年不贊成這種激烈派時，大家是不大注意的，半個多世紀以來，事實證明，使我們日益覺得中山先生那些平實無奇的話，的確都是真理。

三、中山先生的革命理論

中山先生或民生哲學的革命論與共產主義革命是完全不同的。中山先生認爲：「革命的事情，是萬不得已才用，不可頻頻傷國民的元氣。」[72]他認爲：「要做革命事業，是從甚麼

---

[72] 「三民主義與中國民族之前途」民國紀元前六年在東京民報一週年紀念會講。

地方做起呢？就是要從自己的方寸之地做起，要把自己從前不好的思想習慣和性質，像獸性罪惡性，和一切不仁不義的性質，都一概革除。」[73]他接著又說：

> 在政治上革命，便先要從自己的心中革起，自己能在心裡上革命，將來在政治上的革命，便有希望可以成功。（同註七三）

又說：

> 吾黨欲收革命之成功，必有賴於思想之變化，兵法攻心，語曰革心，皆此之故。[74]

照以上所說，則知中山革命，完全是本乎此心之仁，亦即本乎「先聖之道」而革命。我們除了在第二章第二節已說明是爲了「以成救國救民之仁」而革命外，茲再從中山先生言論中，輯錄出以下數點，俾更一進步而又更具體的認識中山先生的革命原因與目的：

第一、爲「蕩滌舊污，振作新機」而革命。中山先生曰：「識者謂非實行革命，不足以

---

[73] 「革命軍的基礎在高深的學問」民國十三年在廣州對黃埔開學訓詞。

[74] 「創辦最大最新印刷機關」轉引自秦孝儀編：「國父思想學說精義錄」，頁六四二。

蕩滌舊污，振作新機。」[75]這就是說，落伍不進步乃革命之原因。

第二、爲「使不平等歸於平等」而革命。這在第二章第二節中已有論及。中山先生曰：「異族間政治不平等，其結果亦惟革命。革命之功用，在使不平等歸於平等。」（同註七五）這就是說，不平等乃革命發生之原因。

第三，爲「保身家性命」而革命。中山先生曰：「今日欲保身家性命，非實行革命，廢滅韃虜清朝，光復中華祖國建立一漢人民族的國家不可也。故曰革命爲吾人今日保身家性命之唯一法門，而最關切於人人一己之事也。」（同上，頁一七）這就是說，人民身家若失去保障，便會形成革命。

第四、爲「改革公共的事業」而革命。中山先生曰：「大家結合起來，改革公共的事業，便是革命。所以說革命，就是政治事業。中國近來何以要革命呢?就是因爲從前的政治團體不好，國家處在貧弱的地位，愛國之士，總想要改良不好的舊團體，變成富強的地位。這種改良，要在短時間或者是一朝一夕之內成功，便是革命。」（同上，頁一九）這就是說，不求改革，亦可以造成革命。

第五、爲「救國救民」而革命。中山先生曰：「革命是救國救民的事，是消除自己災害，爲自己謀幸福的事，爲四萬萬人謀幸福的事，這個道理便是革命道理，這個革命的道理，是天經地義，萬古不變的。從前專制，是以人民爲奴隸，現在覺悟了，知道大家都是人，大家

---

[75] 轉引自秦孝儀編：「國父思想學說精義錄」第一編。

應該平等。國家是人人的國家，世界是人人的世界，明白這個道理，便知道用革命來求平等，是大家的事，不是政府的事，也不專是革命黨的事。」（同上，頁三〇）這就是說，革命是爲救己救人的。

第六、爲「求進步」而革命。中山先生曰：「革命究竟是甚麼事呢？是求進步的事。這種求進步的力量，無論在那一個民族或者那一個國家，都是很大的；所以革命的力量，無論在古今中外的那一國，一經發動之後，不走到底，不做成功，都是沒有止境的。」（同上，頁三八）這就是說，不求進步，亦可造成革命。

第七、總之，革命「是爲眾生謀幸福」的，「是替人民謀幸福的！革命的責任，是愛民的，不是害民的。」是「爲救人之事」，是「要收國強民富的大利益」，是「在造成獨立自由之國家，以擁護國家及民眾之利益」。中山先生曰：「古代草莽英雄，出而革命，所憑著威力，順之者生，逆之者死，此乃『化家爲國』之革命。我黨則不然，乃根本民意而革命，實爲『化國爲家』之革命。」[76]由此可見，中山先生的革命論，完全是實現生存意志，或「人類求生存之內在的不斷的驅動」所表現的偉大理想與事業。中山先生曰：「夫世界古今何爲而有革命？乃所以破除人類之不平等也。孔子曰：『湯武革命，順乎天而應乎人。』革命之時義大矣哉。」（同註七五，頁一八）本此未發之「中」而應乎人類求生存之目的以破除不平等

---

[76] 同註六五，頁一三，本節所有引用文字，未註明出處者，均轉引自秦孝儀：「國父思想學說精義錄」第一編。

的革命，才真是順天應人的，亦才真是「大矣哉」的。

以上是說明了中山革命哲學的目的，茲再進而說明這個革命哲學的方法。中山先生曰：

> 革命為一寶貴尊嚴之名詞，須知革命有革命之主義，有革命之道德，有革命之精神。法國革命之主義在自由，美國革命之主義在獨立，而吾國之革命，乃求實三民主義也。故革命之精神與道德，亦皆由此三民主義而出。（同註七五，頁二五）

又曰：

> 那種不平等的民族要求平等，使用武力來反抗異族，那種對於異族的反抗，便是民族革命。至於政治都掌在一種民族的手內，如果執政的人威權過甚，小百姓太沒有力，便發生有權勢的人和平民之分，政權上還是人人不平等，平民想要求平等，便要去反抗有權勢的人，那平民對於有權勢的人的反抗，便是民權革命。至於近來人類要求社會上機會平均，貧富相等，便是民生革命。（同上，頁一四）

以道統爲基礎的革命哲學，「是爲眾生謀幸福」，是「求實行三民主義」去革命的。所以「革命事業，是大家的事業，不是一個人的事業」（同上，頁二一）。因此，中山先生的革命，「事業總是寬宏大量，以得民心爲主」（同上，頁三八）。「革命行動，而欠缺人民心力，無異無源之水，無根之木」（同上）。因此，中山先生之革命，是順天應人的而結合群眾，成立革命黨，以「政黨競爭」爲手段的革命。中山先生曰：「須知黨事爲革命原起事業；革命未成功時，要以黨爲生命；成功後仍絕對要用黨來維持。所以辦黨比無論何事都爲重要。」（同上，頁五〇）至於黨所恃者是什麼呢？他說：

吾黨究何所恃而自存？又何所恃而服人？將謂恃兵力乎？非也，我們革命黨恃主義真理及道德而已。故吾黨以德服人，非以武力服人；大家要知武力實不足恃，惟德可以服人。（同上，頁五三）

因此，孫先生贊成有黨爭而反對私爭。他說：

謀以國家進步，國民幸福而生之主張，是謂黨見；因此而生之競爭，是謂黨爭。（同上，頁五五）

又說：

黨爭亦非不美之事，既有黨不能無爭。但黨爭須在政見上爭，不可在意見上爭。爭而出於正當，可以福民利國，爭而出於不正當，則遺禍無窮。（同上，頁五六）

又說：

一國之政治，必賴有黨爭，始有進步。（同上，頁五四）

又說：

是以國家必有政黨，政治始得進步。而黨爭者，絕好之事也。須知所爭者，非爭勢力，乃爭公道，可見黨爭實不可少。譬之親愛之友，相對圍棋，而各人必求自己勝利，此亦爭也。國家欲求政治發達，爭之一字，豈可忽視之乎。（同上，頁五五）

又說：

黨爭為文明之爭，能代流血之爭也。（同上，頁五七）

又說：

黨爭有一定之常軌，苟能嚴守文明，不為無規則之爭，便是黨德。（同上，頁五六）

中山先生非常贊成黨爭，他認為黨爭應注重黨德。他認爲「兩黨之爭如下棋然」，「按照著棋一定之規則，各相照護，不用詭謀以求自己之勝利，只以正大之方法相對待；假使手段不高，眼光不大，以致失敗；敗而出於正當，則勝者固十分滿足，敗者亦心甘不悔。」（同上，頁五六）

中山先生此種黨爭思想，在台灣頗能實現。所以中國國民黨在台灣頗能較爲成功的實現中山先生的思想，在政治與經濟各方面，都獲得了舉世矚目的成就。

總之，革命是萬不得已的事情，爲了建設而必須剷除障礙，亦是無可避免的。但是，像共產主義者那樣的祇是爲奪權而鬥爭，則是害人害己，而不能福國利民，亦與革命的真正本質相違的。至於這個本乎人之至中至正至誠而以仁愛爲基礎的中山先生的平人類之不平的革命哲學，它是道統之發揚光大，它是以孔子的順乎天應乎人的革命理想爲主旨，它是與革命的真正涵義相符合的。

四、蔣總統的革命心法

中山先生的繼承者蔣總統，他曾經歸納中山先生的革命方針爲以下四點：

一、將民族革命、政治革命與社會革命，畢其功於一役，要建設中華民國為三民主義民有民治民享的現代國家。

二、使國民革命成為全國國民共同的事業，以全民力量參加革命，求得國家之自由平等。

三、反對殘暴的階級鬥爭，以和平方法解決民生問題，並以平均地權與節制資本的合作互助的精神，為經濟建設的基礎。

四、當革命破壞之後，就要繼之以革命的建設，而以地方自治為民主憲政的基礎。⑰

蔣總統爲了能夠保障貫徹這四點方針，他主張我們中國國民黨要能成爲「革命民主政黨」。他說：

革命民主政黨的第一個意義——要以革命組織與革命精神來保障民主制度。

革命民主政黨的第二個意義——要實踐五權憲法的精義，完成反攻復國的任務（五權憲法就是革命民主政治）。

革命民主政黨的第三個意義——三民主義的國民革命是為了要建立「民有、民治、民享」的民主制度。

蔣總統對這個意義，曾經很確切的解釋說：

⑰ 「蘇俄在中國」民國四十五年。

我們中國國民黨用革命手段，掃除救國建國的障礙外寇內奸之後，乃繼續以革命精神和組織，保障民主憲政的基礎。因此我們建國的事業，雖進入了民主憲政時期，而本黨必須保持革命組織，發揮革命精神，進行這革命建設的工作，實行三民主義，完成國民革命的基本任務。

……「革命民主」不是革命與民主兩者的結合，而是一個政治的整體。換句話說，本黨總理領導國民革命所建設的憲政，乃是有計劃、有組織、有權能的民主政治，也可以說五權憲法的精神，就是革命的、建設的、民主憲政的政治。我們今日唯有實施這革命的、建設的民主政治，才能從共產帝國主義的鐵幕下，拯救人民於水深火熱之中，並建設國家為獨立統一，富強康樂、民主自由的現代國家。

……………………

我們瞭解這三項意義，就可看清「革命」與「民主」並不是互相排斥，或互相對立的兩個觀念或兩個制度。沒有本黨領導國民革命，就無從產生中華民國。沒有本黨堅持國民革命，亦就無法保存今日的中華民國，更沒有今日的民主憲政，那麼，反攻復國的任務，亦更無從談起。[78]

從蔣總統來說，他確是「看清革命與民主並不是相互排斥」的。這就是說，必須有他那

---

[78] 「革命民主政黨的性質與黨員重新登記的意義」，民國四十七年。

樣的革命定力與民主修養的人，才真的體認到這二者不互相排斥。本來，當我們指陳了「排中律」不是真理之後，革命與民主二者皆真而且是相互補足的，這在邏輯上已沒有困難了。不過，這個依據量子力學的理論而加以推廣的學說，其應用的範圍應該有所限制，或者應有其先決的條件，它才會是真的。否則，若革命事業，因缺乏限制而成爲專制，則民主必被假革命之名，而在獨裁專政制度中完全被扼殺。在共產主義世界中，民主與專政或革命與民主，都是不能併存的。爲什麼蔣總統的革命與民主併存而互補之說又是沒有錯誤呢？這就是這位繼承中山先生遺志的革命領袖，他的心目中的「革命」，確是繼承中山先生的革命思想，故能與民主併存而互補，故能「堅守民主陣容」而實行中山先生所主張的革命。他是遵照知行哲學而實踐的。他說：

如果一個人不知道致知力行——修身，亦就不知道人生與革命是要什麼，是做什麼，更不知人生與革命的道理及其究竟了，這樣怎能革命？怎能做人？如果一個人連到人生是什麼都不知道，那還能知道做人的道理麼？這樣的人如何能革命呢？這樣糊糊塗塗的革命，還能望其成麼？……研究哲學的目的，亦就是要求其心之安樂而已，亦就是要求其所做的事心安理得。所以吳草廬說：「學者學此樂，樂者樂此學。」如果一個人對他所樂的東西，能夠如好好色，對他所惡的東西，如惡惡臭，那還有什麼不能力行，不能成功的事！所以古人說：「所欲有甚於生者」，亦有以死為樂者，故「有殺身以成仁，毋求生以害人。」這都是致知哲學的功效，所以我認為致知的哲學，乃是一種求安樂的學問，只要你能使內心明白與安樂，那還有什麼疑難的事不能解決？還有什麼天大的事不敢擔當？你看這個哲學對於我們人生對於我們革命事業的關係是何等重要。㊆

蔣總統把革命與人生的道理看做是一個道理，他心目中的革命哲學，是求「內心明白與安樂」的哲學。他所謂之革命，是要從自己做起，即是要從自己的「內心明白與安樂」做起，他曾說：

救國革命和復興民族的基礎就是在我們大家的心理，所以總理說：「革命先革心」。㊇總理所講「革命先革心」，乃是更精透的指出我們革命要從自己的心理，自己的精神革命起來。現在我再告訴大家：要革命首先要「存誠去僞」。㊈

這完全是依照中山先生的遺訓：「從自己的方寸之地做起」，而做到「存誠去僞」，做到「內心明白與安樂」，這就是要真能識得此心之本體，體認到這個「中」。這種從自己做

---

79 「革命教育的基礎」，民國四十三年。
80 「革命軍人的哲學提要」，民國二十三年。
81 「革命的心法——誠」，民國二十二年。

起的革命，才真能平天下之不平，與共產主義者以階級鬥爭為綱的革命是完全相反。拙著「介石先生思想與宋明理學」一書曾說：

介石先生所提倡的力行哲學，實就是人生哲學。這種哲學，是法天道之「行健」，而立「君子以自強不息」之人道。從本體哲學來說，知與行是不可分的；所以力行即良知之「自強不息」的實踐，也就是致良知之致。因此，介石先生的人生哲學，實就是一個致字。於是，我們當可以說，介石先生的知識哲學，是貫通朱王而有所創獲。他的人生哲學則是以「大學之道」而致陽明與孟子所謂之「良知」。這一方面是糾正了王學末流之弊；另一方面也是為中國讀書人指出了一個努力的正當途徑。宋明理學，本是世間的哲學，而非出世間的哲學；然因其言心言性，易流於空疏而不切實際。介石先生提倡為力行哲學，期人人能「致知難行易的良知」，俾能「負起救國責任」；使言心言性的宋明理學，成為以「致良知」為心法的實行革命主義的革命哲學，這當然是使宋明理學獲得了最佳的發展。[82]

中山先生的革命哲學，在蔣總統的觀念中，是與內聖外王的我國傳統哲學完全貫通的；在這樣意義之下的革命思想，當然是與民主思想併存而互補。我們認為，蔣總統確是「看清

---

[82] 拙著：「介石先生思想與宋明理學」民國五十五年三民主義研究所版，頁七六，現經再版，為本集刊之六。

革命與民主並不是互相排斥」，乃因爲他「把革命與人生的道理看做是一個道理」。這是非常獨到的一種切合革命真正本質的革命思想，這個革命思想可以說就是蔣總統的革命心法，這個革命心法，最能表現中山先生的革命精神，也最能表現他的革命哲學的特色。這個特色，即是這個革命哲學，是以革命必先革心爲主腦，以致良知爲工夫，由本體哲學與認識哲學以導出其革命的人生哲學。我們認爲，從形而上來說，本體哲學、認識哲學、人生哲學，皆是不可分的；從形而下言，則有先後次序之分。因爲任何的人生觀，必是由認識哲學產生的；而認識論則通常都會受本體哲學的影響，所以人生哲學必是由本體哲學與認識哲學導出的。這就是說，祇要是真哲學而不是假哲學，其人生哲學必與其形而上的體系是一貫的。中山先生的革命哲學，到蔣總統的手裡，發展到與「致良知」的宋明理學相結合，而成爲一種革命的人生哲學，這確是徹上徹下的。蔣總統在「革命教育的基礎」講詞中說：

哲學是「窮理、修身、正德」之學，更質直一點說，也就是我們革命幹部的精神教育。

這完全是本於「從自己的方寸之地做起」的遺教，將革命思想與儒家學說融合起來，而將哲學當作革命的修養工夫或精神教育。這是中國正統的儒家哲學之現代化，亦即道統之最正確的發展。我們要知道，儒家哲學，它是「無所不用其極」的以求新的。大學第二章曰：

湯之盤銘曰：「苟日新，日日新，又日新。」康誥曰：「作新民。」詩曰：「周雖舊邦，其命惟新。」是故君子無所不用其極。

宋明理學是以四子之書作爲思想之經典，宋明理學家之思想言論，在當時來說，即是全新的。我們亦不難想像到，宋代道學興起，對隋唐盛行之禪學來說，當然是一種思想上的革命。從禪學與理學這兩個思想的本質來說，都是「要從自己的方寸之地做起」；但表現在人常日用間，則大不相同。於是，我們可以體會到，所謂求新，乃識得源頭活水，而在人常日用間，能適當的應付挑戰；至於此「天下之大本」，則是至中至正而永不變易的。因此，蔣總統融會革命思想與宋明理學以建立一種革命的新的人生哲學，在本質上即是發皇宋明的心性之學，在方法上即是「窮理、修身、正德」的以求新，使中山先生的革命哲學之內容更爲充實豐富，使道統之精神更爲發揚。這是至爲正確的把握了歷史性的思想發展規律。這一方面使道統與宋明理學現代化；一方面使中山先生的革命哲學獲得更爲堅實的理論基礎，而這個理論基礎則是使革命的心法更爲明白化。這個明白化的工作，很自然的使革命哲學成爲一堅實的信仰系統，而在平人類之不平的革命中產生無比的力量。

五、革命哲學之篤行實踐

清初諸儒，懲明代「平時袖手談心性，臨危一死報君王」之弊，而注重實學，反對言心言性，循至乾嘉以後，讀書人成了蛀書蟲，使中國傳統的講修身養性之學，變成講訓詁考據之學，中國哲學，在這些人手裡弄死了。我個人深切的體驗到，中山先生在滿清末年，不僅在他的革命方面是石破天驚的，即在思想的創新方面，亦是石破天驚的。與中山先生同時代的人，誰真能接觸到真正的思想呢？誰真能「豁然貫通」而有所創獲呢？我們認爲，空談性理與咬文嚼字的訓詁考據都不會接觸到真正的思想，亦即都不會認識源頭活水或我們所謂之「中」。凡不能識得此心之本體者，決不會形成偉大之思想體系，聰明才智過人者，最多亦只能表現出纖巧之雕蟲小技而已。自清初三大儒以後，直待中山先生出，在我國思想介，才又發出偉大之光輝。當然，中山先生沒有空談性理；但是，要真能體認他之偉大，必須深入心性之學，以體認他的革命之學。因爲所謂心性之學，即我們所謂之道統，亦即中國哲學之正統或傳統。在上一章中，我們已較爲詳明的陳述了我國的道統即西方所謂之形上學。

民國八年五月二十日，中山先生與邵元冲在上海有於下之一段對話：

邵元冲問：「先生平日所治甚博，於政治、經濟、社會、工業、法律諸籍，皆篤嗜無倦，畢竟以何者為專攻？」

中山先生答：「余無所謂專也。」

邵元冲問：「然則先生所治者究為何種學問耶？」

中山先生答：「余所治者乃革命之學問也。凡一切學術，有可以助余革命之知識及能力者，余皆用以為研究之原料，而組成余之『革命學』也。」[83]

---

[83] 「國父全集」中央文物供應社發行第三冊十一—四一。

六祖壇經懺悔品有曰：「五、解脫知見香，自心既無所攀緣善惡，不可沉空守寂，即須廣學多聞，識自本心，達諸佛理，和光接物，無我無人，直至菩提，真性不易，名解脫知見香。」❽❹

我們爲什麼要引述六祖壇經這一段及中山先生與邵元冲在上海之對話？這就是說，中山先生既有此平人類之不平的革命之赤忱，而又能廣學多聞，實即是得到了禪宗所謂之「解脫知見香」，也就是真能免除先入之見；所以他是「無所謂專」，他只有一顆救國救民而「治國平天下」的心願，他之「廣學多聞」亦全是爲了這個心願，他是解脫了一切知見的。

現在我們應該明白了，言心言性，若作爲一種知見，這是與我國哲學的傳統精神不符的；若作爲體認革命哲學的手段，一以體會中山先生的革命赤忱，一以領悟中山先生思想的「宗廟之美，百官之富」者，這便是非常正確的。這就是說，我們決不能將言心言性之革命學純當作知識來研究，應該當作實踐的方法來研究，很顯然的，言心言性而與革命思想相結合，這便是獲得了「解脫知見香」而糾正了「袖手談心性」之弊。

總之，將革命哲學與宋明理學融合，這便是將經世之學與性命之學融合，也是內聖外王之學的現代化。這是道統之最正確的發展；也是從性命之學到經世之學的和諧統一所必須而最正確的途徑。從性命之學來說，它原是安身立命之所；因爲性命之學本身，它便是使事理明白化；不過，唯有實踐革命哲學，才真足以安身立命。再者，性命之學，它是實踐篤行的

---

❽❹　一戒香，二定香，三慧香，四解脫香，五解脫知見香。

原動力，也就是革命的原動力；至於革命的目的，則是經世之學所欲達成之目的。很顯然的，性命之學若不與革命哲學結合，它是不足以達成經世之目的。

孫蔣兩先生，本其救國救民之至誠，畢生從事革命奮鬥，其言其行，無不歸結到革命二字，亦無不在實踐與發揚革命哲學。我們認爲，惟有實踐篤行這個與宋明理學相結合的革命哲學，才能識得這未發之中，亦才能發而皆中節。凡不能與宋明理學相結合之革命，必是以暴易暴，而徒然荼毒天下蒼生。同樣的，識得此未發之中，若缺少革命精神，則一「自了漢」而已。我們的「中」一元論的哲學，不只是徹上的以認識自己，而且必須徹下的以成就自己；所以中山先生的哲學，必歸結於革命哲學之篤行實踐。吾人研究中山先生的革命哲學，必須體認及此，才真是瞭解了這個哲學的極深之奧義，也才真能瞭解中山哲學確是淵源於中華道統。

第五章　中山思想之主要目的與中華道統

第一節　中山思想之主要目的

一、順應本體之本性以滿足生存之需求

我們已說明了，中山思想是以道統，亦即中國哲學的正統或傳統，作它的哲學基礎。我國先哲所謂之道，即西方學者所謂之哲學。這個哲學或道統，我們叫它爲「中」一元論。從本體界說，我們以「中」爲第一意義；因爲「中」既是心之本體，亦是物之所以爲物者。從現象界說，尤其是從「人」這個現象來說，我們以民生爲第一意義；因爲民生是人之存在的本質，「是綜和心與物二者」之綜合體，這綜合體則是以「中」爲其本體。這就是說，「中」是本體之本性，民生則是本體之變化過程中稱本體之所有而所顯現的人之生存的現象。人這個現象的存在是以民生爲本質。本體之變化，即本體本性之變化，亦即這個「中」的變化。「中」之本性是未發，它的變化就是已發；未發與已發，不是兩個而是一個，亦即未發之「中」與「發而皆中節」之和，不是兩個而是一個；因爲未發爲成就它自己而顯現爲已發，已發則是未發稱其所有的顯現。已發未發，是一理貫通，一氣貫串的。我們以未發當作本體，以已

發當作現象，本體與現象，如水與衆漚，不二亦不一；因爲現象畢竟不就是本體。例如衆漚，雖是水顯現的；但漚是波浪，與靜態之水有別，所以是不二亦不一。我們「中」一元論的哲學，即是狀述此貫通之理並對未發與已發之義蘊，作了較爲詳盡的討論。

我們認爲，「中」是一，變化是多。民生既是本體所顯現之變化，則民生就是多。凡「一」常只可體會而不可言傳，「多」則有意義與內容可言。那麼，民生之義是什麼呢？民生乃宇宙本體之本性，即我們所謂之「中」，爲成就它自己而顯現爲人之存在；人之存在，以實現生存意志或滿足生存之需求爲務。這亦是順應本體之成就它自己的本性所必有的一種功能。因此，中山先生思想之主要目的。即是以順應本體之本性，而滿足人之生存的需求爲問題的核心。中山先生畢生從事國民革命，爲求「實行三民主義，以成救國救民之仁」而努力不懈，其目的，即在於解決這一問題而實現民生的理想。

二、順應人之內在的不斷的驅動以發揮生活功能

所謂民生，它是包含生活、生存、生計、生命諸義；然以「生存」爲主，所以「民生問題就是生存問題」。民生即是指「人之生存」。人之生存，既是本體爲成就它自己而顯現的；那麼，人之生存，當可以說：它既是人類社會之「中」，亦即人類歷史之「中」；因爲離去了這個「中」，即沒有社會或歷史可言。

因此，「中」即是人類爲求生存的一種潛在的或根源性的原動力；這個原動力是表現爲生存意志，而形成爲人之內在的驅力；這個驅力，形成爲人之種種的需求，它在本質上是「純

亦不已」的，故可以說即流行之天理；但因爲這個驅力所形成的人之種種需求，是表現爲人之生活；生活之沉澱物，即通常所謂之文化；文化之成就是精鍊與加強了人自己所創造的「象徵系統」；人之象徵的活動是使人忘記了自己的本來面目而失去了固有單純性；於是，這個驅力，便變成似乎是盲目而不自覺的了。「中」一元論的哲學，即在於顯露人之本來面目，亦即人之自覺的覺性是什麼的這個真理，也可以說這是第三、四兩章所討論的主旨。

人是生活在實在的一個新「次元」裡，即所謂「象徵系統」裡；而且，「人不能逃避他自己的成就」；因此，人是被環境制約的，亦即是被他自己的成就所制約。至於人之基本的需求，依照中山思想，并作歸納，大致可分爲覓食與求得安全，及「愛」、「思」等四方面。這就是說，人是需求飲食、需求配偶、需求安全，且必然的需求知識。這四種需求，是表現爲維持生存、繼續生存、保障生存，與改進生存這四種生活功能。我們若稍作進一步的分析，則知維持生存的問題，就是民生問題；延續生存的問題，就是民族問題；保障生存的問題，就是民權問題；而改進生存的問題，那當然會就是人之思想活動了。假如我們的思想活動，是針對民生、民族、民權這三個問題的；那麼，我們便會有中山三民主義的思想了。照這個說法，人是會有意或無意的發生三民主義之思想。這個思想，確是涉及了人之生活範疇或思想活動之全部，亦即人之生存需求所經常面臨的問題；不過一般人是沒有認真的去作有系統的思考而已。在上一章中，我們討論「道統與中山民生史觀」這個問題時，曾以「人類生存需求演化圖」而表示了人之生活或思想之全部範疇并及中山思想之全體大用。這就是說，人若能深入這個「象徵系統」而瞭解人所面臨之問題的本質，以順應人之內在的不斷的驅動，使之導入一定的社會範疇而發揮生活的正當功能，必可達聖人成能的目的；也就是說，人雖不能逃避他自己的成就，亦即雖不能脫離環境對他的影響？但是，若能認識人之本來面目，實現人之真正的生存意志，而使人之成就向一正確的途徑發展，則是可以善吾之生而成人之能。中山先生爲滿足人之生存的需求，它的另外一個目的即是順應人之內在的不斷的驅動而發揮人之生活的正當的功能。

中山哲學是認定本體的心物一元論與現象的心物二元論都是對的，所以不是唯物論的。同時，這個以心物合一之「中」一元論哲學爲基礎的民生史觀，也當然不是唯物史觀了。在上一章中，我們曾就馬克思所謂之唯物史觀公式，作了較爲詳盡的檢討與批評。很顯然的，他的決定論、來臨論、及優越論等等，都是錯誤的！因爲人類社會之歷史性的變化，不是馬克思式的，而是「承敝易變」的，如周易序卦上傳所顯示之波浪式的進行。馬克思的主要錯誤就是把問題弄錯了。凡是把問題弄錯了的，必永遠得不到正確的答案。馬克思只是一種書生式的空想，容易把問題弄錯？孫先生本於一念之至誠，力行革命，故能正確的把握問題。上文所陳述之中山思想之全體大用，皆是正確的把握了人類求生存所必需解決的各項問題及其癥結之所在。中山先生是正確的把握了人類社會所需面對之問題；所以，它所提供解決問題的原則或方法，都是正確無誤的答案。

第二節　中山民族思想之主要目的

一、中山民族思想之精義

茲再進而說明中山先生有關民族思想、民權思想、民生思想之主要目的，特先從延續生存的問題，亦即民族的問題談起。

中山先生在「民族主義」第一講中說：「自古及今，造成國家，沒有不是用霸道的。至於造成民族，便不相同，完全是由於自然，毫不能加以勉強。像香港的幾十萬中國人，團結成一個民族，是自然而然的，無論英國用什麼霸道，都是不能改變的。所以一個團體，由於王道自然力結合而成的是民族，由於霸道人爲力結合而成的，便是國家。這便是國家和民族的分別。」中山先生接著又說：

> 再講民族的起源。世界人類，本是一種動物，但和普通的飛禽走獸不同。人為萬物之靈，人類的分別，第一級是人種，有白色、黑色、紅色、黃色、棕色五種之分。更由種細分，便有許多族。像亞洲的民族，著名的是蒙古族、巫來族、日本族、滿族、漢族。造成這種種民族的原因，概括的說，是自然力，分析起來，便很複雜。當中最大的力是血統。……我們研究許多不相同的人種，所以能結合成種種相同民族的道理，自然不能不歸功於血統、生活、語言、宗教和風俗習慣這五種力。這五種力是天然進化而成的，不是用武力征服得來的，所以用這五種力和武力比較，便可以分別民族和國家。

這與目前民族學者所主張的血緣文化說是相同的。這就是說，人類求生存之內在的驅力，在血緣與文化（生活、語言、宗教和風俗習慣四者可總名之為文化）之天然進化中而形成了民族，民族不是用霸道可以形成的，這是中山先生民族思想之精義。

二、中山民族思想與歐洲的民族運動

中山先生的民族思想與近兩個多世紀以來歐洲的民族運動所反映出來的思想是完全不同的。崔垂言先生說：「歐洲的民族主義，本來是在帝國主義壓迫下發生的，目的在打倒帝國主義，而演變的結果，自己卻成了帝國主義，來壓迫別的民族。」❶許多民族學學者，因爲對歐洲的民族主義思想，沒有好感，所以有些人認爲 Nationalism 這個名詞，就是偏激、狂熱、混亂和擴張。民族學者，因此將民族學與民族主義這兩個名詞是看作完全不相同的兩回事。

美國夏佛爾（Boyd C. Shafer），把歐洲所有的民族學說，都叫作「神話」，大別分爲三類：(一)玄學的神話（Metaphysical Myths），如德國赫德（Johann Gottfried Von Herder, 1744-1803）與菲希特（Johann Gottlieb Fichte, 1762-1814）的學說；法國芮昂（Ernest Renan, 1823-1892）的學說皆是。(二)科學的神話（Physical Myths），英法學者，多以物競天擇的道理，解說民族的優劣。(三)文化的神話，馬克思的學說，即屬於文化的神話❷。崔垂言先生認爲，歐洲的形形色色的各種民族學說，

---

❶ 崔垂言著：「國父思想申論」民國五十四年，頁一三六。

❷ 夏佛爾此說，轉引自崔垂言著：「國父思想申論」頁一四一——一四二。

大抵是空想，他們在構成民族的各種因素中，單提出一個因素來，作歪曲的解釋，故而成為神話，也成為歐洲動亂不安的原因（同註二）。

三、中山民族思想的三項原則

中山先生的民族主義，固然是因為「我們鑒於古今民族生存的道理，要救中國，想中國民族永遠存在，必要提倡民族主義。」（民族主義第一講）另外也因為「歐洲民族都受了帝國主義的毒。甚麼是帝國主義呢？就是用政治力去侵略別國的主義，即中國所謂勤遠略。這種侵略政策現在名為帝國主義。歐洲各民族都染了這種主義，所以常常發生戰爭，幾乎每十年中必有一小戰，每百年中必有一大戰。」（民族主義第四講）於是，乃提倡以我們中國道統為哲學基礎的民族思想，以建立他的民族主義。這個民族主義，一方面是講的救自己民族的道理；一方面主張為全世界的弱小民族爭自由。戴季陶先生曾將中山先生的民族思想歸納為以下三點：

(一)中國民族自求解放；

(二)國內各民族一律平等；

(三)世界被壓迫民族全體解放❸。

這個歸納非常明白、簡要，而確能表現出中山民族思想的全幅精神。第一、從這三者可

---

❸ 見戴著：「孫文主義之哲學的基礎」所附「民生哲學系統表」。

以很明白的看出，中山先生的民族思想與前文所引述的歐洲的「神話」是完全不同的，因爲這是主張「世界被壓迫民族全體解放」的；第二、這與帝國主義者所高唱的世界主義更是完全不同的，因爲這不僅主張「民族自求解放」，而且主張「國內各民族一律平等」；第三、這可以看出，人類求生存之延續生存的問題，不是一孤立的問題，而是與保養這兩個問題不可分的。這就是說，以血緣或文化爲主體的民族問題，是與政治的民權問題、經濟的民生問題不可分的。因爲要達成民族主義的這三個目的，是必須與民權思想、民生思想的問題一齊解決的。

我們可以這樣的說，已往的被學者們稱之爲「神話」的歐洲的民族學說，皆是一曲之私，一察之好，也就是不公與不全。學術之可貴，在於能公與全。例如學者們有句口頭禪：「科學是中立的」。這可以解釋爲：科學是不受任何成見影響的。中山先生的民族思想，秉至誠至公至中至正之心，著眼於全人類的求生存之動機與目的，提出了爲全人類謀幸福的道理與學說。就其是一種道理而成爲人之信仰言，此所以稱之爲主義；就其是學說言，此所以稱之爲民生哲學。中山先生的思想，無論是主義或哲學，因爲是至公無私而又是著眼於人類全體的，所以是不具任何成見的。中山先生的偉大處，在於他的至公無私的哲學精神及其不具任何成見的科學精神，並由這兩種精神而形成爲一種革命精神。所以他不論古今中外的學說，祇要是對於救國救民與救世界人類，在事實上是可行的，他便認爲是好的。他說：

大凡一種思想，不能說他是好不好，只看他是合我們用不合我們用，如果合我們用便是好，不合我們用便是不好，合乎世界的用途便是好，不合乎世界的用途便是不好。

（民族主義第三講）

我們爲什麼要提到這些呢？這就是說：中山先生的民族思想，絕對不是偏激、狂熱、混亂和擴張，這是從他的各項主張可以明證的。他爲什麼能超脫舊式的民族主義思想而形成一種新的民族思想呢？因爲一方面他看到了歐洲舊式的民族主義所造成的「常常戰爭」的惡果；另一方面也體認了我國傳統文化「濟弱扶傾」，「不去侵略外人」的這種精神之偉大，所以便產生了「世界主義藏在民族主義之內」的主張，把民族主義與世界主義的矛盾統一起來。這所謂統一起來，不是把民族主義與世界主義都消滅，而是承認兩者都對，使兩者併存而互補。兩個矛盾的東西爲什麼能併存而互補呢？這是我們「中」一元論或心物合一論的哲學新發現的真理，這就是要能發揚我國傳統的道德精神而發揚人之本心本性。就中山民族思想來說，這就是要認識構成民族的各種自然力，以王道的精神，解決民族問題，使人類求生存之動機，得到合理的滿足。

四、以王道精神解決民族問題

中山先生這個爲使人類的延續生存的問題得到合理之解決的民族思想，它是與一般的民族主義完全不同的。這個民族思想與現今流行之人類文化學或民族學等等，並無實質上的不同；而且，這個看重構成民族的自然力，並主張以王道精神解決民族問題的原則或學說，與我們的免除了先入之見的「中」一元論的觀點是完全符合的。這一方面是極其正確的發揚了以道統爲基礎的經世之學，使傳統的經世之學，在這個範圍內獲得了現代的意義。（這是更具體的說明中山先生思想確是淵源於中華道統。）另一方面，這個學說，也確是走向大同之路，實現世界和平或世界主義之最正確的學說。世界和平，無論用什麼霸道都不能實現的。秦始皇雖以武力統一六國，他自己卻不旋踵而滅亡。我們的祖先，從春秋時代起，或者說，從周公的封建諸侯起，即是反對用霸道的。須知周公的封建諸侯，固然在屏藩周室；然而他的「興滅國、繼絕世」，也就是看重構成民族的自然力，而以王道的精神處理民族問題。這與歐洲的封建政治，有本質上的不同。因此，使我聯想起一件可笑而可悲的事實，那就是，自民國二十年十月至二十二年三月間，在上海「讀書雜誌」展開的所謂中國社會史論戰，他們完全依照馬克思的歷史階段論的故套，作無謂的爭論，徒然擴大了馬克思主義的影響。他們並不深入的研究中國的歷史事實，而且自以爲是。如此等處，更見「知難」之說，卻是非常重要。茲且回到我們欲陳述的主旨，那就是：我們的祖先因爲認識了構成民族的自然力之重要，而發揮了王道的精神，所以自周朝初年起，歷經春秋戰國時代，與漢唐盛世，以迄有明一代，他們處理國際事務，都非常的高明。中山先生的民族思想，就是既發揚了這種非常高明的王道精神，也提供了最正確的救亡圖存的原則或方案。可惜一般人好高騖遠，而不知把握問題的本質，徒作無謂的爭議，如展開所謂社會史論戰等等，結果使我們的民族走錯了方向，造成了慘劇，步上了惡運。研討至此，我們確應幡然大悟，而深切的體認到中山先生有關民族問題之學說思想的精義所在，期能廣爲傳播，使世人能認識到此一淵源於忠恕之道的民族思想之真精神，而有助於世界和平之真正實現。

第三節　中山民權思想之主要目的

一、中山民權思想與內聖外王的政治哲學

再談保障生存的問題，亦即是民權思想的問題。

有人認爲，中山民族思想是發揚了中國的道統，這是不錯的；至於民權思想，則是規撫了西方學說事蹟而加以發揚光大。首先，我們願就中山先生在「民族主義」第六講所說的一段話以爲說明。他說：

> 我們舊有的道德，應該恢復以外，還有固有的智能，也應該恢復起來。我們自被滿清征服了以後，四萬萬人都是睡覺，不但是道德睡覺了，連智識也睡了覺。我們今天要恢復民族精神，不但是要喚醒固有的道德，就是固有的智識也應該喚醒他。中國有什麼固有的智識呢？就是人生對於國家的觀念，中國古時有很好的政治哲學。我們以為歐美的國家，近來很進步，但是說到他們的新文化，還不如我們政治哲學的完全。中國有一段最有系統的政治哲學，在外國的大政治家還沒有見到，還沒有說到那樣清楚的，就是大學中所說的「格物、致知、誠意、正心、修身、齊家、治國、平天下」那一段話，把一個人從內發揚到外，由一個人的內部做起，推到平天下止。像這樣精微開展

的理論，無論外國甚麼政治哲學家都沒有見到，都沒有說出，這就是我們政治哲學的智識中所獨有的寶貝，是應該要保存的。

照這所說，中山先生對內聖外王之政治哲學的推崇，已是很明白的。道統的性命之學這一部份即是內聖的部份，而經世之學這一部份，即是外王的部份。這外王的部份，自然是包括三民主義的全部。這就是說，絕對不只是民族主義發揚了道統，而應是三民主義發揚了道統。孫先生說：

除了恢復一切國粹之後，還要去學歐美的長處，然後才可以和歐美並駕齊驅；如果不學外國的長處，我們還是要退後。（民族主義第六講）

又說：

我們要學外國，是要迎頭趕上去，不要向後跟著他。（同上）

迎頭趕上去，以學歐美的長處，這是發揚道統的唯一途徑。這就是說，發揚道統即是將道統與歐美的長處加以整合，使道統獲得了現代的意義，使歐美的長處增加了道統的精神，再不去「滅人國家」，「成一個大同之治」，而實現世界的和平。

二、優良的民主制度與優良的文化精神

照這樣說來，中山思想以中華道統作哲學基礎，無論在理論與證據方面（亦即中山思想之各方面）都顯示出確是「原來如此」。在前文我們已說明民族思想的那一部份，茲再進而說明民權思想的這一部份。我們在第三章第一節與第二節中，對於道統曾作了較為詳盡之分析與討論。我們若將道統與現代的民主政治作比較的研究，則知現代的民主政治制度，確可以實現道統的思想；而道統的精神，確可以健全現代的民主政治。例如「大禹謨」之屬於政治方面的理想，用現代的民主政治制度，是可以一一實現的。即以「大禹謨」所最嚮往的：「罰弗及嗣，賞延於世，宥過無大，刑故無小，罪疑惟輕，功疑惟重，與其殺不辜，寧失不經，好生之德，恰於民心。」這個理想，祇有在民主法治之制度下才可實現。又如「興滅國，繼絕世」，則必須以道統的精神，才能實現這個理想。我個人認為，一種政治理想之實現，有兩件東西是不可少的，但不包括武力在內。這兩件東西是什麼呢？第一是優良的民主制度；第二是優良的文化精神。孔子有兩段話很重要，茲引述於下：

> 子路曰：「衛君待子而為政，子將奚先？」子曰：「必也正名乎？」子路曰：「有是哉！子之迂也，奚其正？」子曰：「野哉由也。君子於其所不知，蓋闕如也。名不正，則言不順；言不順，則事不成；事不成，則禮樂不興；禮樂不興，則刑罰不中；刑罰不中，則民無所措手足。故君子名之必可言也，言之必可行也，君子於其言，無所苟而已矣。」（論語子路第十三）

子適衛，冉有僕。子曰：「庶矣哉！」冉有曰：「既庶矣，又何加焉？」曰：「富之。」曰：「既富矣，又何加焉？」曰：「教之。」（同上）

這兩段都是講文化精神的重要。一般人對孔子「禮樂不興，則刑罰不中」之說，多未能認識其真正的意義。須知政治之良好，乃移風易俗的成果。風俗敗壞，政治決不會良好。當然，政治與風俗是互相影響的，有時會形成一種惡性的循環，敗壞到一切都變得反常而不合理，以致非實行革命，不能與民更新。但革命之破壞，其目的在於建設。建設之首要，固在民生；然而要能保障民生建設與政治建設之成功，則文化建設，更爲重要。例如美國之強大，原因雖多，但自華盛頓開國以來所形成之優良的傳統民主精神，實是很重要的因素。又如英國，雖然因其他諸種的原因而沒落了，但由於其民主政治的優良傳統，尙能保持「百足之蟲，死而不殭」的存在。希特勒的帝國，旋起旋滅，即因其不能形成一種深厚的文化基礎，而只是一些表面的煽動與宣傳。蠱惑人心並以強權加以控制，是不足以形成一種文化的。文化之形成，必爲移風易俗之結果。孔子所謂「禮樂不興」，用現代的詞語來說，就是未能形成一種新的文化精神。毛澤東主席其實也看到了文化精神的重要。任卓宣（葉青）先生說：

毛澤東對於文化主張革命，是說得很早的。在一九四〇年（民國二十九年）發表「新民主主義論」，就談到了這點。他說：「文化革命是在觀念形態上反映政治革命和經濟革命，並為它們服務的。」為甚麼呢？因為「一定的文化是一定社會的政治和經濟在

觀念形態上的反映。」所以政治革命和經濟革命之時，就是有文化革命。這是為它們打先鋒的。❹

民國四十七年六月九日，「人民日報」曾發表「文化革命開始了」的社論，頭幾句是：「社會主義建設總路線的基本點之一，是在繼續完成經濟戰線、政治戰線和思想戰線上的社會主義革命的同時，逐步實現技術革命和文化革命。」（同註四，頁四二〇）到民國五十五年，「文化大革命」開始了。這個革命利用「紅衛兵」，任意逮捕、審判、拷打、監禁、謀殺、劫掠，無所不爲。中共的中委、常委、「主席」、「副總理」、「部長」、「省長」、「市長」、以及「元帥」、「大將」、「總參謀長」、「司令員」等等，亦多被抨擊、罷黜、公審、戴紙做的高帽子遊行。於是社會騷然，民不聊生。自殺與被殺者甚多（同註四，頁四三四）。這是說明了：毛澤東主席看到了文化精神的重要；但是，他卻想不到，他所發動的文化革命卻徒勞無功而適得其反。他不知道，文化的形成是自然而然的，無論用什麼霸道或無論用什麼狡詐騙人的手段，都不能改變或形成一種文化。因此，我們更應該體會到孔子所說的這兩段話的重要；同時，也可以體會到蔣主席經國先生自主政以來，他所表現的勤政愛民、開明民主的作風；他所表現的傳承自中山先生革命風範；他「由仁義行」而所表現的至公無私的精神，影響了絕大多數人的心理，改變了政治的風氣，改善了民間的習俗。使大家都有一種

---

❹ 葉青著：「毛澤東思想批判」民國五十七年帕米爾書店版，頁四一六。

奮發而蓬勃向上的朝氣，舉國上下都表現出一種和諧而樂觀的團結精神。這種新氣象是自然而然形成的，這對我們的國家民族有良好而深遠的莫大影響。當然，我並不是說，我們已十全十美了；我只是說，這個方向和這個作法是絕對正確的。這就是非常正確的實踐了我們的道統，也就是此未發之「中」是「發而皆中節」的流行在人常日用之間。孔子仍有兩段很重要的話，茲更引述於下：

子曰，善人為邦百年，亦可以勝殘去殺矣，誠哉！是言也。（論語子路第十三）

子曰，如有王者起，必世而後仁。（同上）

政治建設的完成，非一蹴可幾的。祇要沒有走錯方向，終必有成功之一日。在上一章中，我們曾從歷史哲學的觀點，檢討文化大革命所造成之十年浩劫，其原因固多；但是，我們中國人因受來臨論之蠱惑而造成一種「錯誤的嘗試」，卻是最主要的原因。事實上，這也是虛無主義達到了極點。我們曾說：「我們中國人的這個巨大而慘痛的共產主義的試驗，原是註定要失敗的，現在已證明確是失敗了。我們應如何從痛苦中獲得達到成功之機運的智慧呢？大陸上年青的一代，現已公開的提出了『中國往何處去』的問題。我認爲答覆這個問題的最先決條件，是應該有一種自痛苦中接受教訓的智慧。」（請覆按上章第三節）這必須徹底放棄「否定傳統」之「虛無主義」，而有一種善人爲邦百年之自信。我們從事哲學活動，追求知識，既可以使我們喜好這個智慧，也可以幫助我們明白的認識這個智慧。假如你真有這個智慧，你便會認識孔子「誠哉！是言也。」的這個真理。我們爲了建設新的國家，難免不用武力以破除障礙；但國家的建設，則決不是用霸道可以完成的。於是，我們應是更進一步的認識了：蔣主席經國先生自主政以來，本於燃燒自己，照亮別人，而所發揮的潛移默化的影響力，所形成的自然而然的進步，這才是真正的文化建設，也就是一種最具意義而最有效力的文化革命。

三、民主制度與自達的制度

文化精神的建設與政治制度的建立，是缺一不可的。文化精神的建設，其成就是表現於民族精神與政治制度兩方面；而優良的政治制度，則可以使國家富強，民生樂利。在此我們不擬研討屬於國家論的這個問題，而只打算指出、民主制度是一種優良的政治制度。中山先生說：「照馬克思的辦法，主張解決社會問題，要平民和生產家專制，用革命手段來解決一切政治經濟問題；這種是激烈派。」（「民生主義」第二講）中山先生不贊成這種激烈的主張。因爲激烈的手段，是可以用之於革命的破壞，但不能行之於革命的建設。記得民國二三十年代，大家都知道：三民主義是主張緩進，共產主義則主張激進。今日中國大陸，遭受許多劫難，這就是主張激進的結果。孔子曾說：「欲速則不達」，誠哉斯言。因此，中山先生主張在建設期間，不採用激進的改革或革命，這是非常正確的。這是就建設國家和社會所需要的仁愛精神來說的。前文我們之所以討論文化精神的建設，其用意也在於此。至於民主制度的建立，這就是中山先生之所以主張民權主義。我對於社會制度之分類，曾綜合各家的學說，而分爲：自存制度、自續制度、自達制度這三種。這三種制度與前文所陳述之維持生存，延續生命，保障生存這三種需求或動機，是很明顯的有著內在的關聯。我們認爲，民主制度，當然是人類之保障生存的動機所進化而成的。爲什麼呢？因爲人之政治的興趣，初看起來，似是飲食興趣的延長，實際上，它是人之所以爲人的興趣，通過家庭生活的啓示而發展起來的一種興趣，它與飲食的興趣有種類上的不同。……我們曾主張將佛洛姆（Fromm）所謂「倘若愛可以界定爲自我潛能的肯定」一語中之「愛」字易爲「仁」字。這樣的更易是很適當的；因爲儒家所謂之「仁」具有「愛」字的全部意義，但「愛」卻不足以表示「仁」之真義。仁就是自我潛能的肯定，就是「愛護自身的一種聲音」；行仁就是「成現我們潛在的自我」，就是「全面而和諧的發展自己」。如何行仁呢？一個能「全面而和諧的發展自己」的人，他必能「己欲立而立人，己欲達而達人」（論語雍也），他必能「老吾老，以及人之老；幼吾幼，以及人之幼」（孟子梁惠王上），他必能「善推其所爲」的而推及己人。儒家並主張：「克明俊德，以親九族；九族既睦，平章百姓；百姓昭明，協和萬邦，黎民於變時雍」（虞書堯典）。這一套政治理想是否完全適用，那是另一回事；但儒家肯定人之仁心仁性，並自覺到惟有用仁心仁性與社會相關連才能「達可行於天下」（孟子盡心上），這在基本上是不錯的。道家與儒家都注重一個「達」字，不過道家注重出世的「達」，儒家則著重入世的「達」。所謂入世的「達」，用儒家的觀點來說，是本乎人性之需要而經世濟民；用現代社會學的觀點來說，即「以人性的方式與社會相關連」。我們中國人喜歡講「政通人和」，「政通人和」就是達。達就是推己及人而己達達人，亦就是自達。在人性之深處，深藏著自達的動機，它是人之合群的本性通過反省而自覺到的一種存在，它與兩性的興趣、飲食的需要，這種純出自本能的動機，是不相同的，它可以說是人之所以爲人的。不過，儒家雖然見到了人性之深處，有此自達之動機，但未能發展出自達的民主制度，這是秦漢以後之儒者，因在專制政體之下，未能繼承「先聖之道」的根本所在。

我們認爲，民主制度就是一種自達的制度；惟有自達制度，最能保障人之生存；也可以說，自達是一種最安全的存在方式。大家都知道，專制帝王，警衛森嚴，表面看起來是很安全的，而實際上則很不安全。三國演義，描寫曹操之缺乏安全感是很深入的。凡多疑而不信任他人者，既不能自達，亦缺乏安全感，這是很明顯的。民主制度之優於專制政治，從保障生存來說，這是至爲正確而無可辯駁的。但是，人之自達的動機，一方面常感力有不逮，一方面則常常由於缺乏民主的修養而濫用權力。一個領袖，不濫用他的權力，這就是古所謂聖賢之士。中山先生畢生爲實現三民主義，爲維護民主政治而革命奮鬥，這完全是聖人的事業。中山先生說：

> 余之民權主義，第一決定者為民主，而第二之決定，則以為民主專制必不可行。❺凡百皆以人民主權定之，既不主狄克推多之恒制，並不尚開明專制之偽說。（同註五）

---

❺ 轉引自崔垂言著：「國父思想申論」頁一〇四。

主張民權，反對專制，這就是中山先生的政治理想。他認爲，大家的事，應該由大家管理；而且，他認爲這是世界潮流，必可維持久遠。他說：

> 政就是眾人的事，治就是管理，管理眾人的事便是政治。（「民權主義」第二講）
>
> 權就是力量。……有管理眾人之事的力量，便是政權。（「民權主義」第一講）
>
> 以人民管理政事，便叫民權。現在的潮流，已經到了民權時代，將來無論是怎麼樣挫折，怎麼失敗，民權在世界上，總是可以維持長久的。（同上）
>
> 今日我們主張民權，是要把政權放在人民掌握之中，……凡事都是應該由人民作主的，……可以叫作民主政治。（「民權主義」第五講）
>
> 民權國者，為人民共治之國家，故亦曰眾民政治。（但如代議制之民權國，非由人民直接參與政權者，尚不得謂純粹之眾民政治。）（「軍人精神教育」）

四、全民政治與萬能政府

上文所謂「眾民政治」，即是「全民眾治」，中山先生的「全民政治」與歐美的民主政治仍有不同，在「民權主義」中，有很詳盡的說明，茲不贅述；惟須說明者，中山先生當年看到「各國自實行了民權之後，政府能力便行退化。……人民總是防範政府，不許政府有能力，不許政府是萬能。」（「民權主義」第五講）這就是說，「民主政治」與「萬能政府」在歐美有不能併存的現象。中山先生亦認爲自由與秩序原是互相衝突的。他說：「政治裡頭有兩個力量：一個是自由力量，一個是維持秩序的力量。政治中有這兩個力量，好比物理學裡頭的離心力和向心力一樣。離心力過大，物體便到處飛散，沒有歸宿；向心力過大，物體愈縮愈小，擁擠不堪。總要兩力平衡，物體才能夠保持平常的狀態。政治裡頭的自由太過，便成了無政府，束縛太過，便成了專制。中外數千年來的政治變化，總不外乎這兩個力量之往來的衝突。」❻但是，中山先生認爲自由的力量與維持秩序的力量是應該而且是可以平衡的。他說：「兄弟所講的自由同專制這兩個力量，是主張雙方平衡，不要各走極端，像物體的離心力和向心力互相保持平衡一樣。如果物體是單有離心力，或是單有向心力，都是不能保持常態的。總要兩力相等，兩方調和，才能夠令萬物均得其平，成現在宇宙的安全現象。」（同註六，貳—七）

這兩個相反的力量若能兩相調和而雙方平衡，則便能保持常態。這也就是說明了：全民政治與萬能政府若能併存，則可以保持常態；這個常態，如能永久保持，則就是開萬世之太平。在我國古代，有時亦能保持這種常態，但全靠聖君賢相之「人」的作用，而沒有形成一種制度的功能。我國古代，對於帝王或政府之制衡力量，一方面靠殉道之士所表現的一種浩然正氣，如所謂「在齊太史簡」等等；一方面則靠一種類似輿論的制裁，即帝王死後的謚法。孟子在「離婁上」曾說：

---

❻「國父全集」，中央文物供應社，民國六十四年再版第一冊，頁二—七。

> 孔子曰：道二，仁與不仁而已矣。暴其民甚，則身弒國亡；不甚，則身危國削，名之曰幽厲，雖孝子慈孫，百世不能改也。

毛澤東主席有一首「念奴嬌」是詠崑崙的，其前半闋說：「橫空出世，莽崑崙，閱盡人間春色。飛起玉龍三百萬，攪得周天寒澈。夏日消溶，江河橫溢，人或為魚鼈，千秋功罪，誰人曾與評說？」❼這個詞，似是受了「身後是非誰管得，滿村爭說蔡中郎」的影響，乃表現出我行我素，只爭朝夕，不計後果的一種氣概，而不把「千秋功罪」放在心上。我國歷史，亂多於治，如毛主席這樣的英雄人物，代有其人，當然是很為重要的原因。由於時代的進步，並由於民主制度之興起，用民主制度來制衡政府，使政府不能為所欲為，這當然是很好的；但其結果，卻使「政府能力便行退化」；因此，中山先生發明了「權能區分」的學說，並主張「分縣自治」。崔垂言先生對於中山先生之「新政治制度的構想」，曾有一段很重要的說明。他說：

> 國父說：「實施民權……我的解決方法，是世界上學理中第一次的發明……就是權與能要分別的道理。這個權與能分別的道理，從前歐美的學者沒有發明過。」（「民權主義」第五講）所謂「權」，是「管理政府的力量」；所謂「能」，是「政府自身的力量」。

❼轉引自葉青著：「毛澤東思想批判」頁四九〇。

> 管理政府的力量，必須人人平等；政府自身的力量，完全取決於賢能。為求人民確能行使最高的權力，政府也能發揮最大的能力，除了將人為的平等和天生的不平等，分別考慮，使之配合外，別無他道。（同註五，頁一一三）

五、平等之真義

這有兩點很重要：第一、就是平等之真義的問題。「民權主義」第三講對於「平等」的真諦，有很清楚的說明。中山先生認爲，在已往歷史，有一種人爲的「不平等」。歐美各國所講的民主政治，多本於「天賦平等的道理」，卻成爲一種平頭的假平等。至於真正的平等，則是「各人在政治上的立足點都是平等」。不平等當然是不應該的，假平等亦不合理，祇有在公平競爭之情形下，其成就各有不同，這才合乎自然之理，亦才是真正之平等；不過，其成就的，不是帝王公侯之特權，乃成爲聖賢才智之先知先覺。中山先生主張這些先知先覺者，「要預先去替人民打算，把全國的政權交到人民。」「就是用人民來做皇帝。」而自己則做公僕，最多也祇是做到諸葛亮一樣的以輔佐阿斗。

第二、就是平等與階級能否併存的問題。我覺得現代社會學家的觀點，可以幫助回答這個問題。茲特引用臺大社會學系主任范珍輝先生所說的以爲說明。范先生認爲：「社會學家不常使用階級概念」❽社會學家爲什麼很少使用馬克思的階級概念呢？這有以下幾個理由：

---

❽ 見「思想的出路」——社會部份，中國國民黨中央委員會印贈，民國六十五年十一月十二日。

其一、資產與無產二階層並不是明顯的對立陣營；二階層間不存在地位上或思想上的鴻溝，而是性質上都是開放的階層，任由個人的努力升遷或改變地位的。現代社會成就主義發達，大家注重教育，而社會制度也講究平等，這使馬克思觀念上的階級無法應用。現代社會如果存在有集體的衝突，也並不是來自階級，而是來自其他基礎，我們不可以將英國十九世紀的衝突團體看做今天社會學上階級一詞的內涵。

其次，衝突團體需有不變的實質，他們必須有他們的「階級文化」，換言之，除了工作外，必須分享共同的想法、看法及作法，他們必須團結起來從事武力鬥爭，但實際上由於大眾傳播發達的結果，模倣流行非常普遍，這使階級文化無法維持。各階層都可分享同樣的文化，其間的心理距離和社會距離就大大的縮短，武力衝突就無從發生。

再其次，此外階級是否即團體，也有問題。社會學家紛紛指出馬克思觀念上的社會階級，實際上是無組織的。社會組織很少以階級作爲基礎，政黨組織常跨越階級，包括一切階層。

最後，社會學上使用「階級」一詞，常有不同的內涵。社會學家不把它當做政治與道德的工具。階級與階層二詞在社會學上是交替使用的，頂多將階級看做是特殊的階層而已。經濟利益相同的一群人叫做階級，這個階級與人口統計上的分「男性人口」與「女性人口」，或依照年齡、職業、教育程度及社區性質等屬性所作的分類，沒有兩樣，不含有價值判斷，也不認爲有衝突的成份在內。

照以上四點所說，當知馬克思的階級概念在現代的民主社會裡確已沒有使用的必要。范先生對於「社會階層化」曾有極爲清楚之說明。他說：

> 社會學上所說的「階層化」係指依性別、年齡、職業、教育程度、居住地、收入、財富、種族、宗教等屬性將一團體或一社會安排一地位順序而言。地位有尊卑高下之分，而依這種分別，給予各地位不同的報酬與價值判斷者，叫做階層化。報酬有很多種類，包括財富、權力及精神上的滿足。財富是對貨物或勞務的權力。權力指影響別人的能力，或達成目標的能力而言。精神滿足包括一切快樂與滿意的來源，社會的評價是給予不同聲望或榮譽的標準。
>
> 階層化現象可說是普遍的，不分時代不分社會都存在的，但各時代各社會有不同的分劃，因為各時代追求不同的價值，有些社會注重宗教價值，另有些社會注重經濟價值，故對個人或家庭的判斷或評價也自然不同。社會之有分階層的現象，主要是因為社會有「職務」的分工，這種分工，社會學家叫做「社會分化」，社會分化是社會地位或社會角色的指派過程，這用以保證事事有人做，使每個社會份子皆對社會提供一份貢獻或功能。社會將個人依其性質分為父母、師生、雇主、員工等，而各賦予一套職權與義務，這就是社會分化。社會分化是必需的，因為社會藉它來生存與延續。要生存要延續，各種工作必須有人擔任，如兒童必須有人撫養與教養，共同事務必須有人處理，貨物必須有人生產和分配。（同註八）

他接著又說：「社會的評定地位的高低或好壞是依社會價值來做的，所以明星雖然可貢獻很大的娛樂效果，但其地位不比法官優越。這個判斷依社會共同的標準來決定。總之，社會先有分工，後有程度的區分；有工作的指派，然後有尊卑高下的評定。依此評定，社會給予各個工作以不同的聲望、報酬及權力。但須注意的，聲望、報酬及權力三者不常有絕對的關係。例如，商人的收入與財富爲多，但他們的社會地位比大學教授爲低，而大學教授雖有崇高的社會地位，但其政治權力並不比政府官吏爲大。」（同上）這就是說，社會構造是非常複雜的，它可從職務上區分，亦可從社會功能上區別，再可以從社會評價上分類，更可以從權力、財富及聲望上分別。這些分類造成無數的階層，是社會的存在；至於馬克思的階級概念則是虛構的。祇是理論上的概念而已。

照以上所作的分析，則知中山先生真平等之說，是與現代社會學上所說的「階層化」這個意義頗爲近似；也與現代社會科學家所使用的「無階級社會」這個概念沒有矛盾。

無階級社會一詞有兩個含義，一是用來描述不存在權威結構的社會，即不存在命令與服從關係的社會，這頗與無政府主義的想像近似。照他們的想法：假如一個社會不存在命令與服從的關係；那麼，大家將都是平等的，全體人民都不會遭受權威的壓力。但是，在這個意義之下的無階級社會，從社會學的觀點說，是不可能的，亦是沒有任何意義的。因爲某些社會可能將財富、聲望及機會而平均分配給全體人民，因之社會上不存在階級；但不可能有一種社會，既不作任何分工，也不作任何職務的劃分，而完全將權威關係廢除掉的。任何社會都必須有正式組織。要有正式組織，則必須有工作的分化。使某些人站在發號施令或立於指示的地位，某些人則站在接受指示或服從命令的地位，這是社會組織能發揮其功能之大前提。無階級社會亦可作另一種解釋。現代西方工業社會，因其有一種高度的社會流動性，所以有人認爲這種開放性的社會，在實質上就是一種無階級社會。所謂社會流動，即是指個人在各個階層間移動的現象而說的；因此，在開放性的社會裡，個人可依其智能與努力而從社會的下層很快的爬升到社會的高層，現代社會學家即將這種過程稱之爲社會流動。

在社會流動性很高的社會裡，雖然也存在著權威的地位，但這種地位並不是一群人經常獨佔的，也不是排他的，而是大家輪流擁有這種地位或輪流充任這種具有權威之角色的。在這個意義之下，統治沒有任何意義，權威亦成爲一種義務。以色列的克布支（Kibbutz 複數為 Kibbutzim）是一種集體住址的形式，創設於一九一〇年。在這一種社區裡，每一個人擔任一段時間的領導地位❾。當一組織裡不存在著某一團體獨占權威的地位，當然就不會形成衝突團體，也自然不存在著階級，而成爲無階級社會了。這個社會，並不是沒有分工，也並不是沒有發生職務上之劃分的。

無階級社會之正確意義，應與中山先生之真平等的意義相同。這就是說，在開放性的具有高度的社會流動性的民主社會裡，階級與平等是可以併存的；因爲所謂階級，在實質上就是階層化；階層化乃「社會分化」的結果，而「社會分化」乃人類社會之一種正常現象，馬克思的階級只是一種虛構的概念，其無產階級專政，在實質上，只是一種「新階級」的專政而已。照這樣說來，人類社會欲能維持一種正常現象，其最先決的條件是實施民權。民權是人人都平等的有權管理政府；至於欲真能發揮這個力量，須賴形成一種優良的合乎民主制度

❾ 托芒佳珀（y. Talmon-Garber）著：「以色列之家庭與社會」。

的文化精神，這就靠先知先覺的聖賢之倡導與躬行實踐，自然而然的形成一種風尚。當這種風尚形成之後，並須確認真平等之意義，使聖賢之士，得能表現其才能，使政府成爲萬能的政府。萬能政府之所以異於專制的政府，即：專制政府之統治者本身成爲一種階級，而萬能政府之執政者則只是「社會分化」的結果，也只是社會角色的指派過程而已。很顯然的，中山先生的民主政治理想與基本原則，確是最成功的整合了我國的道統與現代民主制度，也與現代的社會學思想完全相通。這是真正的免除了先入之見的政治思想；這是道統之最正確的光大與發揚。至於馬克思的無產階級專政之說，它不只是一偏之見，而且是違背現代社會思潮的。

第四節　中山民生思想之主要目的

一、中山民生思想以養民為目的

再談維持生存的問題，亦即是民生思想的問題。

廣義的民生，如我們在上一章中所研究的，它是第一意義的。若就中山民生主義或維持生存而言，則有於下之意義：

> 民生主義是以養民為目的。（「民生主義」第三講）
>
> 民生的需要，從前經濟學家都是說衣食住三種。照我的研究，應該有四種，於衣食住

> 之外，還有一種就是行。……我們要解決民生問題不但是要把這四種需要弄到很便宜，並且要全國的人民都能夠享受。……都不可短少，一定要國家來擔負這種責任。（同上）
>
> 民生主義，就是要四萬萬人都有飯吃，並且要有很便宜的飯吃，要全國的個個人都有便宜飯吃，那才算是解決了民生問題。（同上）

僅就以上所引述，則知中山先生思想，是要求每一個人都能維持生存；而且是大家都能「有平等地位去謀生活」。中山先生說：

> 甚麼是民生主義呢？民生主義就是要人人有平等地位去謀生活，人人有了平等的地位去謀生活，然後中國四萬萬人才可以享幸福。⑩

論語雍也篇：「子貢曰：『如有博施於民，而能濟眾，何如？可謂仁乎？』子曰：『何事於仁，必也聖乎！堯舜其猶病諸！夫仁者，己欲立而立人，己欲達而達人，能近取譬，可謂仁之方也已』。」我們用論語的這一段問答與中山先生的民生主義加以比較研究，則知中山民生思想之理想即是孔子的這一段話之實行；因為中山先生主張「要國家來擔負這種責任」以「解決民生問題」，達成養民之目的，使「全國的人民都能夠享受」，這是非博施濟眾所

---

⑩「農民大聯合」民國十三年八月在廣州對農民黨員聯歡會講。

可企及，而是把己立立人，己達達人發揮到了極致之處。再與「大禹謨」及論語堯曰篇所講之道統來加以比較，則知中山民生思想，確是道統之屬於經世之學的這一方面之發揚光大。

蔣總統曾說：「我們可以了解總理的民生主義，就是在使人人有土地、人人有工作、人人有權利、人人有自由，亦就是人人能自由的生活，人人能自由的生存，人人皆能享受其康樂的幸福。所以總理說：『民生主義……就是大家都可以發財……享人生的幸福。』」⓫又說：「總理還說：『我們實行民生主義，國家發生大財，將來不但是要那一般平民能夠讀書，並且要那一般平民都能養活。』所以我以為民生主義的『平均地權，節制資本』兩句口號，可以很簡單的說，就是『均富』兩個字，我今天為什麼要提出這『均富』的口號呢？就是要使人人容易知道民生主義的道理，再明白點說，『均富』是要使人人有田種，人人能發財，但是不許每個人在限田額數之外，再壟斷土地成為大地主，亦不許財主集中社會財富，成為托拉斯，而再有社會不平的現象，這就是我們革命要為窮人打不平，而使社會沒有太窮的現象。換言之，要使國內人民貧富相平，而無特殊階級，這就是我所說的『均富』，亦就是民生主義的真諦。」（同上）

二、民生主義與私有財產制

蔣總統以民生主義的真諦為「均富」，這是最直截了當也是最正確的說明了中山先生

⓫「土地國有的要義」民國四十一年。

民生主義的思想。因爲中山先生既然認爲：「我們實行民生主義，國家發生大財」；又說：「民生主義……就是大家都可以發財」，民生主義的意義當然就是「均富」。民生主義第二講說：

> 因為三民主義之中的民生主義，其大目的所在就是要眾人能夠共產；不過我們所主張的共產，是共將來不是共現在。這種將來的共產，是很公道的辦法，以前有了產業的人，決不至吃虧；和歐美所謂收歸國有，把人民已經有了的產業都搶去政府裡頭，是大不相同。

民國廿年代，許多人認爲，既然中山先生的民生主義也主張共產，祇「是共將來不是共現在」而已；那麼，共產主義有什麼不好呢?殊不知，中山先生所主張的共產就是「均富」。這與共產主義不僅有手段上的不同，而且有目的上之不同；因爲中山先生不主張「把人民已經有了的產業都搶去政府裡頭」，這就是中山先生不反對私有財產制。在某些人看來，中山先生既主張共產又贊成私有財產制，這似乎是頭腦不清楚。假如他們認淸了「均富」的意義，他們便會恍然大悟，共產與私有是可以併存的。在這裡特須指明者：共產與私有可以併存，並不意味著，無產階級專政與民主制度可以併存。全民政治與萬能政府是可以併存的，這是以民主爲前題。在專政之前提下，如果不是世襲制度，一方面奪權鬥爭永無寧日；一方面，其重視權力，較帝王時代尤有過之；而被壓迫者所受之痛苦，更千百倍於封建專制之時代。

事實俱在，毋須多贅。孟子曰：

易其田疇，薄其稅斂，民可使富也。食之以時，用之以禮，財不可勝用也。民非水火不生活，昏暮叩人之門戶，求水火，無弗與者，至足矣。聖人治天下，使有菽粟如水火。菽粟如水火，而民焉有仁者乎？（盡心上）

這是很明白的說明了「均富」之意義是什麼？「均富」就是「至足」，亦即中山先生心目中所謂之「共產」，乃在於使經濟財成爲取之不盡，用之不竭而大家可以同有的自然財。水火是既爲大家所同有而又成爲私有物之最好的例證。這所謂同有，在實質上就是共產。我們認爲，江上之清風，山間之明月，是祇能共有同賞而不能私有（也不必私有）；水火是大家所同有而又可以私有者（也必須私有）。現今之自來水，雖爲經濟財；但因其爲國家所經營，至足而爲大家所同有，所以亦不足以引起人之吝心。自來水雖爲公有，但使用之方便，如同私有。由此，我們也更可以獲得啓示：凡兩者可以併存的，皆爲事實上可以併存的。專政與民主不能併存，亦爲一事實上的不能。

中山民生思想的辦法是可以實行共產的理想；而無產階級專政，則絕對不能實行共產的理想。胡漢民的「三民主義的連環性」一書是民國十七年初版，其中有一段話很像預言一樣，可是他說對了，他說：

民生主義的辦法，卻是跑向階級鬥爭的前面去了的。這一點的關係，卻是非常重要；因為辦法不同，隨辦法連帶而起的政治組織的形體也就大異。依馬克思階級鬥爭的辦法，它必須要經過無產階級專制一個階段，才能再說共產。一到階級專制，就不管它是個人獨裁，階級獨裁或是共產獨裁，歸根揭底總是專制的復古主義。這只可以說是開歷史的倒車，距人類所希望的共產主義更倒退了幾百年。跨上了專制復古的虎背，盡管馬克思主義在後面狂喊著「趕快向共產主義之路走呀！」這隻饞虎終於向赤血河邊和白骨堆裡縱步狂奔的。所以信仰共產主義的人們，如果一定要跳上階級鬥爭和階級專政的虎背，便一定要向腥風血雨之鄉而去，永不回到共產的幸福之路而來。⑫

胡先生這一段預言，已非常不幸而完全應驗，騎在階級專政之虎背上的共產黨人，午夜若能捫心自問，亦應後悔莫及。總之，無產階級專政，不僅不與民主政治、民生主義、或全民政治、萬能政府等等併存，它亦不與共產主義併存，於是，他們「永不回到共產的幸福之路而來。

中山民生思想爲什麼可以實行共產的理想呢？因爲民生思想的目的是「均富」。能達成「均富」之目的，便是實行了共產的理想。「民生主義是共產的實行」。這是使許多人迷惑的一件事，即：共產主義不能實行共產，民生主義反而可以實行共產。從表面看來，這寧非

⑫ 「三民主義的連環性」帕米爾書店，民國四十年七版，頁五三。

怪事？在實際上，卻毫不足怪，此即馬克思的共產主義理論，如無產階級專政，生產工具公有，以及毛澤東主席的人民公社制度等等，都是與解決社會問題的最高理想相衝突的。簡單的說，這都是由於馬克思的「單憑學理」，不「根據事實」的理論所造成的錯誤。中山先生與胡漢民先生在半個世紀以前，即洞燭其錯誤，現在雖已爲事實證明，可能仍有人不明其故，所以特略加說明。至於中山民生思想達成「均富」的方法，胡漢民先生也有很清楚的說明：

要是不走死路，走生路，則唯一的生路，就是實行民生主義。民生主義中的兩條方法，節制資本，平衡地權，不過是防止社會生出階級鬥爭的病症，還不是培養社會的生理的方法。所謂培養社會的生理，用什麼方法呢？這也是中山先生已經計劃好了的。先生說：我們單靠預防的方法，是不夠的，還要製造國家的資本。何謂製造國家資本呢？就是發展國家實業。發展國家實業的門徑有三：第一是鐵路；第二是工業；第三是礦產。這三種實業都發達，每年三種收入都是很大的。要是由國家經營，所得的利益歸大家共享，那麼全國人民便得享資本的利，不致受資本的害。（同上）

三、節制資本與發達國家資本

「得享資本的利，不致受資本的害」，這是中山民生思想最主要之目的，其方法就是平均地權與節制資本，以及發達國家資本。平均地權這個工作，我們在臺灣做得很成功，臺灣農村的繁榮與安定，原因很多，如加強農田水利設施，改良品種，增加化學肥料，經營副產等等；但耕者有其田這個制度之成功的推行，給農民的鼓勵，卻非常之大，使他們都能蒙受國家之利而家給人足。同時，在地主方面，因爲政府以工礦、農林、紙業、水泥四大公司股票作爲補償地主之地價，使地主已往投資於土地之資金轉投於工業，不僅使地主們未蒙受損失，也間接促進了工業的成長。

節制資本這個工作，至少在目前已做到沒有「受資本的害」，而且工業成長遠較農業爲快速。我們認爲，最值得一道的，乃爲發達國家資本這個工作。今天臺灣，在政府獎勵之下，民營企業發展遠較公營事業快速，由民國四十七年公民營企業各佔工業生產的一半，到民國六十四年的公營事業比重降至二二・七％，而民營企業則升爲七七・三％；但獨佔性的煉油、電力、煉鋁、肥料，以及石油化學工業上游工業等均爲公營。這就是說，民營企業除了與公營企業共同爲國家創造財富外，它並不是那麼容易的如歐洲當年之早期資本主義者那樣的可以任意危害國家和人民；而且，由於農村的繁榮與安定，即令經濟不景氣，失業人口回到農村，仍然有工可做，有飯可吃。這可能是中國文化特色對於經濟發展所產生的一種很好的影響。至於公營企業，包括生產事業與交通事業在內，有極少數的一兩個單位似乎顯得較爲老化；但絕大多數的公營企業，都很有成就。郵電這是大家都稱道的。郵政很注重鼓勵員工之進修向上，所以他們的機關充滿活力，好像有一種「源頭活水」，永不枯竭，他們的工作，當然可以做好。電信局爲顧客服務，抱著一種「顧客是衣食父母」及「天下無不是的顧客」之心理，來從事工作，這就是在發揮人之仁心仁性，他們的工作，也當然可以做好。這種現象自然只有民主國家才會有的。我曾經與臺糖公司一位廠長在同坐火車時長談，他認爲公營事業確爲國家賺了不少的錢，至於公營事業之所以辦得不錯，與文化傳統以及社會風尚都有關係。這就是說，公營事業辦得好，自然就是爲國家增加了財富，也就是解決了經濟問題；但是，這不是單從其本身的範疇就可以解決問題，而是涉及到社會各方面的。因此，馬克思企圖以「快刀斬亂麻的手段」來解決經濟問題，確是行不通的。

維持生存的民生問題，雖然就是吃飯問題；但要真能解決這個問題，是必要與延續生存，保障生存等問題一同解決的。中山民生思想確能把握這個要點，而整合我國的道統與西方的社會思想，形成一種解決社會問題之最好的原則或辦法。在激進份子看來，它似乎是迂緩而不切實際；或者，它似乎是一種妥協的思想，現經事實證明，它確是兼顧成長（求富）、公平（求均）、與自由這三個目標，以謀求社會之均衡發展，而達成民生樂利之目的。

四、從維持生存到改進生存

人之延續生存、保障生存、維持生存之問題，所以是必須一同解決，乃因爲人有思想有意志。很顯然的，人之思想活動，編造與精鍊了人之「象徵系統」；但人之「象徵系統」亦必然的影響了人之思想與意志。當人發現他自己時，他必然會有一種意向或希望，這就是他掉在水中時所抓到的一株小草。這株小草固不必能保全他的生命，卻可以增加生命的光輝。凡失去希望的人，很可能即是他的生存意志喪失，而生命行程行將告終的時候；一個充滿希望的人，他的生命總是很充實的。人都會有他自己的希望，甚至當他並沒有發現自己的時候。我們無須回答人爲什麼會有希望這個問題；希望很可能與思想同在，它也是第一意義的。我們現在須加說明的，有些人的意向，很可能被驚懼吞沒了；而有些人的意向，則就是王陽明所謂之「良知獨耀」；良知獨耀，則是一種白化的最真實的意向。人之思想活動是因人之不同而不同，人之思想或意向是很眾多的。許多人的思想活動，常是盲目無知而成爲一種迷信，或就是一種「補償作用」。哲學對這些人，如能發生作用，當然可使這些人的思想活動明白化；但是，對這些人是很難發生作用的。不過，當一種哲學或一種思想活動能引起某些人的共鳴而發生了影響作用時，卻常能產生一種巨大的力量而甚至使人著迷。共產主義之風靡一時，即可作如是說。就我自己來說，我是熱愛中華文化的，我在民國二十三年，才第一次接觸到中山先生思想。我喜愛這個思想，當然與熱愛中華文化有關，不過，自民國廿八年以後，我參抗戰，也與我的工作有關；至於從事哲學活動，則是民國四十年以後的事。我相信自己是肯作獨立思考的人，而痛惡教條與八股；因此，本書之作，我並不否認在表達自己的信仰；但是，我的陳述則是很客觀的；也就是說，我是從哲學的觀點來表達我之所信，而我之所信，是以我之所知爲基礎的。我更覺得，作爲一個中國人，對今日中國大陸的變亂之由來（達按：此是指文革時代而言），是應該作深刻的反省與體察；對將來的趨勢，是應該有無限的關心。或許一個熱愛西洋哲學的人，他不會有這樣的心情；而一個熱愛中國哲學的人，他卻應該如此。我是本於自己的學術良心，作了以上的討論與陳述。有志於改進生存的讀者，實不妨詳加反省與詳加檢討：依照中山先生的思想，是不是可以使延續生存、保障生存、維持生存等問題，得到合理的解決？假如你認爲答案是肯定的，你當然應該仔細考察以上的討論，使你的認識更加明白化；假如你的答案是否定的？你更應該詳細考察我們所作的討論與陳述，仔細的檢討你的答案是否正確？許多人「安其所習，毀其所不見」。這在學術上的確是一個很不容易去掉的通病。我們以上所作之陳述與討論，是不是也犯了「安其所習，毀其所不見」的這個毛病呢？在寫作的過程中，我是很小心而也是很認真的隨時保持了這個警覺。這個警覺之保持，學術的良心之聲，才不致充耳不聞。我總覺得，我們為了人類的前途，為了人生的幸福，作為一個哲學的愛好者，他有權利也有義務來討論人之思想活動；因為這是改進人之生存的不可不面對的問題。而且，就本章以上各節所討論的，使我們體認到中山先生所希望達成之目的，乃在於以自然的王道的力量，而絕對不是霸道的力量，形成一種本乎人性人情，合於倫常物理的優良的文化精神，以處理民族問題或世界問題；並建立以這種優良文化精神為基礎的民主政治制度。這個制度，是全民政治與萬能政府併存，是政治平等與個人之自由發展併存，有社會分化之階層性，絕對沒有專政的統治階級之存在；並以平均地權，節制資本，發達國家資本為手段：「使人人有土地、人人有工作、人人有權利、人人有自由，亦就是人人能自由的生活，人人能自由的生存，人人皆能享受其康樂的幸福。」(同註十一)是「國家發大財」，每一個人都能發大財；是公有與私有併存；是同有而不是共有；是大家都能自由自在的過最好的同樣的生活，不是要大家共過一種牛馬式的生活；是一種世俗的生活，不是一種在禪宗叢林式的必須遵守清規的生活。這都是中山思想之主要目的。若達成了這些原則，這便是順應人之內在的不斷的驅動而對於人之延續生存、保障生存、維持生存的問題都能獲得解決。這是此未發之「中」真能「發而皆中節」；這是表現了人之人格平等的一元性及生活之多樣性；這是形上之道而流行在人常日用間所成就的幸福和諧生活；這是人之仁心仁性的真正的成就或人性在生活中之滿足；這是中山思想之真正實現。這個思想或理想的實現，必是科學與人文之整體的成就；而且，這個理想之實現，是可以萬變不離其「中」而日新又新的。中山思想是「仁所由表現」的。這個「仁所由表現」的中山思想之全體大用，是一種文化模式，是「自我潛能的肯定」，也就是「全面而和諧的發展自己」的結果。我們認爲，人之未發之中，欲能發而皆中節，惟有達成中山思想之主要目的，生活在中山思想的生活型態中，才能真有所成就；因爲中山思想的生活理想即是和諧而幸福的，亦即是發而皆中節的。由此可見，中山思想確是與我們的道統，亦即與我們的「中」一元論的哲學在精神上一致的。

誠然，哲學不在於確立某種希望或建立某種信仰，哲學是應該中立的；但是，哲學的愛好者，卻應該以認識他自己爲第一要務，亦應該以他的哲學知識來考察中山先生思想是不是明白化的？是不是一種真正的知識？爲使讀者對中山思想及其哲學體系之關聯性與一致性，能易於明白起見，特將「中山哲學體系表」附錄於後：

中山哲學體系表

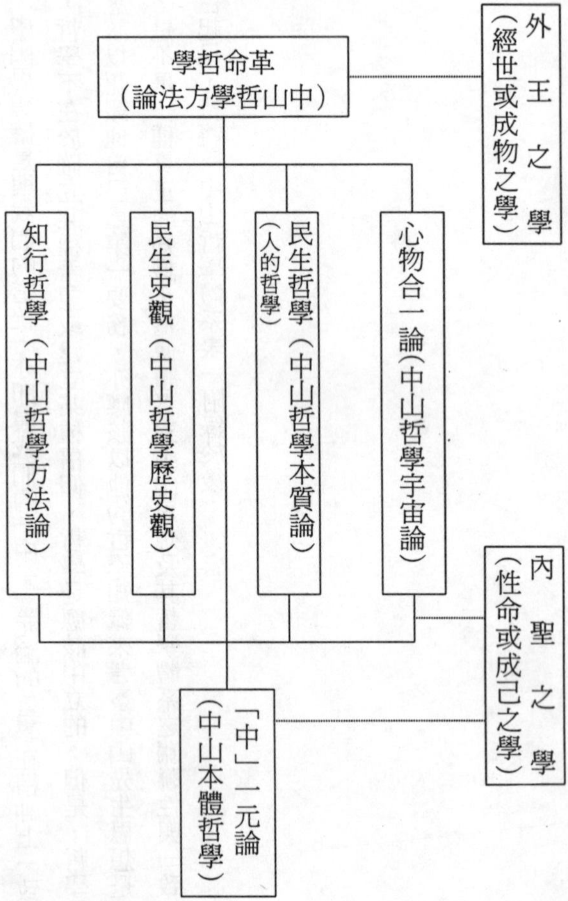
革命哲學
（中山哲學方法論）
外王之學
（經世或成物之學）
心物合一論（中山哲學宇宙論）
民生哲學（中山哲學本質論）
（人的哲學）
民生史觀（中山哲學歷史觀）
知行哲學（中山哲學方法論）
內聖之學
（性命或成己之學）
「中」一元論
（中山本體哲學）

第六章　結　論

第一節　我們討論了那些問題

一、闡明了「中」一元的本體論

我們爲了說明中山思想確是淵源於中華道統，特對中山三民主義思想及中山哲學思想，作較爲廣泛而深入之探討，「尋找一些堅實的和無可辯駁的東西」，以證明我們的答案之正確。於是，我們也說明了道統即所謂「十六字心傳」；而且，毫無疑義的，我們證明了中山思想確就是淵源於「允執厥中」的這個「中」字。若將「中」當作心之本體，它就是「喜怒哀樂之未發」；若將「中」當作宇宙之本體，須從心物合一論才能說得明白；不過，我們亦可將這當作宇宙本體本性之「中」，定義爲不落有無兩邊。所謂不落有無兩邊，其意義即：「非無非有」。我們祇須略作反省，則知所謂非無非有，其意義即：「亦無亦有」。因爲，非無即有，非有即無；所以，非無非有，其意義即：亦無亦有。從常識的觀點來說，非無非有，或亦無亦有，皆爲不可思議之事。語意學家或邏輯學家，很可能說這是頭腦不清楚；但是，在三、四兩章中，我們已明白的說明了這個真理；而且，也證明了並無邏輯上的困難。

黑格爾是以有無之同一，作他的辯證法之起點。我們與黑格爾不同的，即黑格爾所謂之有無同一，是純思辨性的，我們則是事實的或狀態的描述。這就是說，有無之同一，應依據事實而將其限定在形上學的領域裡，在現象界，有無之二分，是非常明白的。

我國先哲對這不落有無兩邊之非無非有，亦無亦有的宇宙本體是名之爲太極。照三四兩章所討論的而加以歸納，我們可以這樣的說：太極是本體之別名，中是本體之本性，心物合一是本體之特質，仁是本體之大德，生是本體之大用，公是本體之無私，誠是本體之真實无妄。名目雖多，其實則一；所以我們特提出「中」一元論（Neutral Monism）的主張，以闡揚道統，而發明中國傳統哲學之特性與精神。很顯然的，中國哲學之本體論，是在於發明本體之本性，以期在人常日用間而能篤行實踐。這個以「中」一元的本體論爲基礎的中山先生思想，是符合了中國哲學的這個要求；而且是發揚光大了這個傳統，使之獲得了新的生命。

二、討論了心物合一論

我們知道，「中」是未發，未發是不可說的；因爲它既是未發，它有什麼可說呢？但是，我們對於此心之未發，是可以通過反省而加以體認；對於宇宙自然之未發，則可類推而得；於是，它仍是可說的。而且，未發是必然的要成就它自己而顯現爲已發，已發當然是有跡象可說的。心物合一論的哲學，順本體之未發而已發的過程來說，它應描述此本體是如何的顯現爲心物合一之存在。一般說來，我們要識得此心物合一之本體，是應從心與物這兩個現象之分析，亦即要透入心物之背後而識得心物之本體，拙著「心物合一論」一書，其著重點即在於此。現在我們已肯定這心物合一之一即是「中」，其別名爲太極，故僅以「太極演化體系圖」而說明這未發之中是如何的顯現爲心物合一之存在。我們以「體用一原、顯微無間」及「只是一事」「其實一也」之觀念作基礎說明了這宇宙之本體是一陰一陽、一動一靜的而逐漸的顯現爲心物合一之存在，所以我們不排斥進化論；但是，我們肯定這本體是「自性具足」，所以我們反對精神是由物質突創出來的突創唯物論。賈克·莫諾的「合目的性」、「自律性形態發生」及「複製的不變性」諸學說，是有助於我們對突創唯物論之破斥的，在第四章第二節中，我們曾就這個主旨作了較爲詳盡的討論。我們也不完全同意物活論、生機論（即生命哲學）、前成論、機械論、目的論、必然論等等之主張，而創立了「中」一元的本體論及心物二元的現象論。我們贊成量子物理學家對「排中律」的修正，而認定是二者皆真，不是二者擇一。我們曾就自笛卡爾以來之西方的較負盛名的哲學家，對他們所講的有關心與物的問題，與我們的心物合一論的哲學，作了必要之比較的研究。我發現他們談心與物的問題都談得很精緻，但是，「卻與我國村野鄙夫談身體與靈魂的想像並無本質上的不同」。羅素（Bertrand Russell）亦曾有類此之批評，他在其所著「哲學大綱」（outline of philosophy）第二十三章中，對笛卡爾、斯賓諾薩、萊布尼茲及其他近代的哲學家，皆有非常簡要之評論。他說他們的「系統裡，有一個非常重要的共同特性，就是他們的系統都是基礎在『本體』的範疇之上，本體是從常識的『東西』觀念發展出來的一個概念。」羅素這個說法，是與我們在第四章中的看法很相同的，這是一種很中肯的批評。我們認爲，從常識的「東西」觀念是絕對不能體認到這心物合一之本體的。只就這一點來說，羅素比較能突破常識的「東西」觀念的，他在「哲學大綱」第二十六章中曾說：

所以「心靈」和「精神」這兩個名詞，只是暫時的概念，只是說明某種因果定律的方便的捷徑。在完全的科學裡頭，「心靈」和「物質」這兩個名詞都不能存在（in a Completed Science, The Word "Mind" And The Word "Matter" Would Both Disappear），我們必須用事點的因果律去代替它；我們所能知道的事點（不是事點的數理性和因果性）只是覺察，這些覺察是和腦筋佔在同一地位而有一種特殊的（「知識反應」）的事點。

懷黑德（Prof. A. N. Whitehead）亦有此類似的見解。謝幼偉在其所著「懷黑德的哲學」一書中說：「懷氏的宇宙是由實際體構成的，但實際體的本質或這宇宙的本質，又是什麼呢？是心嗎？抑是物呢？懷氏不是唯物論者，這是無疑問的。但說懷氏是唯心論者，他也不會承認。即謂懷氏為新唯實論者，他的學說也和一般新唯實論不同。懷氏自名其哲學為『有機體的哲學』（Philosophy of Organism）。所謂『有機體的哲學』，就是主張宇宙一切，乃通體相關的哲學。宇宙一切，通體相關，則天與人，心與物，或生命與自然，便不能視為截然不同的二物。謂心和物可有明確的界域可分，這是沒有根據的言說，心不是純粹的心，物不是純粹的物，自然不是純粹的自然，生命也不是純粹的生命。自然中有生命，生命中也有自然。自然是充滿生命的自然，生命也是包含有自然成分的生命。我們是生活於自然中。我們的生命和自然，其鴻溝何在，是無法指明的。我們生命的一呼一吸，便把生命加入於自然，自然加入於生命，生命和自然交織為一。故視心為純心，視物為純物，或視自然為純自然，生命為純生命，這不能明瞭心，也不能明瞭物。」「懷氏的宇宙，其實質是非心非物，亦心亦物，或可說是心物合一的。」❶由此可見羅素與懷黑德似已超越「常識的『東西』觀念」，因為他們都已體認到心與物不是東西；不過，他們卻並未完全擺脫現代自然科學的影響，因為他們二人都主張「事點」（Event），而且都認為「事點」是呈現在知覺中的❷。我們認為知覺一詞，意義很不確定。我們贊成禪宗的另外有一隻眼睛的主張，黑格爾即是「另具隻眼」的；這就是我們不僅承認知覺有程度上的不同；而且有種類上的不同；各種不同的知覺，雖然都是人之心靈的一種作用；但感官之知覺與超感官之知覺，必是不同的；而且，若執著於感官之知覺，終必缺乏哲學所需要的超越心靈。再者，我們也不贊成把宇宙的本體說成就是「事點」，我想借用巴尼特的話以為說明，他說：

可是，基本的神秘還留在這裡。科學的整個進軍是開向觀念的統一——從各種物質歸成元素，然後又歸為幾種質點，從「力」歸成一簡單的觀念「能」，然後物質與能歸成一基本的量——一直至今尚未知的東西。許多問題歸併成一個，可是對此一個卻並

❶ 謝幼偉著：「懷黑德的哲學」先知叢書版，頁二〇。

❷ 羅素所謂之「事點」，其義具見於前文所引「哲學大綱」第廿六章之一段；至於懷氏所謂之「事點」，具見謝著：「懷黑德的哲學」。謝幼偉曰：「凡在自然界發生的，都是一種『事點。』」

無回答：這種「質——能」東西的本質究竟是什麼？科學所探討的物理真實的最底層究竟是什麼？❸

我們所謂的本體，是指「這種『質——能』東西的本質」，是科學「一直至今尚未知的東西」，當然不是 Events，可見羅素、懷黑德等，雖比笛卡爾、萊布尼茲、斯賓諾薩等爲高明，但並沒有脫離自然科學的影響；因爲「事點」是構成自然科學的起點。

三、認識了「中」一元論的宇宙

懷黑德認爲中國與印度的科學之所以不發達，乃由於缺乏科學所需要的平衡心態（同註一，頁三〇）。我們覺得，西方哲學家，除黑格爾及愛因斯坦等極少數人外，他們都缺乏哲學所需要的超越心靈，也就未能識得我們所謂之「中」一元論的宇宙。我們仍借用巴尼特的話以爲說明。他說：

為了盡量使外形與「實在」免於混淆，並顯出宇宙的赤裸結構，科學必須超越於「感覺的混雜」之外，但是科學的最高大廈，愛因斯坦有一次指出：「是視裡面空的程度而訂其價格」。一理論觀念「空」到一種什麼程度呢？它「空」到好像與感覺的經驗

❸ 巴尼特著：「宇宙與艾因斯坦」。陳之藩譯，中華文化出版事業委員會版，民國四十四年再版，頁三八。

完全離異。僅有一個世界，人類能真正的知道，那即是他的感覺為他所創造的那個世界。假設他把所有輸入，貯存下來的印象全都抹去，什麼都剩不下了，這就是黑格爾（Hegal）所說的那句名語「純粹的『是什麼』與『什麼全不是』是相同的」（Pure Being And Nothing Are The Same）。凡與其他毫無關連的一種存在狀態是沒有意義的。科學家及哲學家所說的外形的世界是什麼樣呢——有光、有色、有蒼天、有綠葉、有呼嘯的風，有潺潺的流水，是人類感官的哲學所設計的世界——在這個世界中，可憐的人類是被錮禁於他的基本性格的樊籠中。科學家及哲學家所說的真實的世界是什麼呢？——無色、無聲、空虛的宇宙在人類許多理解所構成的一平面之下猶如一座冰山——這個世界是許多符號的一個結構。❹

巴尼特此說頗能超越自然科學的影響，也頗似我們哲學的觀點。實際上，「有與無之同一」，這是指明了「質—能」這個東西的本質是什麼？亦即說明了科學「一直至今尚未知的東西」是什麼？假如你有一種哲學所需要的超越心靈，便知吾言不謬；也便知第四章第二節「太極演化體系圖」，不僅是明白的說明了自笛卡爾以來西方哲學家沒有說明白的這個關於心與物的問題，也的確明白的說明了「質—能」這個東西的本質是什麼；因爲它就是我們所

---

❹ 同註三，頁八八 "Pure Being And Nothing are The Same" 通常譯為「有與無之同一」，此譯為「純粹的『是什麼』與『什麼全不是』是相同的」頗能使人易於瞭解。

謂之「中」。

巴尼特這本書，有艾因斯坦的序文，可以說這本書頗能將艾因斯坦的專門性的理論通俗化。在這裡特別要談到「自然二分法」（Bifurcation of Nature）的問題。很顯然的，愛因斯坦是贊成「自然二分法」，這卻是懷黑德「所根本上抗議反對的」❺。我認爲抗議與贊成都對。我們在第三章中討論「形上學有關的幾個範疇」時，依據海森堡的理論對排中律作頗爲詳盡的討論，已指明「排中律」不論「形上學有關的幾個範疇」時，依據海森堡的理論對排中律作頗爲詳盡的討論，已指明「排中律」不完全是真理，所以我們認爲抗議與贊成都對，並無邏輯上的過失；而且，這是中國哲學裡的一項很重要的觀念，即：本體與現象，不二亦不一。此中道理，在第四章中，我們討論「道統與心物合一論」這個問題時，對此亦有頗爲詳盡的討論。我們認爲，這個有無同一之形上本體，與這個有光、有色、有蒼天、有綠葉、有呼嘯的風、有潺潺的流水，而氣象萬千的現象界，確是不一的；但因爲是「體用一原，顯微無間」的，所以亦不二。我們曾以水與波浪爲喻而描述這個不一亦不二之義理。由此可見，本書所主張的「中」一元論，不只是專對本體而言，亦是針對本體與現象之不一亦不二而言。這就是說，依照「中」一元論的理論，是可以認定心物一元的本體論與心物二元的現象論都是對的。現象應是多元的，因爲此多元之現象，可納化爲心物二元，所以可以說是「心物二元的現象論」。羅素在其所著「哲學大綱」第二十六章中曾說：「爲什麽是一元論呢？因爲我認

❺ 懷黑德：「自然的概念」（The Concept of Nature）轉引自謝幼偉著：「懷黑德的哲學」頁三五。

為世界之中只有一種太素，是所謂『事點』。但這也可以說是多元論，因為我承認有無數的事點。」（請覆按第三章第六節）羅素看清楚了現象的多元，卻沒有真的體會到本體的一元。黑格爾認識了有與無的同一，他應是認識了這個本體。艾因斯坦也似乎是見到了這個真理。假如巴尼特不完全是「學語之流」而自己真有所見，巴尼特就此羅素與懷黑德要不缺乏哲學所需要的超越心靈，而真的認識了我們所謂之「中」一元論的宇宙。

我們在本書所提出的「中」一元論的宇宙觀，其主要之點是認定：本體的一元與現象的二元都是對的。基於這個要點，乃更進一步的認定：從巨觀（Macroscopic）性質或巨視現象來說，思想三律或其他合乎常識的知識都是正確的；從量子力學的或較弱的意義來說，上帝則是賭徒，而波與粒兩者卻就是一個東西；更就形而上的本體來說，它既不落有無兩邊，也就是有與無之同一，它的真正本性就是「中」。英文 Neutral 一字，一般說來，其意義為「中立」；但亦有：無色、無性、或中性諸意義。這既與不落有無兩邊之本體的本性（中）同義，亦與「喜怒哀樂之未發」極為近似。因此，Neutral Monism 一詞，應譯作「中」一元論，而不應譯作「中立一元論」。這個「中」一元論的宇宙觀不是決定論的（可以說其他的各種一元論皆是決定論）。在「中」一元論的宇宙裡：上帝既不玩骰子（就較強的意義說，因果律即宿命論），上帝亦是賭徒（就較弱的意義說，因果律即或然律）。偶然與必然，二者皆為真理。在這個宇宙裡，夏天熱，冬天冷；白天光明，夜晚黑暗。雖然有冷熱，有明暗，有強弱、剛柔、陰陽、成敗、乃至死生等等，雖然是兩兩對立，兩兩矛盾；若究其真實的或真正的本質，這兩相對立或矛盾者，皆相互補足而同一。這是用唯物或唯心之說所解釋不通的；只希望用一個定律加以解釋，亦不可能說得通。因此，在這個宇宙裡，只能依據當下的事實加以描述。不過，此所謂當下的事實，不完全是科學的事實。即如在人類社會的這個全部的事實，是科學的與人文的這「兩種文化」（The Two Culture）相互貫通而所造成的一個完整的共同之體。它是與歷史不可分的。它是歷史與文 化昇華在哲學領域的存在。這可以說是歷史、文化與哲學所形成的綜合體。因此，我們必須有一種屬於哲學的超越心靈，或者說，須「另具隻眼」，才能體會到這個當下的全部事實，也才能作較爲完整而不抹煞事實的描述。凡執持一察之好而以偏概全者，對於這個既單純而又不偏向的當下之事實，是不可能作完整的描述。我們的「中」一元論的宇宙觀，很顯然的是一種較爲完整的宇宙觀。這可以說是「中」一元論的最主要的特點，也就是我們在以上之三、四兩章中所討論的最主要的結論。

我們這個討論的目的，在於說明究竟的或第一意義的是什麼？凡第一意義的，是無可辯駁的與無可懷疑的。我們對於疑難之解析，確是作了相當之努力的；而且，由這個討論，也使我們較爲深入的體認了中山哲學的全部及其思想之各方面，所以在第五章中我們也討論了中山思想之主要目的。我們認爲，中山哲學是立足於心物合一之「中」一元論的本體論上，而中山思想之主要目的，則與道統之精神是完全一致。

四、宏揚了中山先生的思想

照我們在第三、四兩章所已說明的，這心物合一論，「中」一元論，民生哲學、民生史觀、知行哲學、革命哲學等等，可以說是中山哲學的全部，也就是性命之學的全部。因爲我們需要有一種引導對自己及宇宙整體的看法，需要有一種融會貫通且敘述有系統而思想透徹的知識；所以我們討論了這性命之學的全部，而最後談到革命哲學。假如不談革命哲學，我們便不能明白認識中山先生所承襲固有思想者，亦即以道統作原料之研究是歸結在何處？當我們談到革命哲學時，我們便認識了性命之學的全部；於是，也觸及了經世之學的全部。我們體會到，這是實踐篤行所完成的系統，也是表現了熱情的且是信守不渝的生命方式；因其是信守不渝的，所以是一堅實的信仰系統；但是，這是通過了反省性的思考工作的。凡真正具有反省性思考能力者，他便會有一種哲學所需的超越心態，而體會到這個信仰系統不是教條化的乃是非常明白化的。因此，這性命之學的全部，是一偉大的哲學系統。

這個哲學系統是知難而行易的。這意義是說，比較起來，實踐這個哲學較易，認識這個哲學較難。這當然有一先決條件，即我們必須有爲革命而生，爲革命而死之至誠。凡能本於一念之誠，不滲雜任何虛假與私慾，而躬行實踐者，其言其行多能吻合此未發之「中」的至中至正，至公至誠，故亦能發而皆中節。歷代志士仁人之成仁取義，即是這個哲學之實踐的典範。佛家有「放下屠刀，立地成佛」之說。我們也可以說，凡真有一念之至誠者，他必然的可以得到此未發之中，只是許多人不能有此自覺而已。這就是說，要真能通過自我的反省以體驗喜怒哀樂之未發，並能「豁然貫通」的以識得此未發之中，則是比較困難的；至於獲得「解脫知見香」者，則是更爲困難。中山先生必待晚年，才獲得了他的哲學系統。這個哲學確是知難而行易的。知難行易的學說雖沒有以此爲證，只要我們肯細心的去體會，便知中山先生在很多地方都指出了，革命之實踐是比較真能懂得革命理論爲容易。當然，中山先生並沒有從純哲學的觀點來討論過這個問題。但是這不是說，我們不應從哲學觀點，解讀中山思想。

我們仍須略加說明的，即哲學知識之獲得之所以較哲學之實踐爲難；因爲哲學之知是疑情盡釋後的認識，而許多偉大的吻合哲學精神的行動，則只是本於一念之至誠而當下的去實踐而已，所以比較容易。同時，若能真知，必會篤行。陽明知行合一之說，實亦含有知難行易之意。陽明在龍場之悟道，是經過了許多困難的；而知行合一，則是悟了以後的事。知確是比行爲難的。

這是一個容易爲許多人誤解和忽視的真理，所以我們特別再提出來加以討論。我們的意思也是說，本書所討論的中山先生思想是淵源於中華道統，實並不是一個很容易瞭解的問題。

第二節　這些討論所得的啓示

一、中國往何處去的問題

我們之所以提出這個問題，這就是說，我們已獲得了解答問題的啓示。

中共在香港發行的期刊「七十年代」，於該版第八十二期中，刊佈「七週年特大號徵文啓」，其徵文的題目爲：「中國往何處去」？作爲中共統戰刊物之「七十年代」，竟然把這個問題公開出來，可見這個問題已到了非公開提出來不可的程度。

「七十年代」的徵文啓，承認一九七六年是中共政權「坎坷之年」，因毛澤東、周恩來、朱德「三大巨頭」先後去世；而「在反右運動中，天安門事件爆發，鄧小平被轟下了台」。加之「唐山、豐南大地震及其餘波，迫使中共動員全國賑災」。「但最爲震驚中外的，相信是十月初外界盛傳的北京流產政變事件」。於是，該「徵文啓」乃將問題具體的提出：

> 中共到底是氣數將盡，還是「形勢大好」，「在鬥爭中前進」？或者如有些人所說，當前最重要的是富國強兵，提高老百姓的生活水準，不該鬥來鬥去，沒個完。是耶？非耶？有待公論。

我們姑不論其徵文之用意何在，其「徵文啓」卻暴露了中共遭遇了困難的情勢；同時，其所提出的「中國往何處去？」的問題，乃近年來在大陸暗中流傳的一個問題。假如大家不認爲中共已註定失敗了，這個問題是不會提出來的。

中國究竟應該往何處去呢？很顯然的，這個問題，是由於認識的錯誤，而造成一種「錯誤的嘗試」所產生的。這就是說，在本質上這是一個思想上的錯誤所發生的問題；因此，這個問題的解答，其最先決的條件，在澄清思想上的錯誤。本書以上的討論，即在辨明錯誤，顯示真理。基於這個啓示，使我們體認到，這個問題的解決，是必須停止無產階級鬥爭及人民公社等制度（達按：自改革開放後，早已停止了），使一般人得免於被監視、告密、批判、侮辱、清算、鬥爭、公審、下放、勞改、打殺等惡怖；然後本於「國是決之於公意，政權公諸於全民」的民主原則，逐漸的實行民主憲政體制，建立符合中華文化精神與全民意願的民有、民治、民享之新中國。這個新中國的主要特徵是什麼呢？中山先生說：

我們要解決中國的社會問題，和外國是有相同的目標；這個目標，就是要全國人民都可以得安樂，都不致受財產分配不均的痛苦，要不受這種痛苦的意思，就是要共產，所以我們不能說共產主義與民生主義不同。我們三民主義的意思，就是民有民治民享的意思，就是國家是人民所共有，政治是人民所共管，利益是人民所共享。照這樣的說法，人民對於國家，不只是共產，甚麼事都可以共的。人民對於國家要甚麼事都可以共，才是真正達到民生主義的目的，這就是孔子所希望的大同世界。

中山先生這段話的主要意思，就是說：「天下是天下人之天下」，「人民對於國家，不只是共產，甚麼事都可以共的」；這也就是「天下為公」的意思；所謂「天下為公」，這只是從所有權說的。因此，所謂共產，實只能共所有權，即國家的產業是為全國人民所共有。在民國初年時，我國仍有所謂「族產」，即同族人所共有者；亦有公產，學產等等，其所有權分屬於地方政府，或地方政府之教育機構；但其使用權，則屬於承租人所有。很顯然的，所謂共有、共管、共享等等，皆是從所有權說的，絕非從使用權而言。中共以及俄共之集體農場，則是將農場變作工廠，人人皆只是工作者或勞作者，而使用權則被剝削了。由此可見，民生主義所主張之共產，與共產主義者所主張之共產，有本質上的不同；因為民生主義所主張的，祇是共所有權，而不是共使用權；俄共與中共，則是所有權歸專政之階級所有，而一般人則被強迫的共同做一樣的工作，過著共同而一律的生活，這可以說是在共使用權。有些使用權是絕對不能共的。雖夫婦之親，亦多不共用一隻漱口杯。有人以爲，工人在工廠中共同使用一部機器，這就是共使用權了。在實質上這絕對不是共使用權，而只是社會分工的結果，亦即這只是一種工作的方式而已。工作與使用有時相似，實有本質上之不同。若以爲共產應共得徹底，連使用權也應該共，這確是一種誤解。現在我們應該明白了：真正的共產，只是全國人民，有權站在平等的立場，共同管理國事或國家的產業，而其最終極的理想，是希望至於「至足」之境，大家都可以住最漂亮的房屋，享受相同的最幸福的生活。這就是說，在使用方面，只求其能達到相同的最好標準，而不是像集體農場或集中營一樣，強迫人民過共同一致的生活。

爲期把上面的意思說得更明白些，特就禮運大同篇略作解釋。孔子曰：

> 大道之行也，與三代之英，丘未之逮也，而有志焉。大道之行也，天下為公，選賢與能，講信修睦，故人不獨親其親，不獨子其子，使老有所終，壯有所用，幼有所長，矜寡孤獨廢疾者皆有所養。男有分，女有歸。貨惡其棄於地也，不必藏於己；力惡其不出於身也，不必為己。是故謀閉而不興，盜竊亂賊而不作，故外戶而不閉，是謂大同。

這第一段自「天下爲公」至「講信修睦」，是講「天下爲公」之民主而祥和的政治或社會；第二段自「故人不獨……」至「皆有所養」，是講人人皆無虞生活匱乏，無虞失業，皆能受良好教育。當然，人可以親其親，但不獨親其親；人可以子其子，但不獨子其子。這就是說，大家都有一種推己及人的美德。第三段「男有分，女有歸」，是講男人都有工作與妻室，女人都有丈夫，所謂「內無怨女，外無曠夫」，即為此意。第四段自「貨惡其棄……」至「不必為己」，是講可以有私有財產，但不必有私有財產，如水火之不必藏於己；同時，大家都樂意工作，但既非被生活所迫而工作，更非被服勞役而工作。第五段「是故」以下為最後一段，講大家都以誠意待人，都不爾虞我詐，你爭我奪，所以外戶可以不閉，這就是大同。大同之世，內戶仍閉。這是說，人應該有其私自的生活。

這個大同世界，是中山先生所理想的共產世界，是中山思想之終極理想；這也是儒家內聖的性命之學所欲成就的外王的經世之學。換一句話說，這就是道統所希望完成與實現者。因此，我們可以這樣的說，中山思想之終極理想，即道統之完成與實現。它是人之仁心仁性的發揚與成就，亦即社會功能之發揚與成就。於是，我們可以這樣的說，中山思想之全部，它是窮造化之源，明天地之德，通古今之變，成社會之能的。這個學問，雖主張共產，卻只是共所有權，而不是共使用權，雖主張平等生活，卻贊成真平等而不贊成假平等的一律如此。它與共產主義，不僅有方法上之不同，而且有目的上之不同；因為依中山思想之終極理想，是人人快樂幸福，且人人都應該有其私生活。凡「私」而無害於「公」者，乃中山思想所不禁，這與共產主義者干涉人之全部私生活，有天壤之別。我們今天在臺灣逐步的實行耕者有其田，住者有其屋，以及節制私人資本，發達國家資本，有計劃的儘量縮短貧富差距，及鄉村與城市差距等等，這都是期望達成「均富」理想，及實現「孔子所希望的大同主義」的一種步驟。這種步驟，在表面看來，似是走向小康之路的；因爲這與以資本主義爲基礎的福利經濟，並無實質上的不同。我希望讀者好好的讀一讀民生主義。中山先生是主張改良資本主義而進入社會主義的。福利經濟，是中山先生理想之實行。福利國家的成就，也證明了中山先生針對事實講辦法的理想之可行性。我們認爲，現代的福利經濟，確是達到了小康的境界。孔子曰：

> 今大道既隱，天下為家，各親其親，各子其子，貨力為己，大人世及以為禮，城郭溝池以為固，禮義以為紀，以正君臣，以篤父子，以睦兄弟，以和夫婦，以設制度，以立田里，以賢勇知，以功為己；故謀用是作，而兵由此起，禹湯文武周公，由此其選也。此六君子者，未有不謹於禮者也。以著其義，以考其信，著有過，刑仁講讓，示民有常。如有不由此者，在埶者去，眾以為殃，是謂小康。（禮記禮運第九）

小康之世，是一個講工作效率的禮法社會，與講民主法治而重視人民福利的新資本主義社會，並無本質上的不同。小康之世，在正常情形之下，人民之生活無虞匱乏，亦可免於恐懼，而確能維持生存，保障生存，延續生存；但是，在已往的歷史，能保持這種常態的時期是不多的；因此，若希望開萬世之太平，只有由小康之世而進入大同之治。讀者一定會有這樣的一個疑問：即是在第四章中討論民生史觀時，曾指出社會歷史之進展，乃波浪式的一起一伏而一治一亂的日進於文明，應是無止境的。這個說法若是正確的，則不可能開萬世之太平。關於這個疑問，我們可簡單的答覆於下：此即人類在不知而行時期，或行而後知時期，社會歷史之進展，必是一治一亂的；現已至於知而後行之時期，吾人應運用智慧，密察世變，於欲亂未亂之際，即能「承敝易變」的以「得天統」，這當然就是開萬世之太平了。現代經濟學家，對經濟蕭條，研究預防的方法，這就是希望能「承敝易變」的以「得天統」。也就是說，我們人類，若能善用智慧，是可以開萬世之太平而無疑義。再丈，大同之世，與現代福利國家有不同者，乃一般人民不是「以功為己」，而是皆能發揚其仁心仁性。這當然與教育有關，亦與文化精神，生活模式有關。若先知先覺者之篤行實踐，能養成一種善良風俗，並能「承敝易變」而因革損益的繼續發揚光大，則當然就是開萬世之太平而實現中山先生之終極理想了。可見中山先生之終極理想，乃假定大同社會之人民，在「均富」之社會基礎上，社會生活極為舒適，社會事業辦得最好，社會秩序至為良好，社會道德水準很高。整個社會，充滿祥和之氣，而免去了麻煩與紛爭。這是一個我為人人，人人為我的社會；這是一個沒有陰謀詭計，沒有巧取豪奪的社會；但不是一個禁慾的社會，而是人之慾望獲得正當滿足的社會。這是中山先生的終極理想，這就是孔子所理想的大同社會，共產主義者則是未曾夢見過的。這個社會有刑罰，而刑罰早未用過；也有其他各種的為了公共利益的禁制，而人民從未觸犯過禁制。政府有關安全之一切措施，像消防車一樣，而從未發生過火警。這樣的社會，是物質生活之不虞匱乏而進到了精神生活之美滿，亦即從身體之健康而進到精神之健康。一個精神上的壓抑作用不存在的社會，一個沒有神經病患者的社會，如果不是一個貧窮的社會而是一個富足的社會，這個社會必是由小康而進入大同了。大同社會的真正成就，不只是物質方面的，必也是精神方面的。錦衣玉食，生活糜爛者，這是自我墮落，而精神必痛苦不堪；山林隱逸之流，過著艱苦的物質生活，以求得精神生活之充實，這是「自了漢」。孔子所理想的大同社會，是救治此兩者之良藥。所以這個社會，是眾生皆得成佛的社會。我們可以想像到，假如有這樣的一個社會，生活不虞匱乏，父子、夫婦、兄弟、朋友、及一切人際關係皆極正常，每一個人的心地皆光明中正。這樣的社會當然是眾生皆得成佛了，也就是每一個人皆「得救」了。照我們的「中」一元論的哲學，只要每一個人肯從「認識自己」做起，而養成一種超越的心態，以識得此未發之「中」，並「發而皆中節」的在人常日用間實踐，這個理想是可以實現的。至於實現這個理想之步驟，其最先決的條件，在於先知先覺之倡導力行，使民族、民權、民生這三個社會範疇中之各個社會問題，不論是精神或物質方面的，都能求得合理之解決，並將這種實踐篤行的精神，蔚爲社會的風向，馴致形成爲一種生活的模式，則這個理想便會在日新又新之情形下而逐漸的實現。照這樣說來，永久和平，或永遠幸福康樂的世界，確是可以獲致的；但是，這必是用王道，用一種自然而然的文化力量才能達成；若想用霸道而一下子就達成，卻無論用什麼霸道都不行的。正因爲在民國三四十年代，相信霸道的人太多了，所以我們遭受了共產主義的試驗，而造成了一種「錯誤的嘗試」。這是我們應該幡然覺悟的。假如全中國人都領悟了這個道理，而糾正「逃離自由」或「走向奴役之路」的思想上的錯誤，對於錯誤的意識形態之改正，必會立竿而見影。因此，中國應該往何處去呢?毫無疑義的，就是要「有一種自痛苦中接受教訓的智慧」，用中山先生的自然而然的王道的文化的力量，唾棄霸道的高壓的專制政治，以走向大同之路，而完成中山先生的終極理想，爲中國或甚至爲全世界開萬世之太平，爲後代子孫造無窮的幸福。

中國往何處去呢？讀者現在應該明白了，我們只有實踐這個「仁所由表現」的中山思想，亦只有遵循目前在臺灣用王道，用自然力量所進行的各種步驟，而一步一步的逐漸的向大同之路走去，任何偏急的思想或急進的辦法，不僅無益，而且有害；不過，爲了消除建設的障礙，以霹靂的革命手段，顯出菩薩的心腸，這也是必要的。

二、推展中山思想革命的問題

本書以中山思想是淵源於中華道統爲討論的主旨。爲朝這個主旨之明白化，我們在以上各章中，純從哲學的觀點，作了必要而廣泛的討論。使讀者明白。中山思想確是以我國道統，亦即我們所謂之「中」一元論爲哲學之基礎。這個以道統爲哲學基礎的中山思想，是「仁所由表現」的。照中山先生自己的說法，這乃革命之學問。這就是說，淵源於中華道統的中山先生思想，乃一種革命哲學。這個革命哲學，是從方寸之地做起爲主，而發揚人之仁心仁性，且「無所不用其極」的以求新的一種哲學。因其是從自己的方寸之地做起的，這種哲學，是反求諸己的，是以「犧牲、奉獻、奮鬥」爲主旨的，它當然是一種實踐篤行而又能安身立命的真哲學。它絕對不是魯迅在「阿Q正傳」中所說的「假洋鬼子」的哲學。這意思是說，假如「假洋鬼子」而有哲學，那必是一種假哲學；因爲所謂「假洋鬼子」，乃不從方寸之地做起而只是專門愛好時髦的人物。

我們若能從方寸之地做起，則我們的哲學必不會成爲權威的裝飾品，更不會幫助權威而殘害人民。任何一種哲學，它應該幫助人走生路而不應該幫助人走死路；但是，已往的希特拉哲學，現在還存在的爲權威服務的哲學，都是慫恿人走死路的。這就是說，教人走死路的哲學並不是沒有的。我們如何來發現它呢？只要我們能從方寸之地做起，我們便能認識到，凡爲權威服務的哲學，他不僅是一種假哲學，而且是教人走死路的哲學。對於這種哲學，我們實應深具戒心。

從方寸之地做起的革命哲學，它可以說是一種博愛的或慈善的哲學，所以中山哲學是以仁愛爲中心，是「仁所由表現」的；但是，這個革命哲學，亦並不是主張絕對不革他人之命的。這個哲學，曾經推翻滿清，打倒北洋軍閥，也曾經戰勝了日本軍閥。這個哲學只是主張「不嗜殺人」的，只是主張「行一不義，殺一不辜，而得天下，皆不爲也」的；但是，爲了掃除革命的障礙，而從事順天應人的革命工作，雖「血流漂杵」亦不爲過。

總之，中山先生的全部學問是歸結於革命之學。這個革命之學是至爲博大高深，亦至爲簡單容易。因其是從方寸之地做起的，所以是至爲簡單容易；這就是說，只要你願意去作，它確是「行易」的。因其是包含性命之學與經世之學的全部，所以是至爲博大高深；這就是說，這個哲學的本身，確是「知難」的。這個至簡易而又至爲博大高深的革命哲學，不僅應爲我們中國國民黨的同志所信仰，且應漸漸的成爲一種社會的生活型態與文化模式。果能如此，這就是最正確的發揚光大了中山先生的革命哲學。蔣主席經國先生在本黨十一全大會「政治報告」中曾說：

中國的出路，必須訴之於全中國人的良知；中國的命運，必須全中國人自己來掌握；革命是我們確保民主的責任，而民主則是我們始終一貫，生死以之的目的。我們為民主而革命，而且八十多年來，堅守道德原則，這種革命的精誠，更沒有理由為人們所曲解。

大家都要以復國的尖兵自居，以建國的工人自命，以革命的聖人高自期許。也就是要把革命精神發揮到最高度，把革命目標放到最大處，把民眾利益、社會福祉放在最前面，激發自己的每一分光和熱，匯為長江大河一樣的黨的新生命。

蔣主席這所說的，一方面是表明了我們中國國民黨的革命民主的屬性和事實；一方面也是闡揚了以道統爲哲學基礎的革命哲學或革命信念之特質：它是「堅守道德原則」的；它是爲「確保民主的責任」，爲「民眾利益、社會福祉」而從事革命的；它的「一切作爲，必須切合民眾的利益和需要」，決不以奪取政權，進行鬥爭，鎮壓與殘害人民爲目的，而是要「樹立開放性的政治常規，理性的民族秩序的基本態度」，使民主政治，正常運作。蔣主席自主政以來，完全是繼承前人的遺志，而切切實實的在實踐這個革命信念，力行這個革命哲學，而其結果：在社會風氣上，發生了潛移默化，移風易俗的功能；在政治績效上，發揚了和衷共濟，團結一致的精神；在國家建設上，發揮了克難創造，奮發有爲的朝氣；而建設成果之豐碩，人民生活之安定富足，在我國歷史上是沒有前例的。這是中山哲學之實踐的成果，也是我國道統之發揚光大。因爲若缺乏以道統作哲學基礎之深刻認識，便不能培養出一種屬於革命民主的革命精神與修養，也決不能達成上述之成就。

我們認爲，外王之成就，必爲內聖之修養成就所表現的一種結果。凡在政治上之所作所爲而是合乎王道精神的，其執政者，必有一群人就是哲學家；不過，他們都是實行的哲學家而不是談論或講說的哲學家。在他們來說，哲學已成爲一種熱情的生命方式，已成爲一種安身立命之所。他們對於問題的看法與處理，都是非常明白化的；若缺少這一點，是絕對不會有任何成就。權力是害人之事物，有權力而缺少哲學的認識與修養，少有不害人的。民主國家，因爲有一種大家輪流充任權威角色的良好風尚與制度，所以權威比較失去了害人的特性；但是，要能擔當大任，仍須有一種哲學上之精神與修養。這就是說，外王之成就，必賴內聖之修養工夫的成就；因此，我們要發揚光大這個革命哲學，其唯一的方法，就是要能深刻的體認這個哲學，並真能身體力行，而與自己的生活，乃至自己的生命相結合。我國歷代的聖賢之士，他們都是這種身體力行的人物。蔣主席經國先生，自主政以來，其所作所爲，大家無不叫好，亦無不心悅誠服。爲什麼能如此呢？那就是：這個革命哲學，已充滿了他的整個生命，已佔據了他的全部生活。他是「純亦不已」的在實踐篤行這個哲學，也就是發揚光大了這個哲學。本黨第十一屆二中全會開幕時蔣主席曾說：

> 我們同樣瞭解，國民革命在於解除國民的痛苦，謀求國民的幸福，其責任，我們中國國民黨全體黨員無可旁貸。總理說：「我們於國民，要表示我們的一種道德，一種革命的精神，使國民大家知道，真革命黨是為國犧牲的，是來成仁取義的，是捨性命來

救國的，是要把奮鬥精神來感動國民，令國民知道是非，知道真假，知道這個真革命黨是真心為國家，令一般國民跟我們來革命，中國才有救。」到今天我們在錄音中，還可以聽到總理這一段訓示，髣髴如見總理，而為之神往不已。

這是革命哲學之心靈上的體會，亦是人之固有的單純性的體會。凡以當下之至誠而體會到這個心靈者，他就是一個真革命黨，也才是一個真能實踐篤行的革命哲學家。這就是說，一個真正的革命家，必也是一個真正的哲學家。從蔣主席所引述中山先生這所說的，我們當知一個實踐篤行的真正革命家，他因為能成仁取義，為國犧牲，來感動國民，所以就是一個真正的哲學家。於是，我們亦可以體會到：惟有以哲學家的心靈去解讀中山先生的思想，才真能懂得這個哲學，認識這個思想。

哲學本身是不變的，它也是無用的；但是，當哲學成為某一個人的一種信念，或成為生命的一種方式，生活的一種目的時；尤其是當哲學成為行動的指導方針時，哲學是有一股魔力的；因此，哲學若與救國救民之工作相結合，則必可完成此偉大之事業。這就是說，我們要推展中山思想的革命運動，是應該成為「真能實踐篤行的革命哲學家」為先決條件。於是，中山革命哲學的實踐，必能感動全國同胞而成為一種風向，則中山思想之革命運動，必可成功。張橫渠曰：

為天地立心，為生民立命，為往聖繼絕學，為萬世開太平。

我們認爲，中山哲學之實踐篤行，若能成爲一種風向，不僅中山思想之革命運動，可以在中國大陸推行，且可以爲萬世開太平。因爲這個哲學的本身，是實現了「爲天地立心，爲生民立命，爲往聖繼絕學」的理想，故必能完成「爲萬世開太平」的這個任務，使人類的生命意志，發出最純的光輝。

國家圖書館出版品預行編目資料

中山先生思想與中華道統

周伯達著. — 初版. — 臺北市：臺灣學生，1999[民88]

面：公分. —(濱聞哲學集刊；7)

ISBN 957-15-0965-5 (平裝)

1.孫文學說

2.哲學 – 中國

005.18 88004983

中山先生思想與中華道統(全一冊)

著作者：周伯達

出版者：臺灣學生書局

發行人：孫善治

發行所：臺灣學生書局

臺北市和平東路一段一九八號

郵政劃撥戶：〇〇〇二四六六八號

電話：(〇二)二三六三四一五六

傳真：(〇二)二三六三六三三四

本書局登記證字號：行政院新聞局局版北市業字第捌玖壹號

印刷所：宏輝彩色印刷公司

中和市永和路三六三巷四二號

電話：二二二六八八五三

定價：平裝新臺幣四〇〇元

西元一九九九年四月初版

08904-7

ISBN 957-15-0965-5 (平裝)